戴國煇全集 

史學與台灣研究卷・五

◎台灣近百年史的曲折路

「寧靜革命」的來龍去脈

目次

contents

台灣近百年史的曲折路
「寧靜革命」的來龍去脈

戴國煇全集 5

史學與台灣研究卷・五

台灣近百年史的曲折路

「寧靜革命」的來龍去脈

中文版序

1995年春季，筆者下定決心，提早一年辦理離職。迄1996年3月底，我已於日本立教大學服務滿20年。資深離職教授相關優惠待遇資格將齊全。除了突變事故外，我們的生活該不至於發生困境。

照規定，我是可以在1997年3月底辦理正式退休的。若是如此，薪水可以多拿18個月（包括獎金），另還可享受正式退休獎勵金等。筆者一直以諸葛亮的〈誡子書〉：「君子之行，靜以修身，儉以養德。非澹泊無以明志，非寧靜無以致遠。」（簡略成「澹泊以明志，寧靜致遠」）為座右銘。當然，不會拘泥於「薪金」或「麵包」而猶豫的。

為了方便校方能有充分的時間來安排接替我位置的人事等，筆者早在1995年5月便經系務會議向教授會議正式表明離任。

本卷則是對自己多年來所探索的自我認同（ego identity）課題，及如何思考台灣暨台灣人的前瞻性定位，試作暫時性的總結。以資返台後與台灣的現實生活順利接軌。若能順利成書的話，亦可當為惜別諸友的「小禮物」來呈贈。

非常感謝多年知音好友伊藤雅昭——三省堂一般書籍總編輯

的美意。他說：「你的問題意識既尖銳又重要，該讓我們三省堂以一般書籍來正式出版（不考慮當為非賣品的紀念性出版）吧。」

我得到青睞當然欣然答應。如此般，我可在日本最著名及最權威的二家出版社（岩波書店和三省堂）出專著。感到無上殊榮。

一言為定，筆者花了十個月的功夫，並動員了日本學生們代為打字，趕在1996年5月10日以前出書。為的是好友們已訂席於東京銀座東急大旅館，代筆者向一百六十多名知音發出請帖，準備歡送我倆返鄉。

1996年5月17日，筆者正式返台，同月20日，參加了桃園巨蛋體育場的第一代直選總統的就任大典。攜回《台湾という名のヤヌス──静かなる革命への道》（以台灣為名的亞奴斯〔雙面神〕──奔向寧靜革命之路）的日文版專書（東京：三省堂，1996年5月20日第一刷）。本來意圖兩年之內，把中文譯本也完成。為了慎重起見，徵求了方家的高見。其間，確有朋友勸我且慢，書中一些識見可能不被一些官場人物所容，你所撰述者，可能將變成少數意見。我在納悶，為何少數意見不好？民主主義的可貴處該是尊重少數意見為前提的運作。遑論，少數意見不一定永遠停留在少數意見的境地。只要該少數意見具有生命力、開創性、正當性及符合未來的時代精神，大有可能走上多數意見的既光明又燦爛的舞台。所謂的主流意識或多數意見，例如德國納粹的狂猋，日本軍國主義的瘋狂，文革中的非理智狂潮，誰說，哪一個不是主流意識，哪一支非是多數意見？那些最終亦變成什麼？雖然，不願和稀泥，但為了不辜負知音們的美言，只好推遲到今天。至第二代直選總統走馬上任，新政的走向略為明朗時，補上些許新論及新資料，並把書名及副題改為「台灣近百年史的曲折路——『寧靜革命』的來龍去脈」於此正式上梓。請讀者諸賢不吝賜教。

此書的編譯整理，得到多位友好的協助，附此致謝。

戴國煇　謹識於五峰山梅苑

2000年7月20日

前言

1995年是第二次世界大戰結束後的第50個年頭，也就是說關鍵的一年。在這一年之間，世界的各個地方，均以各自不同的角度，嘗試著進行總結和反省，以資自身重新起步時，擁有充分的準備。

我是出生在台灣的客家系中國人，作為筆者的我，要站立在自己知性所經歷的立場上，試圖把「我所體會的日本敗戰後50年」和「台灣所經歷的光復後50年」的問題重疊起來，以「陷於台日關係百年漩渦中的台灣和台灣人」為主題，進行思索與總結。為了仰望諸位讀者先生賜與批評，整理出這一份無足輕重的成果，重新提出自己的看法。

「台灣」這一名詞，以種種不同的範疇及內容的形式，被思考和被議論著。而且，由於對其進行觀察的人們的立場、視角，或者所衡量的標準不同，從而對「台灣」的印象也大相逕庭。恰似人們不能將日本和日本人等，以偏概全地同視那樣，我們也不能將台灣和台灣人一概而論。對此，必須首先加以確認。

我們期望能對於外國和自己無關的他人，有更加公平、客觀、正確的認識。對於站立國際化尤為明顯的20世紀末，並且即將迎來新世紀的當今的我們來說，創建一個良好的對外關係，是一項緊急的課題。

在我的書架上，擺滿了日本有良知的人們以及一流智囊們對確立和創造自國的定位，以及作為日本人所應具備的自我形象所進行之智慧性分析的成果。閱讀著這些著作，驅使著我去思考「台灣的狀況」。我們這些所謂的台灣人，是否曾經依照歷史的脈絡，從根源上對「台灣和台灣人的存在問題」進行過探索呢？我是心存疑念的。

圍繞「台灣意識」和「台灣人意識」的議論，乍看下，頗為喧喧嚷嚷。然而恕我不懼遭誤解地來談談這個問題吧。迄今，我尚未見到頗具有深邃洞察力的深刻研討及分析，實為遺憾。

本書所嘗試的一些淺陋敘述，如能成為填補其缺陷的土基，則是萬幸之至。同時，筆者也期待拙著能啟發從根源上探索「台灣和台灣人的存在」之作用。

我認為，對一般的日本人來說，台灣是一個既靠近又遙遠的存在。圍繞台灣和台灣人的認同（identity）問題，幾乎沒有一個日本人能夠確切地抓住其本質性課題及其真正面貌。對該問題的理解之所以不易，正說明台灣的狀況是錯綜複雜的。「台灣的存在」在其面積及人口數來言，確實是微乎其微的，但台灣的存在，對亞洲以及對世界和平來說，又具有重大的意義，並占有舉足輕重的位置。對此，恐怕沒有人會懷疑的吧。如能以本書作為話引子，也能在日本廣泛地展開更加具有本質性的研討，如是對筆者來說，是無上喜悅之事。

第一章　近百年基軸之探索

第一節　以投影透視法回顧殖民統治時代

1995年，恰好是中國清朝在甲午戰爭吃了敗仗，將台灣「割讓」給日本明治的第100年關鍵之年。我們對這一時代的重新思索，是想從100年前的1895年開始。對台灣來說，1895年是清朝的光緒21年；對日本而言，是明治28年。這百年前的台灣，正處在三個年號錯綜交叉的狀態之下。

西曆年號首先意味的事態是，台灣被中國割離開來，投置於世界史的漩渦之中。清王朝的年號意味著努力現代化而遭受挫折的腐敗王朝，像是一隻蜥蜴被迫切斷了尾巴那樣，被強迫著將南海的一座孤島，即台灣自中國割離了出去。對清朝來說，那只不過是自顧自保的反應之一環。明治的年號無疑是日本的「脫亞入歐」政策大致走上軌道，顯示出「現代化的日本」愈來愈成型。日本帝國主義雖然還在早熟時期，但它卻附於西歐所呈現之「現代」的驥尾，開始將其獠牙朝向了東亞的鄰居，成了日本帝國主義起步階段的里程碑年號。

從此以後，在跨越半個世紀的日子裡，除了少部分台籍上層紳士地主階層拾日本人的牙慧外，台灣的大部分居民就被強迫渡著牛馬一般的屈辱的被殖民生活。

如果將甲午戰爭視為明治與清朝圍繞朝鮮半島的「權益」問題而展開的戰爭，並加以圖解化，是不充分的。而且將根據《下關條約》（即《馬關條約》）而被「割讓」了的台灣，即被殖民化了的台灣狀況，只是停留在明治日本對付孤島台灣這種簡單的構圖來加以看待，難道不會是過於呆板而又看不到本質的嗎？

綜觀百年之後，即1995年的今日台灣所處的世界史狀態，擬將它進行一次逆照射式分析的嘗試。可以說，台灣正被捆綁在美國主宰下的世界和平（Pax Americana）和日本主宰下的和平（Pax Japonica，只限於經濟領域），抑或是由美、日混合協調體制主宰的大框架之中。最近的台灣，難道不是在隱約地浮現出這樣一種形象嗎？特別是，蘇聯、美國雙霸主宰下的和平（Pax Russo · Americana）時代的崩潰，明顯化了的1991年秋天之後的事態，尤為如此。當然，Russo係指過去的蘇聯而言。

其次，將美國主宰世界和平的概念稍加說明。當然，美國主宰下的和平是仿效大不列顛主宰下的和平（Pax Britannica）的一種稱呼。而大不列顛主宰下的和平的意思，即是指由大英帝國的霸權主宰世界和平秩序。這只不過是炫耀其跨越整個19世紀，控制了七個海洋的大英帝國的繁榮盛狀，而模仿羅馬帝國主宰世界和平秩序的稱呼而已。附帶說明，羅馬主宰下的和平（Pax Romana），即係由羅馬帝國的霸權所支撐的和平之意。Pax是拉丁語，與英語的peace意思相同。

蘇聯崩潰之後，部分的人似乎仍然認為，美國作為唯一的超級大國存留了下來。然而，只要是明眼人就會看出，自第二次世界大戰結束之後約半個世紀的大半時間裡，盡情享受著美國主宰下的和平[1]之美稱，隨心所欲地充當世界憲兵角色的美國，其實力已不復存在了。眾所周知，一直被人們視為永遠不倒的經濟大國及擁有強勁美元的美國，其地位也受到日圓和德國馬克以及就要出現的歐元（Euro，按：1999年1月1日創設）等的挑戰，正在搖擺中。

在這裡，我們將思索的時鐘再向後撥回100年。我的目的在於，重新研究與中日甲午戰爭及與此戰爭前後發生的兩次戰爭——鴉片戰爭及美西戰爭（1898年美國與西班牙之間所進行的戰爭）的世界史意義。

常說，對歷史的思考，「假設」二字是禁忌的。儘管如此，也可以推測，如果沒有大清帝國霸權主宰東亞和平秩序的崩潰，以及與此相應而起的大不列顛的主宰和平秩序（1789～1914年），即由大英帝國霸權維持世界「和平」秩序的勃興，以及它的逐漸東進，鴉片戰爭是不可能發生的。

從而也可以推斷，清朝被大英帝國打敗的事態也不會發生。大清帝國主宰世界和平，即指由大清帝國霸權統治東亞和平之意。清朝的康熙至乾隆年間（1662～1795）是它的黃金時代，不難想像，如果沒有它的解體，在東亞是不可能發生秩序的重新改組的，從而也不會出現明治日本，即近代日本突如其來的興起。

事實上，法國的著名詩人、文明評論家梵樂希（Paul

1 坂本正弘，《パックス・アメリカーナの国際システム》（東京：有斐閣，1986）。

Valéry，1871～1945），早在1898年時便已發現世界將出現激烈動盪的徵兆。他從歐洲的中原法蘭西（與東亞中原的中國相對比），敲響了諸行無常、世上萬事即將變遷的警鐘。

梵樂希寫道：

> 前者（甲午戰爭）是被歐洲風潮所改造，所裝備的亞洲國民（日本人）所採取的首次依靠其實力的行動；後者（美國與西班牙的戰爭）則是由歐洲衍生出來的一支所謂發達的國民（美國人），對歐洲國民（西班牙人）的初次實力較量。[2]（括弧為引用者所加）

此兩場戰爭給與歐洲的中原人梵樂希以強烈的衝擊。成為勝者的日本和美國，後來成為基本上制約著20世紀亞洲的新興力量。從今天來看，極為明顯地形成了的「日本式現代化」和「美國式現代化」，在亞洲已經登上了屬於世界史的舞台。

依據以大英帝國為核心的現代西歐所推動的非歐世界（美洲大陸也屬於其一部分）的西歐化，橫跨整個19世紀，在強而有力地發展著。可以說，日本式現代化和美國式現代化都是向西歐現代化進行挑戰而出現的相對應的產物。作為資本主義國家而後來一起興起的日本和美國，它們對巨大的中國大陸市場垂涎三尺。它們兩者「情投意合」，企圖將隔著巴士海峽的台灣和菲律賓作為兵站基地，而將其淪為各自的殖民地。這即是19世紀末葉發生

2 ポール・ヴァレリー（Paul Valéry），《現代世界の考察》（《ヴァレリ――全集》12卷，東京：筑摩書房新裝版，1976年）「序言」頁4及び「鴨綠江」，頁136～143。

的1895年及1898年的事情。

前文提到了日美兩國「情投意合」的說法並非是沒有根據的。事實上，由於與琉球處分（即是1872～1879年，日本明治政府要求廢除清朝對琉球的冊封關係，以武力為背景，強制將琉球合併為日本領土的過程。1879年廢除琉球藩，改為沖繩縣）相關聯，從日本所進行的出兵台灣（1874年牡丹社事件）到日俄戰爭（1904～1905年）期間，與日本「情投意合」的新興國家美國的「影子」，一直纏繞著新興國家日本。然而，面對有關國際關係的強權政治理論，此類「情投意合」關係的根基是脆弱的。時過不久，以中國大陸，特別是以「滿洲」問題為嚆矢，日美兩國之間的矛盾逐漸激化。

自恃一時對台灣殖民統治獲得成功的日本人，忘卻了老子所說的「禍兮福所倚，福兮禍所伏」，從而使日本在台灣嘗到了西來庵事件[3]（1915年）、霧社蜂起事件[4]（1930年）等諸多的抗日運動。對這兩次的起義事件，日本施加了近乎種族滅絕般的鎮壓，故而遭到了全球的譴責。然而，對它並沒有形成任何教訓。此次在台灣遭到的體驗，甚至還使日本人產生了錯覺，認為「支那人」是容易對付的。滿洲事變、上海事變、盧溝橋事變等，使驕傲自大的日本人不斷地陷入自己製造的泥沼之中。最終甚至招致在廣島和長崎遭受美軍原子彈轟炸的慘狀。

3 參照山上北雷，《半世紀の台湾》（自費出版，1958年），頁183～185。
4 參照戴國煇編著，《台湾霧社蜂起事件——研究と資料》（東京：社會思想社出版社，1981）。

第二節　美、日「現代」的影響，於今猶烈

在此，先釐清何謂「現代」。所謂的「現代」是廣義的，它包括當為歷史時間的「近現代」期及在這一時期中所呈現的社會現象、意識形態、精神、價值觀及其體系，甚至於包含了當今常被討論的「後現代」時所涉及的「現代主義」（Modernism）和「現代性」（modernity）。

1945年8月14日，日本政府將接受《波茨坦宣言》之事通知了當時的聯合國（美國、英國、蘇聯、中國），由此而確定了日本對聯合國的投降。翌日，15日，第二次世界大戰的太平洋戰爭部分遂告終結。亦即，由於日本的戰敗，台灣光復（回歸中國）了。「蜥蜴的尾巴」抓到了新生的機會。從日本帝國主義殖民統治的桎梏中解放出來的台灣，本來就有選擇三個年號的可能性。一個是台灣從零年開始，或者可叫元年；第二個是中華民國34年；第三個是西元的1945年。

所謂台灣零年開始，意味被切斷了的蜥蜴的尾巴，要在被切斷的狀態下自發從頭幹起，亦即意味著台灣要自己選擇那尾巴的獨自的道路。然而，大多數的台灣居民選擇了歡呼中華民國34年的年號。順便一提，人們或許可領會到，1945年這個年號，蘊藏著與中國共產黨的潮流匯合起來的可能性。少數人也曾試圖選擇這一西元的年號，然而，因人數鮮少而未形成一股主流。追究其原因，台灣島內共產黨系統的組織，在日本當局的鎮壓下遭到了毀滅性的打擊情況下，無法活動，一直延至臨近日本的戰敗和台灣的光復。

從1895到1945年的半個世紀期間，日本巧妙地利用了台灣海峽之險，以無限期地與中國大陸隔離的形式統治了台灣。在這半個世紀期間裡，日本從多方面阻撓中國大陸與台灣的來往。其目的在於從台灣抹掉中國的色彩。中日兩國闖入十五年戰爭（指1931年開始的「滿洲事變」到1945年日帝接受《波茨坦宣言》期間）後，日本當局更加熱中於皇民化運動，這實際上是殖民統治的一種手法。而所謂實施台灣人與日本人同等待遇的一視同仁政策口號，只不過是個幌子，都只是一陣口水或吶喊罷了。其目的在於將台灣人與朝鮮人同樣地培育為日本的二等國民，以花言巧語將其淪為聽其使喚的爪牙。

正如漢娜・鄂蘭（Hannah Arendt）在其所著《全體主義的起源》[5]中所指出的，在國民國家的制度下，不可能對人權實現普遍的確保。而對日本人來說，台灣人只不過是受差別待遇的被殖民者而已。對這樣的台灣人，日本的官老爺們不可能像對待「內地人」（日本人）一樣，真正一視同仁的。尚不能認識這一理論及歷史事實的台灣人和日本人，而今仍然大有人在，這不能不令人感到痛心和悲哀。

從世界史的事例看，自殖民體制解放出來後的舊殖民社會的權力，則由曾經擔當抵抗運動的領導者們掌握的。但台灣的光復，並非是由島內的抵抗運動從內部取勝的，而是作為對岸大陸

5 Hannah Arendt, *The Origins of Totalitarianism*（New edition with added prefaces. A Harvest Book, Harcourt Brace & Company, New York, 1975）所收“Chapter Nine: The Decline of The Nation State and The End of The Rights of Man”, pp.267～302。日文譯本大島通義・大島かおり，《全體主義の起原2》（東京：みすず書房，1990年新裝版第三刷）所收「第五章，国民国家の没落と人権の終焉」，頁235～290。

的抗日戰爭和美國主導的太平洋戰爭中所獲得，既錯綜又複雜的勝利之一環，台灣才得以復歸中國的。

被殖民化之前的台灣，不存在與清朝不同的國家體制或者政治體制，因而也不曾存在過台灣獨自的正規軍隊和官僚體制。

在遭受日本統治的半個世紀的期間裡，台灣存在著抗日鬥爭的歷史和犧牲的歷史。但很明顯，在南海的一個孤島上進行獨自的鬥爭是有限度的。在台灣的青年之中，激進主義者們投入了中國大陸的抗日戰爭的洪流之中。他們認為，如果能使中國革命率先成功，台灣自然就能從日本殖民統治桎梏中解放出來。

留在島內的抵抗者們，在《治安維持法》（日帝鎮壓反體制活動之惡法）之下，在台灣總督府的專制統治以及皇民化運動的蒙騙之下，他們的抵抗運動雖然是憂悶而又溫和的，卻一直在持續著。在這一歷史過程中，幾乎所有的中上層台灣人，與其說是在掙扎著過活，倒不如說是將這一過程視為瞬間的潮流，而既消極又明哲保身地度過。這對作為有產階級者來說，也可說是理所當然的。

在第二次世界大戰中，遭受日帝鎮壓的台灣人，就連自己出錢辦報紙以及成立政治組織的權利都沒有。因此，隨著日本的戰敗，就欠缺一個屬於自己的、能很快接受所給與的復活及自立條件之主要組織。這就是日本戰敗時的台灣內部情況。做為台灣人來說，是令人痛心的，但這也是我們所體驗的確鑿、難於否認之歷史事實。

聽到日本接受了《波茨坦宣言》，接著又是昭和天皇的「玉音」廣播（按：指日本天皇宣布戰敗的講話）的台灣人，他們歡迎光復，很早即為準備慶祝光復典禮而興奮、雀躍、疲於奔命。然而，在當時的台灣卻找不到欲以自力維持「台灣元年」年號的設想，以及支撐該設想的主體組織。回顧那時的歷史，是否存在過可稱之為親自訂定台灣年號設想的條件，以及有無支撐這種年號的台灣主體，或者說，是否能掀起這種年號及主體有必要存在與否的議論，以筆者的管見，時至今日，仍然一無所知。然而，人們迄今依舊是忙於高喊美麗詞句的口號，而進行自我陶醉及自陷口水之爭為常態。

第三節　台灣獨立派的主體性在哪裡？

聚集於台灣最大的在野黨民進黨（按：2000年3月18日台灣民眾已選出該黨的陳水扁為中華民國第十任總統，而成為執政黨）周圍的台灣獨立建國派的知識分子和市民集團，在簽訂《馬關條約》後100周年頭一天的1995年4月16日，在隊伍前頭打著「馬關條約100年告別中國」的橫幅標語，在台北市舉行了示威遊行活動。

台獨派高聲呼喊：「1895年4月17日，清朝根據《馬關條約》將台灣割讓給了日本。放棄台灣的人沒有理由主張對台灣的主權。」

「告別中國」一語是耐人尋味的。橫幅標語中所寫的中國，實在是太抽象了。原本屬於口號式的詞句，是因為寫在橫幅標語上而簡略化了呢？抑或是故意將其曖昧地含糊起來了呢？實在令人感到既納悶又有趣。將台灣割讓出去的是清朝。這個清朝業已不存在了。那麼，他們所要告別的中國，就是中華民國、中華人民共和國了。自從孫文開始，時至最近的蔣介石、蔣經國、李登輝對抗毛澤東、鄧小平、江澤民以來，國內外的大多數中國人，都一直在為創建「近代化的中國」或者「現代化的中國」而流血、流汗。遊行的人們說是要向這個中國告別。他們或許是因為中國人發展緩慢而焦躁不安吧。順便提一下，「台獨派」為了自己的政治目的早為自己下了定義，說自己不是中國人而是台灣人。

「告別中國」一詞也可以認為，它意味著要脫離自己的歷史。不是去對抗，而是逃跑，這究竟能起多大的作用呢？令人悲哀的是，台獨派的主體意識竟然如此脆弱！

蔣家獨裁體制壽終正寢之後，台灣在第一個台灣人總統李登輝的指導下，正在進行民主化。曾經遭到蔣家國府體制的惡政及戒嚴令的強橫統治，備受排擠而保持沉默的台灣人的怨恨是頗為深重的。台灣人社會由此產生了反作用，正在台灣社會上泉湧出來、呈現成形形色色的自我主張。可以說，所有被壓制的「能量」（energy）從而被釋放，其中的一小部分化為公開的台獨運動。

在台灣，對國家未來的塑造，以及關於國家目標的策劃制定，尚沒有經過充分討論所樹立的共識，是存在著分歧的。自行認為其遠因是日本統治造成的日本人或台灣人都並不多。此外，從外部造成的近因，則是美國。議論這種看法是否正確，並非是本書的課題，我們的目的是陳述歷史的事實。如果僅限於此，那麼可以說，如果沒有中華人民共和國的成立（1949年10月1

日）、南北韓戰爭的爆發，以及隨之而來的美國第七艦隊介入台灣海峽的形勢，就不會有今天的「台灣的問題存在」。對這種說法，恐怕不會有人抱有異議吧！暫且不談這個問題。筆者要說的是，美日兩國當局為了確保跟中國大陸討價還價的一顆棋子，恐怕仍然在想繼續維持台灣的現狀，由而此種狀況會被持續維持下去的。但筆者不認為，美國膽敢跳進火坑與12億人口的中華民族相對抗，而去支持台獨建立一個全新國家。我也不相信，日本政府當局及其財界主流具有那種敢於去激怒中華人民共和國，使台灣海峽形勢惡化，以及失掉中國大陸市場的勇氣。不，它們不至於玩弄拙劣的手段才是常識。只有那麼一部分不懂歷史、狂傲十足，但頭腦簡單的日本人不接受教訓，試圖重演炮製「滿洲國」的鬧劇吧！看到部分日本人最近的舉動而感到困惑的，絕不是筆者一個人吧！

「認同理論」鼻祖艾利克生著作書影

總之，台灣的戰後史濃濃地籠罩著「美國和日本之現代」的陰影。圍繞著「台灣存在」的認同危機以及台灣人的自我認同危機（ego identity crisis）與認同困擾（identity dilemma）日益表面化，自外部給與制約的不外是美日兩大國之政治及文化。著者亦認為，現在仍對台灣主流價值觀施加著影響的，就是「美、日的

『現代』」本身。當然，圍繞著認同問題，主觀性因素比客觀因素要占上風的，因而絕對不能不從台灣社會的內部進行結構性分析。以下準備追尋的問題，則是本書寫作動機的「台灣戰後（也就是光復後）史與認同危機」，以及被割裂成七零八落的「自我迷失」中，人們如何奪回自我和未來走向的課題。

本文原刊於《東京新聞》夕刊，1995年7月12、13日。原題「台湾の百年（上、下）」，經戴國煇增補修潤

第二章　何謂台灣人及台灣？

第一節　從鄧麗君之死談起

本書前面已經有所敘述，經過1995年整個一年，在世界各地圍繞著重新探問戰後50年的議論，沸騰了。日本國會也在圍繞著是否制定「不戰決議」而你一言我一語地爭論不休，恰似揮舞利劍般地鏗鏘作響，輿論工具也都手舞足蹈，喧囂不止，致使當年遭受阪神嚴重地震的日本，又加上個「沙林事件」及「奧姆真理教關係的大搜捕」。報紙、電視都喧喧嚷嚷地加以報導，此時，又闖進了圍繞台灣人歌手鄧麗君之死，以及台灣總統李登輝訪美的話題。

日本輿論習慣性地稱呼鄧麗君為「台灣人歌手」，又把李登輝稱之為「台灣總統」，或者是「台灣的總統」。

對這一類稱呼，台灣內外的中國系統居民一般都會感到不舒服、不平衡吧！這並非只是語感問題。因為，這種稱呼的背景存在著歷史、政治，以及關聯著政治的情結。

事實上，輿論界的這種稱呼與實際內容是相違背的。日本和台灣之間，或者說是中國人與日本人之間，在語感及認識上是存在差距的。

總之，本人一旦聽到這樣的稱呼時，雖說存在異樣之感，但也只能是付之以「苦笑」而已。況且，大致上會做出「不滿意，但可以接受」（雖然不諒解，但可以忍耐著接受）的反應。具體的事例是，李登輝總統就任後初次（1989年3月6至8日）公開訪問外國（新加坡）時的情況。據說，新加坡方面並未對他使用中華民國總統的稱呼，而是介紹他是來自台灣的總統（President from Taiwan）。當時，李對輿論界的發言是「不滿意但可以接受」，甘心忍受了。

一、天才少女歌手是外省人

1995年5月8日傍晚，鄧麗君猝死在她的旅遊地——泰國清邁。鄧的本名為麗筠，享年42歲。她生於台灣、長於台灣，這是無異議的，但是，她不包括於一般人所慣用的「台灣人」範疇，為什麼呢？因為她是通常所說的「外省人」。鄧的父親是河北省出身的國府軍人，母親也在中國大陸出生，是山東人。國府即是中華民國或者國民政府之簡稱。

鄧的雙親帶著她的哥哥們，與國共內戰時期敗退遷台的國府中央機關一起到台灣避難並定居於台灣，這是約在1949年年底之事。附帶提一下，革命成功後，在大陸從國府手中奪取了政權的中國共產黨（後簡稱中共）於1949年10月1日，宣告中華人民共和國的成立。

談到外省人問題，那是指第二次世界大戰之後，隨著台灣的復歸中國，即光復，而從中國大陸或者台灣以外的土地上新移居到台灣來的華人的總稱。光復二字，與韓國・朝鮮所用漢字的意思相同，意味著恢復原來的領土、統治或者是事業。在這裡指的是戰敗了的日本，以接受《波茨坦宣言》為基礎，將台灣歸還給中國。而在概念上與外省人的稱呼相對立的本省人，是指第二次世界大戰結束之前，即以台灣為原籍，而在此地生活下來的人們的總稱。近幾年，也由於被政治意識所鼓動的原因，將本省人稱之為台灣人。近來，圍繞著台灣人意識或稱台灣意識的議論在台灣興盛了起來。有關此事的詳情擬於後文敘述。

眾所周知，台灣在日本統治時代（1895～1945年）台灣人的先祖們，即被稱為土人、支那人、蕃人、高砂族、平埔族、本島人等遭受日本人的蔑視，並根據日本當局的某種需要，被隨心所欲地稱呼著。所謂「本島人」，即是日本人或者是日本當局稱呼朝鮮人為鮮人，又換稱為半島人那種對稱的稱呼法。而與稱呼半島人、本島人相對應，日本人自稱為「內地人」。

我們漢族系統的台灣人（有關原住民系統的台灣人，將在後文敘述），稱自己為「灣生仔」（在台灣出生的人們），或者稱先祖們的大陸出身地，以及由於使用母語的關係，自稱為福佬人（河洛「佬」人）、泉州人、漳州人，或客家人等[1]。

關於外省人或者本省人的稱呼，並非是台灣獨特的稱呼。中國擁有與整個歐洲相匹敵的廣闊國土面積。也由於國民經濟圈尚未發展成熟，殘存著地方主義的割據意識，或者是對立意識，這

1 見拙著，《台湾》（東京：岩波書店，1997，初版第21刷），頁10～13；中文版《台灣總體相》〔參見《全集》2〕。

也是很自然的。也可能是由於社會生活中的需要，將自己加入一個集團以示與他人的區別吧。在新中國成立之前的大陸上，到處都存在著本省人與外省人對抗的構圖。眾所周知，日本在相當長的時期裡，也存在著「藩閥意識」或者「縣民意識」。與這些情況相對比，從原理層次考慮，台灣本省人與外省人的對立結構，是容易理解的。

二、對外省人稱呼的形式政治化之過程

「外省人」這一稱呼是總稱，也是概稱。僅就這一個問題，其稱呼的實質內容既有多層意思，又是複雜的。隨著台灣戰後史的特殊展現，明裡暗裡對外省人的稱呼加以政治含意者，不勝枚舉。庸俗的政治概念取代了文化人類學的概念，且凌駕於其上而獨自走其路。由於省籍之不同醞釀出省籍的情結對立，進而成為社會不安的一個因素，這已經是由來已久的事。

一般的情況應該是，新移居者到遷往地定居，或在新居住地求其融合及同化為其前提。「入鄉隨俗」這一諺語，恰如其分地啟發著我們。然而「外省人」在台灣的情況則是完全特殊的，他們的入台可以大致分為兩批：第一批是以日本戰敗為契機，由國府派遣而進入台灣，肩負接收相關事宜的人們。1945年8月中旬之後，出現了這種動向。第二批是始於二大戰後的國共內戰激化之前後，自新中國成立不久後的1949年末到1950年初為高峰期，是以預測內戰即將敗退，或者由於戰敗而不得不逃命的國府關係者為核心，至於其構成分子則錯綜複雜。廣泛地說，他們包括有

東北、西北、西南、華北、華中，以及華南各省出身者。除漢族之外，也有少數民族出身者遷入台灣定居。第二批的數字是龐大的，包括60萬軍隊，足有200萬人左右。國府當局以政治機密為原則的情況下，沒有公布具體的統計數字。200萬人僅僅是概數而已。當時，本省人的總人口為560萬人。因而，外來者實際上相當於36%的人口。從人口統計角度看，是為短期性人口的社會增加而流入台灣的，也就是說，那些是非自然增加的人口。這樣，台灣地區的總人口一舉膨脹為760萬人。如再加上第一批進入台灣者，外省籍的社會增加人口所占比例將近於當時台灣總人口的36%左右[2]。

台灣是36,000平方公里的南海一個小島，只擁有相當於荷蘭、或九州（日本）的國土面積。就在這裡，發生了一時性的龐大人口的社會性增加，由此而到處發生社會摩擦，也並不足為怪的。令人深感興趣的是，社會摩擦並沒有引發大規模的混亂。這可以推測有以下幾個原因：1. 海流險惡——台灣海峽作為抑制衍生混亂的機制而起了作用。2. 在軍政控制下，秩序井然的集團轉移發揮了作用。3. 台灣的反國民政府運動力量微弱。這是因為：⑴1947年2月27日夜裡，始於取締黑市香煙而發生的全島規模的民眾暴動，遭到了野蠻無理的報復。後文將敘述的二二八事變，即始於此。對那次發生的集體暴動的社會性記憶即「恐怖」，而今尤為鮮明地留在人人之腦海裡。可以說，是民眾自身抑制了反體制感情的爆發。⑵由於1949年4月對學生運動（四六事件）的

2 參照前註，頁14～19。

鎮壓，反體制運動潛入了地下。⑶為應付新中國的成立，白色恐怖開始瘋狂起來。不管人們願意與否，只好被強制地保持了沉默，藉以明哲保身。

現把話題轉向鄧麗君的事例。流亡者集團當然並非都是富裕的高官以及大幹部家族。受壓迫的中下層軍人家屬，不久即將寄身於官設稱為「眷村」的居住區了。鄧麗君出生的1953年初，對台灣人來說，是光復後尚不到十年之時。對一般的社會民眾，北京官話即是國語，仍然不十分通曉。在二二八事件時遭受鎮壓的不愉快的記憶，以及戒嚴令下的恐怖政治，使一部分本省人關閉了心扉，在台灣人的知識分子當中，甚至出現了對使用國語的抗拒反應情況。不要輕易地說這是奇怪而可笑的，但這種情況是此時台灣的社會現實，也是政治現實的呈現。本省人也在盡量地避免與來自大陸的外省人來往。

一般來說，「眷村」的生活環境和實際生活狀況都不好。孩子們本是純真無垢的。但是，本省人的長輩在家庭中無意識地傳授給他們的後代以嫌惡外省人的感情。這樣一來，在本省人的整個社會裡，便培育起了對外省人的某些「偏見」。加之孩子們從外部看到眷村的貧困情況，就形成了自己對外省人的刻板印象。上層外省人的家園，圍著石牆和水泥砌的牆，過著有守衛保護住宅的生活，處在與庶民百姓不發生關係的狀態。本省人的孩子還經常對外省人的孩子和同學進行漫罵，叫他們是「外省豬」。雖說這是孩子們的惡作劇，但這傷害了被漫罵者的心，使他們經常感到痛心。這種感情上的疙瘩，日積月累，愈益嚴重，終於深深地埋在心底。這雖然是可悲的，但又是屢見不鮮的現象。可以說，在這些孩子們的幼小心靈裡所受的打擊是愈來愈嚴重的。與權力無緣，在台灣沒有生活根基而似乎處在無根之草地位的眷村人們，是悲慘的。他們只能在既無權力又成為台灣人憎恨靶子的雙重差別待遇之痛苦中，老老實實地活著。對他們來說，確實沒有什麼選擇的餘地，根據政令與他們的原鄉中國大陸的往來，一直是被禁止。去外國，則由於路費等原因，1960年代以前任何人都沒有這種可能性。老年和壯年階層，則由於思鄉之情而心焦意亂，只有有志氣的青年人，為謀求自力救濟之路而在掙扎著。擺脫了管制的青年人，他們組織起來成立流氓集團，一方面在找出氣筒；另一方面在搞無謂破壞秩序的抗爭，以外省人子弟為中心所成立的「竹聯幫」、「四海幫」等，是格外著名的。

在美國，撰寫對蔣經國批判性傳記《蔣經國傳》的美籍華人記者江南遭暗殺時，其兇手集團即是「竹聯幫」關係人士。

脫離眷村那種環境而成功的人物，也並非是絕對沒有的。以《悲情城市》為代表，拍了不少作品，為日本人電影迷們所喜愛的侯孝賢導演，他是眷村出身的出類拔萃者之一[3]。

三、外省人第二代的苦悶及鄧麗君的誕生

鄧麗君也是眷村子弟的一個例外。她自幼即富於歌唱天才，她的音樂天才，首先是在台灣開設電視台時期展現的。那時，電視在台灣大受歡迎，她通過電視表演而得到了鍛鍊。隨著，在軍

3 田村志津枝，《侯孝賢の世界》（東京：岩波書店，1990），以及《悲情城市の人びと》（東京：晶文社，1992）。

隊的威望還如日中天時期，她經由參加勞軍的音樂會而竄紅。可能是她的父親為軍人，而使她與軍方產生特別的關係吧，她在勞軍時所寄予的歌唱感情，絕非是一般人所能表達出來的。在國府的軍人中大受歡迎，稱她是「永遠的軍中情人」。日本的演藝、影視界及新聞報導界一直稱鄧麗君是台灣人歌星。但她並非是原原本本的台灣語歌星。她在台灣是國語（北京官話）的歌星，以在香港、東南亞為首的華人、華僑社會裡，主要是作為華語（即北京官話）的歌星而大顯身手。

演藝界的評價是根據所表演的節目及效果來決定的。然而，社會科學則是重視進入研究項目之前的程序及背景分析，只有正確地掌握此才能將歷史的脈動弄明白。

1970年代末，大陸開始推行「改革開放」政策，台灣也總算開始聽見了民主化的腳步聲。由於美、中（中共）建立邦交（1979年1月1日），台灣海峽的形勢也進一步走向寧靜。

在香港製造的鄧麗君錄音帶開始流入大陸，可能是因為文革之後的一種虛脫感，空洞的心靈深處容易被鄧的歌聲吸引住吧，她的歌聲抓住了大陸的青年人，鄧麗君成了他們的偶像。歌手的「小鄧」（鄧麗君）簡直是紅得發紫，其人望頗有超過鄧小平「老鄧」，在大陸颳起一場旋風。

大陸的保守派擔心改革開放過熱，以防止「精神污染」為名義，於1983年止住了這一股鄧麗君風。或許是煽情性的唱法和「何日君再來」等含有國民黨復歸大陸之夢為內容的歌詞，刺激了大陸方面保守派人們的神經，從而使他們對小鄧進行了抵制之舉。他們有計畫地禁止她的歌。但由於隨身聽的盛行，因而處於即使想取締也難以取締的狀態。幾乎在同一時期，她的〈償還〉、〈愛人〉以及〈漫步人生路〉等歌曲，在日本也相繼大受歡迎，在日本的歌唱界曾獲得多次年度最優秀獎，這是令人記憶猶新的。

四、鄧麗君葬禮的政治性格

在超越國境的中國語（即華語圈）裡，鄧麗君確實博得了難以動搖的聲望。她拒絕在中國大陸發跡，還將華人、華僑所喜歡唱的〈梅花〉歌詞中的「民族」改為「民國」來唱，這是支持國府的，具有政治性用語的歌詞。而且在發生天安門事件（1989年6月）前後，鄧麗君在香港積極地參加了支持民主化的音樂會和支援民主化運動集會。她旅居法國巴黎，成了華僑。儘管如此，她仍然與台灣國府保持聯繫，一直參加勞軍音樂會。大陸方面曾一再要求她前去演唱，但她拒絕了。鄧麗君並未屈服於可預期的眾多歌迷的歡呼、金錢和「權威」。可能是由於這種原因，台灣當局稱頌她為「愛國藝人」。

她去世後，行政院僑務委員會贈與她「一等華光獎章」及獎狀；中國國民黨中央黨部贈與她「國民黨華夏獎章」及獎狀；國防部總政治部則贈與她「陸海空軍褒狀」。5月28日在台北舉行的告別儀式，是屬於公葬。台灣政、官、軍界要人與她的歌迷大眾一起參加了她的葬禮。在這之前，李登輝總統授與她「褒揚令」。對藝人來說，這是史無前例的，頗為引人注目。政界的「消息靈通人士」私下說：這不是為了別的，而是由於她受眾人的歡迎，尤其是在軍人和外省人當中擁有一些根深柢固的威望，因而官方從政治考慮上作了如此安排，也是因為即將進行選舉之故。附帶一提，葬儀之後的1995年12月2日舉行立法委員選舉、1996年3月23日又將舉行第一屆總統直選，台灣政界的消息靈通人士做了如上的分析。

鄧麗君與所有的人一樣，她無法預先選擇生己的父母、誕生地點（土地和國家），以及出生的時代。她的雙親是外省人，所以她就成了在台灣出生的外省人第二代，這就是宿命。如果她生在推行出生地主義國籍法的國家，那麼她就會與其雙親的出生地（或國家）無關，成為所在土地的國民了。如果依照這種規定，她無疑是地道的台灣人了。但是，目前國際法暨國際關係上不存在稱台灣為國家的事實。而且如前所述，以台灣戰後史的特殊性及台灣的現狀分析，她在台灣社會上是成不了台灣人的，這就是當今的真實情況。鄧麗君是否改換了護照？是否取得了他國國籍？我是孤陋寡聞不得而知的。如果未取得他國國籍，她生前所持有的護照，應該是「中華民國護照」。當然，她持有承認雙重國籍國家的護照和中華民國的護照這兩種護照的可能性，亦不能排除。

在她的內心深處是否蘊藏著類似白馬王子那樣的人物，不得而知。把「小鄧」看作是被中國革命、中國戰後史，以及台灣戰後史所愚弄的天才歌唱少女，應該沒有人提出異議的。這可能是「命運」給她的一種巧妙的安排吧。香港的一位友人為悼念鄧麗君的死，給我打來了電話，他嗚咽著說：「她站在香港這塊〔土地〕上歌唱〈梅花〉時，我第一次確認了鄧麗君是『民族歌手』。今後，她將永遠會成為激勵我們『中華民族意識』、『中國人意識』」的歌手。直至最近，「國民國家」性質的民族主義抑或國家主義被迫加以再認識並重新評價，它似乎逐漸喪失往日光環。可以說，這是在探索新秩序之中所出現的世界性趨勢和現象吧。在香港臨近了回歸大陸（1997年7月1日），他做為一個香港人，仍然為了深深思念「中華民族」、中國人的民族主義而熱淚盈眶。這種感情和流淚，究竟意味著什麼？他站在香港的電話機旁朗誦著詩：「她的光輝閃耀在我們中國人面前，如今又像彗星一般，悄然而去。她的歌聲帶著永遠不息的餘韻，將自己的光輝與無限的民族的光輝，結合在一起……。」他哽咽著說，「真想借用歌德（J. Wolfgang von Goethe）曾經評論席勒（Friedrich Schiller）的話*1來加以形容我思慕之情」。

1995年5月29日的《朝日新聞》朝刊，刊載了香港分社社長花野敏彥從台北發出的外電消息「在台北與鄧麗君女士告別」。此則消息中，沒有稱鄧麗君為台灣人歌星，而稱為台灣的歌星。花野確實是消息靈通人士，但是，此後的文字不對頭，說棺木上蓋著國民黨和台灣的旗幟，所說國民黨的旗幟是清楚的，是指中國國民黨的黨旗。而所指「台灣的旗幟」，究竟是什麼旗幟呢？一般日本讀者是會左思右想而不得其解的。台灣報紙登載的，是「國旗」。所說的「台灣的旗幟」，理所當然的是指中華民國的國旗，即青天白日滿地紅旗了。這即是現今的政治現實。日本社會的主流是以一個中國為前提的，與中華人民共和國建立了邦交

*1 歌德與席勒係彼此藝術生涯中，亦師亦友的莫逆之交。

的國家。《朝日新聞》也以一個中國，即以中華人民共和國為前提而採訪和報導了葬禮。就是因為有這種制約，不便、不願或不能使用「中華民國」這個表現形式，而只能以「台灣的旗幟」這種表達形式出現。國際政治確實是頗難應付的。

對於一個非凡的藝人，或稱「國民歌手」、「民族歌手」，演出如此隆重的「政治葬禮」，中國人的政治考量到底是什麼？為何不能讓歌迷們來主辦「音樂葬禮」一類的形式呈現呢？看到電視報導之後，我深感迷惑不解。

第二節　李登輝總統的訪美

李登輝總統的訪美日程，終於在1995年6月7日出發了，大家都在關切此次訪美將會帶來什麼。訪美目的絕不只限於做為一個「台灣人總統」的初次美國訪問。

一、中華民國元首的初次訪美

從1911年辛亥革命之後建立民國以來，從來還沒有一位以中華民國總統的身分前去美國訪問。以中華民國元首身分訪美，李登輝是第一個人。李是本省人，1923年生於殖民地時代台灣的淡水。從血緣關係看，其父為客家系統，其母則為閩南系統，即福佬系統地道的本省人，一般認為的台灣人。因而稱李為台灣人總統是沒有錯的，即使李本人也不會不以為然的。

日本的新聞報導稱李為「台灣總統」，或「台灣的總統」，是因眾所熟知的前述情況，還加上國際背景使然。目前，沒有一個冠以台灣為國號的國家，這是儼然的政治事實。1971年10月25日，在聯合國大會上決定恢復中國（大陸）的聯合國席位問題。與此同時，國府聲明退出聯合國。可以說，實際情況是根據聯合國（多數派）的表決，國府被驅逐了出去。

中華人民共和國在聯合國地位的恢復（或者是加盟）、中華民國「被驅出聯合國」，或者叫「退出聯合國」等等的說法，可能會使人們迷惑不解，這些說法對一般讀者來說，可能會認為是一種令人困擾的「文字遊戲」。但是，此事對中國的政權負責人來說，尤其是在圍繞著政權的合法性、正當性或正統性的主張來說，就成了原則性問題了。一旦形成語言，就成了嚴肅的事項，這就是國際政治的現實。我們已經看到在國際政治問題上圍繞著「一個中國」論的正式發言中，確是極為嚴肅的、使有關當局不能輕易讓步的很多事例。圍繞此次的李的訪美，中國大陸一再提出抗議和發言即為近例。

眾所周知，聯合國即是國際聯合（The United Nations）的簡稱。聯合國於1945年10月24日宣告成立，其現代化的組織和機構，並非隨便一想就能成立得了的，即使成立了，也不可能維持長久。一般來說，每個事例都有其各自的前史，聯合國也不例外。下文將簡述其前史[4]，以供參考。

---

4 聯合國前史可參考明石康著《国際連合》（東京：岩波書店，1995年），及李鐵城主編《聯合國的歷程》（北京語言學院出版社，1993年）。

二、聯合國的成立及國共兩黨

㈠1934年10月，在莫斯科召開了美英蘇三國的外長會議。上述三國再加上中國，共計四國，在莫斯科發表了以「大戰後需要設立維持世界和平的國際機構的協議」為主旨的《莫斯科宣言》。㈡1944年在美國的鄧巴頓橡樹園召開了美英蘇中四國代表會議。起草了「關於設立一般性國際機構」的提案，也就是今日《聯合國憲章》的原案。㈢1945年2月在雅爾達會議上，對有關上一期提案時未解決事實的安全保障理事會的表決方法，以及託管統治制度等達成了協議。㈣同年4月，在舊金山召開了「聯合國全體會員國大會」（54國的代表參加），在參加該會的中華民國代表團的代表裡，董必武（中共建國後，任國家副主席）曾以中共的代表參加了會議。經過兩個月的審議，將上述鄧巴頓橡樹園提案加以修改和補充等，完成聯合國憲章草案。㈤同年6月26日，由全部參加國的50國代表進行簽名。㈥同年10月24日，由於湊足聯合國所規定的參加國的批准國數目，正式成立聯合國。

接著，讓我們從前述歷史來確認一下關於當時中國的狀況。自1943年10月到1945年10月24日期間，所說的中國即是指中華民國，但當時的中華民國正處在第二次國共合作之際。不管實際情況如何，從公的方面以及形式上來看，當時兩黨是組織了統一戰線進行抗日戰爭。進入了太平洋戰爭時期，作為聯合國一員的中國，國共兩黨的代表，為滿足各自所需都參加了會議。對第二次世界大戰之後不久的停戰處理問題，國民黨理所當然地掌握了主導權，雖然內部隱藏著激烈的對抗，但對外方面則以共同參加國際會議的形式來對應。在有關創建聯合國的會議上也是如此。這就是為何中共會叫「恢復在聯合國的席位」，或者局外人會稱中共「加盟聯合國」，以及國府自稱「退出聯合國」，或者中共認為國府是「被驅逐出聯合國」等若似玩弄「語言遊戲」的緣由。

聯合國成立之後不久，國共合作一變而成了國共抗爭，進而是國共內戰。形勢劇變，中國大陸的政權擔當者，終於由中國國民黨變為中國共產黨。取得革命勝利的中共，將國號改為「中華人民共和國」，開始了社會主義建設。

遷都到台北的國民政府，其命運恰如風中之燭，危在旦夕。有一個時期，幾乎所有的人都認為，終究台灣會被中共解放的。韓戰的爆發（1950年6月25日），給在逆境中苟延殘喘的國府帶來了「重生」的機會。中華人民共和國成立前的1949年8月美國發表了《中國白皮書》[5]，一度打算放棄蔣介石政權。韓戰爆發，美國重新改變了政策。杜魯門總統為了美國的遠東政策之需要，很快就於同年6月27日將美國第七艦隊派遣到台灣海峽，同年8月4日，又派美國第十三航空部隊駐紮台灣，自告奮勇地擔當起台灣的防務。

三、美、台間不確定的友情

美國與國府台灣之間開始了所謂的「不確定的友情」關

5 *U. S. Department of State, United States Relations with China, with Special Reference to the Period* 1934-1949, Oct.5, 1949.日本譯書《中国白書：米国の対華関係》アメリカ国務省（東京：朝日新聞社譯，1949。）

係[6]。這種關係，與所有的國際關係同樣，既是不牢靠，又是容易生變的。由於國際環境的發展和變化，美、台間的關係，既有曲折亦有緊張。所謂的道義，始終是做給他人看的假相。時至今日，美、台間僅僅是糾結、繞著相互之間的利害關係，保持著一種不可靠的關係而已。在國際關係上，強國經常是以自國利益和機會主義為基礎來決定政策的。因而「弱國無外交」這句諺語，是說得對頭，說得巧妙的。

第二次世界大戰後的美國與國府的關係，大致可分為四個時期來進行研討——

第一個時期：是圍繞著繼承太平洋戰爭時期的同盟關係形式，進行了停戰處理的關係。這也包括介入國共內戰的關係，時間為1945年8月中旬到1949年12月底，在這一期間，美國當局所制訂的自我辯護書，即是《中國白皮書》，有關該文件的談論，將尋找其他機會加以闡述。

第二個時期：係指自韓戰爆發（1950年6月）到美、中（中共，以下之「中」為此意）重新相互接近，直至尼克森總統訪問中國大陸（1972年2月）。

第三個時期：是指發表中美《上海公報》（1972年2月27日）到中、美建交（1979年1月1日）。

第四個時期：是美國卡特總統簽署《台灣關係法》（1979年4月10日），以及廢除雙方的駐紮外交正式機關，同時設置替代的民間機構。這是指自此時之後到現在。附帶說明，《台灣關係

---

6 Nancy Bernkopf Tucker, *Taiwan, Hong Kong, and The United States, 1945-1992--Uncertain Friendships*. Twayne Publishers, New York, 1994.

法》是指與國府台灣維持外交關係以外的各種關係為主旨的美國國內法。另外，國府方面為替代大使館，於1979年3月1日在美國首都華盛頓設置「北美事務協調委員會」（The Coordination Council for North American Affairs，CCNAA）。此外，1994年9月7日美國發表對國府台灣的新政策。作為其一環，同意將上述北美事務協調委員會，改稱為「台北經濟文化代表處」。美國方面則於1979年4月16日在台北成立了「AIT」（American Institute in Taiwan），中文名稱為「美國在台協會」。

上述AIT的T是台灣，而CCNAA的NA則是北美，均為地理名稱，而非國名。如稱北美，在中國人的語感中，甚至有不少人都以為包括加拿大和美國兩國。對一般人來說，只能體會是極其曖昧的地區性觀念而已。既非正式，又非國家，也非外交關係機構，亦即在僅限於民間關係機構這一點上使用了地區性名稱，以既灰色又曖昧的表現方式加以稱呼，真是用心良苦。

這些名稱如此煞費周章，究其根源，理由只有一個，那就是建立中美邦交時，中華人民共和國提出了「一個中國」的外交原則（code），而代表這個中國的唯一的政府，只能是北京的中華人民共和國政府。以承認這一條為前提條件，才能簽約建立邦交關係。堅持一個中國的原則，出現了各種形式的影響。在1994年秋季，在日本廣島舉行的亞洲運動會上，圍繞著李登輝總統的日本訪問，美、中、台間之爭論的根本原因，也是圍繞著這個問題。回憶過去，事情的原委在於1972年是日本，接著1979年又是美國與中華人民共和國建立了邦交。那時，在表現形式上雖有微妙的差異，但都承認或同意了「一個中國論」，也承認或同意了

「一個中國」的唯一政府即是「中華人民共和國政府」。

今日諸國與中共的關係僅是「當為歷史的過去」對當今所投影的顯現而已。我們暫且不對其是否正確進行價值判斷，中國的國共兩黨相互爭奪現代化的領導權及統治權的中國革命，若從時間來說，是從1950年初；從地理（空間）上來考量，是相隔一道台灣海峽而中斷迄今的。

四、圍繞著「一個中國論」的政治性爭議

以韓戰爆發為契機，美國直接介入或干涉中國的革命，這是有目共睹的事實。美國全面援護中華民國在聯合國的席位，對蔣介石所率在台灣國府的主張，明明知道其「虛構」性，但也予以默認。美國出自本身遠東政策的需要，對蔣介石「一個中國論」的主張，以及中華民國政府（台灣台北）是代表其主張的唯一正統政府的主張，美國一直是進行援護的。這即是25年以前之事。在此期間，美國的國家利益與蔣介石的國府台灣的利益，雖然是糾纏不清的，但也是一致的。由於上述美國的政策，兩者的關係才能維持下來。既不越過，也不後退。國際關係的邏輯就是這樣冷酷地貫徹了下來。我們必須了解這一點。

讓我們回顧觀望韓戰爆發之後，遷都於台北的蔣介石所率國府政權退出或稱被驅逐出聯合國期間的動向吧。蔣介石在以聯合國為中心的國際政治場所，一貫主張自己的政府是整個中國（包括大陸地區和台灣地區雙方）的唯一合法政府。眾人皆知，這只

不過是一個「裸身皇帝」[7]＝「國王的新衣」，自欺欺人而已。然而，這種虛構的「裸身皇帝」卻維持了下來。這是因為，國際政治的「力學關係」使虛構的「裸身皇帝」被規制和被保護了下來。在美國掌握主導權的聯合國內，自由主義陣營的政治主流以及宣傳報導機構的主流，全然知道中華民國的蔣政權只不過是在台灣地區（台灣本島、澎湖諸島、金門、馬祖）進行著有效統治而已。儘管如此，對另一主張「一個中國論」的新中國，卻假裝中華人民共和國不存在似的，一直不給予理睬。在日本的此種事例，是眾所周知的。自民黨政權自不待言，而大眾媒體界的主流均稱新中國為「中共」，並加以敷衍、搪塞。中共當然不能算是國家的名稱。

值得注意的是，北京政權和台北政權的雙方，迄今均一貫主張「一個中國」。兩者之間的不同只有一個，那就是都主張自己所擁有的政權才是具有正當性的正統政權。

中華人民共和國政府將「解放」台灣、統一中國置為國家的目標。從其主張及口號看，具有以武力解放或者以和平手段進行統一的不同。另一方面的中華民國，則打著「反攻大陸」、重新統一中國為目標的旗幟。

在主張上，兩者之間具有統一中國及重新統一中國的微妙差別。但是，在作為國家目標的「國家認同」（national identity）問題上沒有分歧。雙方都把大陸地區和台灣地區合而為一個中國，並將其視為不可分割的國土。

7 拙稿〈台湾──静かなる革命から政治の季節へ一〉，《This is讀賣》（1995年5月號，頁131～32）〔參見本冊第6章第1節〕。另參照本書前一節。

由於1950年代韓戰的爆發，中國革命被「外力」所阻礙並分割。相隔一個台灣海峽，中國至今成了分裂的國家。筆者謀求在此政治漩渦中獲得自由，將雙方暫定為大陸中國（簡稱大陸）和島嶼中國（簡稱台灣）加以區別稱呼，進行論述。

出自無奈而被分割了的雙方，自1950年以來，各自邁入了獨自的政治、社會和經濟建設的道路。

眾所周知，大陸中國經歷了社會主義計畫經濟、反右鬥爭、大躍進、文化大革命這些政治運動，走了一條反覆遭受挫折的曲折道路。在此期間，以實踐國際主義的名義，支援韓戰及越戰。另外，也惹起中蘇對立、中印邊境糾紛及中越戰爭等武力衝突事件。更令人注目的是，在這一個時期，以美國為中心的自由主義陣營，對新中國實施了封鎖政策。直至1970年代初期，大陸中國在國際上一直被強行孤立。我們不能忽視由此產生的後遺症所帶來的歷史意義。

恢復了聯合國的席位，美、中正式和解之後，大陸中國加速了國際化的步伐。1972年2月，以美國總統訪問中國，以及發表《上海公報》為契機，自由陣營對中國包圍的「環箍」被正式地逐漸解除。大陸與以日本為首的亞洲各國，相繼締結邦交關係。其高峰當然是出現在1979年1月1日的美、中建立邦交。

似乎是在與國際化的步調相應，大陸中國在內政方面也發生著大的變動與變化。權力鬥爭與路線鬥爭仍在繼續地進行著。經歷了幾多曲折，1978年12月12日召開的「中共第十一屆三中全會」上，鄧小平掌握了實權，採納了「經濟改革及對外開放」路線，並逐漸地固定下來，直至今日。

隨著「改革開放」路線的進展，也使我們在外部的人逐漸明白了大陸的真實面貌。

大陸繼美、蘇之後，已成為世界的第三位軍事、政治大國。而在1991年底蘇聯解體之後，不管願不願意，現在已躍升第二大國的地位。但從經濟方面來看，還不能說是已經具備了與第二軍事政治大國相稱的力量。文革十年帶來的經濟荒廢，確實令人非常吃驚，所公布的識字率及升學率之低也是令人吃驚的[8]，由於改革開放的進展，情況正在逐漸改善，但與島嶼中國的經濟差距是很明顯的。「退出」聯合國之後的台灣中國，在政治和外交方面陷入國際孤立的狀態。蔣介石、蔣經國父子所率國民黨政權，堅持其一貫主張的「一個中國論」，從某種意義講，也可說是自己選擇了孤立的道路。支撐他們做出這種選擇的，是「漢賊不兩立」的政治哲學。而其主要目的在於堅持自己一方的正統性。也可能是認為「靜能制動」吧。蔣氏父子所領導的國府台灣，為了克服圍繞「台灣」依然激烈動盪的形勢，做出了內向性的自助努力，其原委是眾所周知的。

日、中建立邦交之際，斷絕邦交的台、日雙方，作為民間組織，先後（1972年12月1日及2日）成立了「日本交流協會」（日本），以及「亞東關係協會」（台灣），這是作為外交機構的替代機關的母體。另外，在日本及台灣的各地，設置了相當於處理

8 據日文版《北京週報》1989年29號所載〈中国の教育状況〉（1989年現在）資料稱，農村人口中，12歲以上的文盲率為29.34%。擁有大學畢業的教育程度的人口，城市占2.8%；農村占0.06%。高中以上畢業的人口比率，城市為15.7%；農村為3.8%；是極少的。

「領事事務」代表處的分處，以此作為窗口，運作至今。再者，亞東關係協會駐日辦事處，於1992年5月20日改名為「台北駐日經濟文化代表處」。以美、中接近及日、中建立邦交為契機，東南亞周邊各國相繼與大陸中國建立邦交。越南戰爭時期美、越間正在激烈進行戰鬥中的另一面，雙方卻在巴黎進行著祕密和談，這些實況已經明朗化。

1975年4月5日蔣介石逝世，享年87歲，將實權完全移交其子蔣經國。1972年5月26日就任行政院長的蔣經國，其父死後又兼任了國民黨主席，做為兒子替代父親的唯一鐵腕人物，正式登上了政治舞台（1975年4月28日），蔣經國時代終於啟幕。

五、國府的「台灣化」政策及李登輝登台

為使現實政治得以恰如其分而又巧妙地運作，應怎樣去發現並保持理念與現實的平衡呢？單純用理念是難以推行現實政治的。蔣經國與其信奉陽明學的父親不同，他15歲（1925年）時，依父命而留學蘇聯。以莫斯科為舞台，他的青春時期得到嚴峻的鍛鍊。1932年由於托洛斯基主義（Trotskyism）派的關係，被史達林流放到西伯利亞，1937年始被允許回國，隨著進入政界，嘗盡了辛酸的他，具有一種現實主義的政治感覺。他自史達林手法所體會的政治手法，係與傳統的國民黨系統政治家的政治手法是大相逕庭的。可以說，他認為理當利用美、日的力量為手段，但也該慎重戒己不能成為美、日的囚人。蔣經國認為，在桌面上空談是無濟於事的。他默默地一邊與父親的世代謀其區隔，一邊嘗

試著鞏固自己的政權。從「島嶼中國人」的立場來看，蔣經國的作法是理所當然的。這是克服困難、謀求生存，行使兩面作戰的戰略、戰術之舉。事實上，他也在施展著這樣的行動。

台灣對遭受國際孤立的形勢，進行順勢反擊，將大部分精力凝聚於真正的經濟建設上，使「十大經濟建設」走上了軌道。當時由於越南西貢的「解放」，人們變得疑神疑鬼，擔心美國是否會再次拋棄國府。特別是，本省人即台灣人的資產階級開始動搖了。一般地說，具有傳統習性的中國人是不相信政府的，而台灣人尤甚。自二二八事變以來，他們一直將國府政權視為不是自己的政權。這並不是沒有原因的。他們沒有被容納參加國府中央的政治及政策決定，實際上，他們是被排除在外的。因此，蔣經國一邊鞏固經濟基礎，一邊開始緩和台灣人對政府的不滿和不協調情緒。而進行這種緩和及解除工作，已成了蔣經國當政的緊急課題。他在就任行政院長的同時，在人事上嘗試著大量提拔台灣菁英。李登輝即是在那時走上從政道路的。後來，李成了台灣人政治菁英的代表人物。1978年3月的總統選舉時，蔣經國自己出任總統職務，而指名謝東閔為台灣人的第一位副總統，使兩人同時當選，並雙雙就任。而在政府的要職中，起用台灣人的事例也日益明顯化了，政權的台灣本土化政策，進一步加快了步伐。

經濟成長政策的成果，不久即被稱讚為「威權體制下的經濟開發」、「台灣經濟奇蹟」、「亞洲四小龍（NICs後又稱NIEs）的模範生」。與此同時，中產階級層增多了。「人不能只為麵包而活」這是常識，大眾的政治意識逐步地在提高。國民黨傳統的意識形態反而急速失效，傳統的政治文化開始發生動搖。大眾意圖與政治，以及對政治歪風的譴責，大大地表面化了。1977年11月由於國民黨當局在選舉的不正當行為，而發生了「中壢事件」（中壢是筆者的出身故鄉），繼而由於當局對國際人權日，黨外在高雄舉行的大眾遊行橫加干涉，1979年12月發生了「美麗島（高雄）事件」。鎮壓雖不斷進行，但收效甚微，而對鎮壓的反彈，徒然使反抗更為強硬。

1984年3月，總統與副總統的任期屆滿，蔣經國起用李登輝為副總統候選人，而他自己也自薦為總統候選人，雙雙當選而上任。蔣對台灣島內形勢的驟變，敏捷地作出了對應。他作了「後繼領導者不再從蔣家推出，而將根據憲法遴選後繼人」等的發言，一邊謀求使動搖的人心安靜下來，一邊暗示將落實憲政和政權的開放。

由於長期處於戒嚴令下的鎮壓政治掌控狀態，民眾方面並不想輕易相信蔣的發言。反體制運動激化起來，1986年9月打破禁例，結成在野黨，即民主進步黨（民進黨）。蔣及當局只有對此默認而別無他法。翌年的1987年7月15日，國府終於解除世界上延續時間最長的戒嚴令。同年同月的28日，又解除赴香港、澳門觀光旅行的限制令。觀光的自由化又連結著同年11月2日宣布開放赴大陸探親訪問的政策。以今天的眼光來看，很明顯的蔣是為了暫時消除人們淤積於心底的不滿，這種緩和政策繼續發展。緩和的對象巧妙地從本省人擴及到外省人，亦鋪展了蔣家體制之後的新局面。

1987年7月27日，蔣經國為了拉攏人心，宴請幾位台灣人耆老。宴會席上，他做了「我在台灣業已居住了40年，我也已經是台灣人了」的發言，使人們感到震驚。而發言者正就是外省人的超級鐵腕人物、大特務頭子蔣經國。他的發言是在期待著保全晚節呢？還是表現他在摸索自己新認同（new identity）過程中的「憬悟」之言呢？總之，台灣地區居民圍繞著認同的議論，便以此為契機，更公開地噴發了出來。

1988年1月13日，蔣經國去世了，享年77歲。根據《憲法》規定，副總統李登輝繼任總統。1990年3月因後繼總統的任期屆滿，李再次當選，副總統配以外省人的李元簇。嗣後，又幾經曲折，推進了台灣地區的民主化。可以說，李登輝1995年訪美，是他攜帶著自己的成果，去其母校康乃爾大學的一次「私人訪問」旅行吧。

李登輝在訪美中引人注目的焦點，即是在康乃爾大學的演說。這是1995年6月9日（當地時間）下午三時進行的。正如同年6月11日日本《朝日新聞》所報導的，這是一次具有「演說外交」內容的表演。他靈活地利用康乃爾大學向世界上英語圈的人們，將他迄今所不斷闡述的主張，用淺近易懂的英語作了演說。很明顯其主要目的是呼籲全世界確認「中華民國在台灣」的存在。

支持者不惜以鼓掌相慶，認為他在讓國際上想起並確認孤立將近二十餘年的島嶼中國的存在一事上，大大地邁出了第一步。

日本報紙幾乎都附帶著照片，將這場演說及有關報導，以大篇幅的版面加以登載。可能是考慮到中國大陸的原因，報導時沒有出現「中華民國」這個國號。讓我們來解讀一下李的講演（以中文所發表的原文）吧。他一再使用中華民國、「中華民國在台灣」、「台灣的中華民國」的表現形式。而且李還強烈地呼籲，要人們知道「中華民國在台灣」的2,100萬同胞迄今所做出的經濟和政治兩個方面的「奇蹟」，即「台灣經濟」。同時，他嘗試著向全世界要求，給予他與「台灣經濟」成果相應的國際性承認。此外，他還敘述了在台灣的「基於民意推行政策的成果，對中國大陸的經濟自由化和政治民主化也能起作用」一類的話。隨之，他希望大陸的領導人能加以參考。他還進一步地向大陸呼籲：

> 我曾一再呼籲北平（國府因立首都於南京，故一直稱北京爲北平）的領導當局放棄意識形態的對立，爲兩岸中國人開啓和平競爭與統一的新時代。只有「雙贏」的策略，才能維護中華民族的最佳利益，也只有相互尊重，才能逐漸達成中國統一在民主、自由和「均富」制度下的目標。爲了具體表示我們的誠意和善意，本人願意重申：本人樂於見到兩岸領導人在國際場所中自然會面，甚至本人自己與江澤民先生在此類場合會面之可能性，亦不排除。

從上述演說可以看出，李登輝所率領的國府當局，強烈地呼籲國際上承認「中華民國在台灣」，亦即台灣的政治實體存在的問題。同時窺探著台灣問題的國際化，這也是昭然若揭的。對於此舉，大陸方面是不滿意和畏懼的，詳情將在後文加以說明。李的想法與台灣戰後史密切相關，也擬在後文敘述。6月12日傍晚，李回到了台灣。

第三節　對台灣和台灣人的再定義和「四評六彈」

1995年的耶誕節和年底的休假期間，擁有美國國籍的兩位台灣人友人取道來了東京。一是五十歲左右的T夫人，她是從台灣回美國的途中；一是四十歲左右的C博士，他是北京辦事的出差途中，兼為調整時差而來訪。由於機會難得，我邀請了來自大陸的留日青年研究人員H君，相互交談了自李登輝訪美歸來，到第三屆立法委員選舉（1995年12月2日，即日開票。詳細情況請參考本書第六章第三節文章）的海峽兩岸形勢。以下為自錄音整理出來的文章，為避免繁瑣，筆者的發言以「戴」表示。

一、李登輝訪美的影響

戴：為了希望大家能自由討論，我們採取匿名的方式如何？我於明年1996年4月就成為日本所謂的「法定老人」（滿65歲）了，沒有什麼可以在乎的事。但是，大家還很年輕，請多慎重自愛。另外，我保證可以給大家保守祕密，希望能大膽、自由地發言。首先是第一個話題，就從「李登輝訪美的影響」看法開始談吧！

T：自12月上旬歸省台灣探親，約有兩個星期。在台灣聽到的和讀到的（報紙和雜誌）報導之間，似乎有相當大的差距。一般地說，認為李登輝訪美是壯舉，是衝破了難關而給予好評。但是，大陸方面的反擊，即所謂「四評六彈」（指中國發表四次評論及六發導彈），特別是六彈，即向台灣近海發射飛彈的演習，是不小的衝擊。股票的跌落至今尚未恢復。此外，向外國申請移民者，亦絡繹不絕。新台幣對美元的匯兌率也下降了。對民心的振動，可能是不小的。但是，在熟人中還找不出一個認真閱讀了「四評」（附註：四評即是指「新華社」自1995年7月24至27日，以新華社評論員及《人民日報》評論員共同署名的形式，發表的四篇聲討李登輝的論文。詳細內容請參照本書附錄）的人。不過，通過台灣的新聞報導似乎也能知道，大陸方面在激烈地抨擊李登輝，說他是推行台獨路線的民族叛徒。

C：談一談在紐約的觀感。李的訪美雖然可以說是壯舉，但代價太大了。對康乃爾大學來說，好處多多，不僅得到了很多捐款，也成了宣傳報導的話題，成了大學一次絕佳的宣傳機會。美國的名牌私立大學，不管錢來自何處，只要有機會就考慮賺錢問題。尤其是現今，正處於不景氣的形勢啊……。這暫且不談，總之，美國白宮以屈服於共和黨主導的美國議會形式，給予李總統入境許可。然而，卻刺傷了國務院上層官僚的自尊心，這個後遺症仍是今後需要注意的問題。台灣的宣傳報導機構那種敲鑼打鼓的高姿態和興高采烈的樣子，似乎是高興過了頭。

戴：H君從大陸出來已經有三年了吧。我們三個人沒在大陸生活過，對大陸方面的激烈反應，是非常吃驚的。台灣的有識者中也有人認為，這種作法沒有個大國風度，是一種庸俗下流的人身攻擊。

H：李先生在康乃爾大學的演說全文（請參考本書的附錄〈民之所欲，長在我心〉），我在大學圖書館的《中央日報》（海外版）讀過了。在大陸的「四評」刊出之前，我有一種感覺，那就是「李先生幹的好！」另外，我讀了陸鏗先生（住在舊金山的中立系中國人資深記者）所寫的報導（東京：《留學生新聞》，1995年7月1日號所載），我根本沒想到有什麼特別的，事後卻發現大陸方面竟如此憤怒。大陸早在6月16日，即將駐美的李道豫大使召回北京。我明白此舉是對美國的抗議。但是，沒想到因而會推遲了第二次汪辜會談。陸先生所寫的報導用了這樣的標題：「李登輝的訪美，得分是8，失分是2。『台灣』輿論的大肆宣傳，像是在搞自我吹噓」。

其所說的八個得分是：1. 打破了外交上的窘境；2. 解決了國家的定位；3. 使兩岸政策明確化；4. 介紹（宣傳）台灣經驗（指台灣的經濟增長及政治民主化的經驗）；5. 促使中共反省；6. 迫使美國更改路線，並獲成功；7. 增加選舉的資本；8. 促進宣傳報導機構提高責任感。而兩點失分是：1. 破壞了大陸、台灣、美國三者寂靜的均衡關係。隨之，台灣不得不被迫處於接受新的挑戰局面，而且是來自大陸的挑戰，這往往是缺乏理性的，甚至於是伴隨著冒險性質的挑戰，這又是台灣方面容易忽略的。2. 另一個失分是，在講演中沒有提及一句關於華僑的事。在海外華僑中，有相當一部人指摘李在朝著台獨方向走。這也是沒有什麼奇怪的，根據調查，甚至連台灣島內也有45％的人，對李登輝作為目標的「國家認同」，是指統一還是指台獨，沒有人知道。幸而他在此次的演講中，竟連續17次高喊「中華民國」、「中華民國在台灣」，或者是「在台灣的中華民國」。但願他對「國家認同」的說法，能找出個一定的解釋……。今天看來，陸先生也和我一樣，看法太天真了些。李先生儘管高喊了17次中華民國，但大陸當局仍然不相信他。「四評」正是對此事的反應。

二、對台灣及台灣人的再定義

C：那是不可能。說起來，中共對李登輝的不信任，是他與司馬遼太郎的對談公布出來之後的事情，根柢是很深的。加之，搞務實外交和恢復聯合國席位運動等，李在外交方面的出擊愈來愈積極，也收到成果。中共方面對李的不信任感，就因而愈來愈強了。

H：以台灣領導人身分的李先生的不適當發言到處可見的。儘管是這樣，司馬不應該叫遼太郎，而應該稱他是「管閒事太郎」（言下之意係指日本人）。他（司馬）還在對談紀錄上加了個附註[9]：「我希望大陸中國的人們，比任何人都應該讀一讀『這篇對談』」一類的話。這樣的傲慢勁頭是從哪裡來的？

T：外省人的朋友和本省人的年輕人中，也有罵司馬的。因此我在台灣買了有關此對談的中文本[10]，讀了一讀。

戴：聽說令堂（88歲，曾經留學日本）讀過了日文版，她是怎麼說的？

T：我母親說她能夠理解李總統和李夫人所說的「出生在台灣的悲哀」這句話。但是她說，希望他能對日本人採取更加堅毅

9 司馬遼太郎，《台湾紀行——街道をゆく四十》（東京：朝日新聞社，1994年11月），頁487。

10 同註9，中文版《台灣紀行——街道漫步》（台北：台灣東販有限公司，1995年6月）。

的態度。她說，鄭重地接待來自外國的著名人士是對的，但她強調，不希望李總統忘卻了他是台灣元首的身分。

C：我是光復後出生的台灣人。由於工作關係，有一些日本人的朋友。司馬的《台灣紀行》不僅將害了中國人，即使對有心的日本人，也將起一種誤導作用。讀了這本書，日本人讀者可能會認為，絕對多數的台灣人是親日而沒有什麼骨氣的人。這是很糟糕的，我有些擔心。

戴：從大陸方面的觀點看，H君最擔心的是哪些方面？

H：不能說李先生沒有被與司馬座談時的氣氛所誘導，我的日本人老師也是這麼說的。司馬說什麼都沒關係，但希望李先生能多少再抱有一種做為中國人、中華民族一員的自尊心去進行對談。例如，李先生說：「日本政府把台灣還給了中華民國政府。那個中華民國政府因在大陸的內戰中吃了敗仗而來到台灣。它丟失了一切，只剩下了這個台灣。中國共產黨說，台灣省是中華人民共和國的一個省。這是一種奇特的夢。台灣和大陸是不同的政府，現在我只能說到這裡。」[11]從這些話的餘韻，人們可以聽到，他似乎抱有台獨的意圖。中共當局當然要發火了。

戴：確實令人感到言外之意傳來的台獨之聲。但是，站在李總統的立場上看，上述邏輯是必然的吧。大膽一點說，大陸中國為遵循自己國家的立場，可以逕自對外國主張台灣是中華人民共和國的一個省，也當然是可以理解的。但是，如果持有一種將來要和平統一台灣的目標，對台灣，則不應該說是中華人民共和國

11 同註9，頁489。

的一個省，而應該改說為中國的一個省。如果不是這樣，就不可能有旨在統一的談判上。也就是說，一開始就決定了用中華人民共和國的一個省的名義的話，就不可能有談判的餘地。如果站在台灣當局的立場上，把自己的存在定位於中華人民共和國的一個省，就等於為自己否定了自己的存在了，那是難以令人悅服的。

C：我同意戴先生所說的。可是，如果站在大陸的立場上看，現在的台灣的存在，是由於美國的介入而中斷了中共革命過程的一種結果。只要沒有美國的干涉，中華民國就會被革了命，也早就被消滅掉了……。

戴：可是，歷史的過程沒有形成那種狀態。而中華民國卻兀自在台灣海峽的這一邊生存了下來，而且還富裕了起來。當然，對C先生的說法我是可以同意的。李先生對其間的經緯是十分清楚的，似乎也是承認的。所以，他就任總統迄今天，拚命地試圖對台灣和台灣人重新下定義。蔣介石父子時代的中華民國，尤其遷入台灣後虛構多餘，欠缺內涵，從來沒能有效地統治過全大陸。不，是因為被革命戰爭打敗了而一直無法再統治大陸。儘管如此，國府卻一直主張它是代表中國的唯一的正統政府。它並不具備反攻大陸的實力，在大陸的內部更不像有什麼支持者。然而，蔣家政權卻一直叫嚷著要反攻大陸，而為了保持代表全中國政府的正當性，也一直在維持著其「萬年國會」。「萬年國會」是指從大陸流亡到台灣後一直保留著的原來的議會結構，也就是指，進入台灣時跟隨而來的民意代表，沒有通過選舉就占據著議會（立法院、國民大會、監察院）的位置。而本省人則不能全面性地參與中央政治，而被排除在外。這是眾所周知的。

而國民黨藉著「與中共仍在戰爭狀態中」為口實，長期以來，與戒嚴令併行，一直施行著超越憲法法令的《動員戡亂時期臨時條款》以及鎮壓反政府活動之法令《懲治叛亂條例》。這些律令，李總統上台後逐步地將其解體，並予以廢除。也就是說，李總統從台灣單方面結束了與中共的戰爭狀態，正式承認了有效統治大陸地區的是北京政權，實現了蔣家父子政權多年來未能做到的事情。與中華民國虛構部分解體而同時浮現出來的課題是，對現今存在的、亦即作為實體的，當今的中華民國要如何重新下定義的問題。這就是我所說的，如何對台灣及台灣人進行再下定義的嘗試有關的問題。

T：李登輝做為後繼總統、第八任總統，又是台灣人總統，他必須同時扮演「清道夫」、「中興領袖」等的角色，去重新確認台灣及台灣人的「歷史的連續性」。換言之，他也必須承擔一面重新確認台灣的認同，一面以前瞻的姿態進一步創建新認同的角色。

H：我認為，大陸方面對這方面的感受力和理解是缺乏的。我因與戴先生交往，逐漸明白了一些。大陸的幹部們多半缺乏微觀思考。總之，大陸是塊頭兒大，但個人的能量又小，不大願意去動腦筋想多餘的事。儘管如此，李登輝先生的話是什麼意思呢？他說：「至今掌握台灣的權力的，全部都是（外來人士的）外來政權。最近，我毫不顧忌地說這樣的話，即使是國民黨，也是外來政權嘛！只是為了統治台灣人而來到這裡的黨嘛！必須把它變成台灣人的國民黨。我們這些七十來歲的人，晚上從來沒有好好地睡過覺。不想讓自己的子孫也遭受那樣的罪。」[12]他說這樣的話，是什麼意思呢？是為了應付選舉的發言吧。

C：我的父親和李總統是同一時代的人，共同經歷過白色恐怖時代的恐怖感受，因而對李發言的後半部分是贊同的。但對外來政權那一段話，我可以斷定，李是說走了嘴。從原住民系台灣人的立場看，他說得對。漢民族系的鄭成功政權、後來的清朝政權，包括國民黨政權，它們無非對原住民來言都是外來政權。當然，荷蘭、西班牙、日本的殖民地統治政權也是同樣的。可是，做為李登輝個人，既是後繼總統，又繼承萬年國會的一部分，即是所謂來自大陸的「最後的國民大會」為母體遴選出來的第八任總統作出這樣的發言，是奇怪的。況且他仍在任職之中。

C：在此次「四評」的第一篇中，發現了非常有意思的一段，那就是：「李登輝曾經加入過中國共產黨，但之後他背叛了黨」。這裡有日本原自衛隊陸將補（等於陸軍少將銜）松村劭所寫的一本書，名為「中國內戰」。該書在「台灣二二八事件」一項中寫道：「台灣的多數居民，對國民黨的反抗轉化為對日本統治時代的『鄉愁』（懷舊），一部分青年急速接近共產主義。直到戰爭結束還在日本京都大學學習的李登輝，也是其中的一人。他在這一時期加入了共產黨。」[13]此書斷然地寫著李先生加入中國共產黨之事。從書上的著者介紹看，松村是負責情報的日本自衛隊大幹部，像是一個與美國相關部門關係很深的人。從此我們可以窺知，美日雙方的情報關係檔案中都有李先生曾是原中共黨

12 同註9，頁495。

13 松村劭，《中国内戦》（東京：ザ・マサダ，1995年4月），頁85。

員的資料了。李現在仍然坐在國民黨主席的位置上，而且是主要由該黨支撐的總統職位。這是一件非常奇特的事。由此看來，他所表白的，年輕時晚上沒有睡過好覺的慨歎，是有道理的。因為在當時，共產黨員一旦被逮捕，就會遭槍斃的……。李對國民黨愛憎摻半的感情，即有時無意識之中說出「二律背反式」的「真心話」，可能也是這個原因吧。

戴：1940年代末期到1950年代初期的那個時代，不僅僅是由於共產黨的關係，幾乎所有對政府當局提出異議的人，都過著日夜不安的日子。即使是與左翼運動沒有任何關係的邱永漢，也曾經作了類似的回憶。

C：可是，在紀念我的老師張昭鼎教授的辭世而設立的基金會的版稅捐贈典禮上，李登輝作了「經營大台灣、建立新中原」為題的演講（1995年1月14日）。對此，當時戴先生確實在《中國時報》的評論欄上發表過長篇論文。能不能將以前的情況和李登輝講演的內容，給我們講一講呢？

三、經營大台灣和建立新中原

戴：我在《中國時報》評論欄發表文章的題目是「以嶄新理想面對中國大陸」（1995年12月16日，請參照拙著《台灣史探微》，台北：南天書局，1999年11月初版第1刷，頁230～233）〔參見《全集》6〕。這是被李登輝演講題目中的「新台灣」和「新中原」吸引而寫的文章。自從1994年末舉行的第一屆首長省長選舉以來，我留意了李總統的戰略構想。台灣人吳伯雄（當時為內政部長，借選舉後的內閣改造之機，晉升為總統府祕書長），是頗受歡迎的紅人，本來有意參加競選。儘管如此，當時李登輝國民黨主席卻選中了外省人宋楚瑜為候選人。宋是施行省主席官派制的最後一位省主席。然而一般人認為，他儘管擁有現職省主席的有利條件，但做為大選舉區的初次民選省長候選人，與民進黨的候選人展開競選，是一次莫大的賭博。若能選吳伯雄為候選人，可以不費吹灰之力而戰勝，但李總統卻固執己見，選擇了宋。從今天來看，李的意圖是很清楚的。就是意圖給台灣人重新下個定義。

據估計，外省籍的人口到1991年的現在，是全台灣人口的14%。如果單純用算數計算，從迄今的省籍矛盾，即本省人對外省人的對立感情情節看，宋的當選可能性是很勉強的。宋操著剛剛學來的台灣話，即閩南話，徒步行走全島的各個角落，反覆與居民進行對話。為籠絡民心，李總統也積極地為他支援作演說。結果是宋獲得大量選票而當選，以150萬票的巨差打敗了強力的對手——民進黨的候選人陳定南（詳情請參照本書第六章第一節）。在前文已經談到，晚年的蔣經國為了穩住本省人對國民黨及外省人的不滿和怨恨曾經說過「我居住台灣已有40年，我也已經是台灣人了」的發言。李則用了相反的形式，以廣泛實施民主投票形式加以呼應。通過宋楚瑜的當選，向外顯示了本省人相關怨恨的昇華。這種說法並非是言過其辭的。

宋出任省長後不久，李以黨主席身分在1994年底舉行的黨務總報告會議上指出「反共並非反華（中國），反台獨並非反台灣」。從上述邏輯的前後關係看，「經營大台灣、建立新中原」

的演說，是可以理解的。他所說的「大台灣」與「舊台獨」運動家所設想的台灣的範疇是不相同的。因為，大台灣是將舊日本殖民地時代的台灣加上了金門、馬祖，即新加上兩個島嶼為一體的地區。也就是說，李指的是台灣目前繼續存在的中華民國政府有效統治的全地區。不可忘記的是，美國參議院外交委員會的「康隆報告」（Conlon Report，1959年11月1日）發表之後，在台灣內外台獨支持者之間，根深蒂固地存在著要從金門、馬祖撤退的主張。他們企圖以撤退（金門、馬祖）的辦法，換取用「一個中國、一個台灣」或「兩個中國」的方式解決中、台間的問題。他們似乎認為，從地緣政治學角度看，將中間挾著台灣海峽的兩岸分割開來，豈不乾淨俐落？但他們亦可能沒想到：如果限定於舊日據時台灣，或易解決，作為台獨建國的「版圖」，也容易說服那些老一代台灣人，以此等等為理由而設想出來的「台獨理論」在想法上，雖然有了不少的變化，但如今仍在一部分人中間存在著根深柢固的金門、馬祖撤退論。在民進黨系人士的有關撤退的發言中，有不少事例引起了爭論。要舉證據就有不少。

H：我想起來了。我在中學時代，在浙江省的一所學校裡，有一段關於重新評價蔣介石的話題。蔣沒有屈服於美國的壓力，沒有把金門、馬祖從台灣撤退出去。蔣家父子一直堅持主張一個中國論，說這蔣家父子是愛國主義的。把「蔣匪」（中共呼喊蔣家人為匪幫）改說成愛國者的論調，是難以令當時的我們理解的。

戴：李總統提出的「新中原」的概念是新穎的。早幾年，我於1991年11月在台灣的中華電視台作了以「台灣與現代中國」為題的演講。那時，我把台灣、香港、澳門、中國大陸的關係，描繪成「自立與共生的構圖」。我演講時，把三者的關係（將香港與澳門設想為一個單位）比作人體與睪丸的關係。此演講後來編成書[14]。總之，台灣和香港、澳門同為重要的睪丸，睪丸如果被吸進人體內，精子會被體溫熱死，在體外懸著才能發揮功能。但是，並不能把睪丸從人體割離，或者讓它獨立。睪丸本來是不能獨自活下去的，因而分離、獨立都是死路一條，真正需要的不過是要它「自立」而已。在演講中我主張，台灣和香港、澳門應謀求有個性的獨自發展，即自立發展，謀求與尚處於混沌狀態的大陸共生，相輔相成，相互刺激，以爭得一個更光明的未來。我私自以我的設想命名為「睪丸理論」，恰好與李總統的「新中原論」是一脈相通的。新中原論雖然有了輪廓，但內容尚不夠充實。我認為，將台灣建設為新中原一論，是可以理解的，恰好可當為台灣重新下定義的一環。從地理上看，原來的中原是指黃河中下流一帶。正如「中原逐鹿」那句古語，中國政治的霸權之爭，中原即是其「場所」。眾所周知，中原又被認為是中國文化的發祥地。

總之，我願這樣理解，儘管在試行之中可能發生些許錯誤，但李總統自1988年春以來所推行的政治，始終存在著某種戰略、戰術設想。

李登輝作為總統繼承人而就任之後不久，我提出了下述新總統的課題：「把解除積累下來的『民怨』，在統合民眾的同時，

14 拙著《台灣結與中國結——睪丸理論與自立・共生的構圖》（台北：遠流出版公司，1994年5月）〔參見《全集》4〕。

還須適應時代的倫理要求，確立能夠應付新政局的威望，當做緊急的課題。」另外，我也指出：「眾人正在注視著新總統如何試行對正統性和合法性的重新改組，能否超越並昇華省籍矛盾，在台灣地區成功地鋪設暫時性的『國民統一』、『社會和解與協調』，進而『謀求政治邁入前瞻性的穩定』軌道。」[15]從今天來看，我仍然相信，我的提問和展望是正確的。李總統的「台灣」和「台灣人」的有關再定義，與我所提出的、期待李總統貫徹任務時所應推行的政治，是吻合的。另外，李在康乃爾大學的演講，是他對自己的政績所做的首次總結報告，也可認為是一種宣傳。在該演說中，共有17次宣示了「中華民國」、「中華民國在台灣」、「在台灣的中華民國」。李總統主張把經濟和政治的成果歸納為「台灣經驗」，把台灣培育為新中原，想以此來謀求統一。我們想，以前瞻性的姿態，並善意地接受他所提出的主張。儘管如此，大陸當局譴責了李登輝。說李是出賣「中國」和「中華民族」的「千古罪人」。這到底是為了什麼呢？在我周圍的有識之士當中，有人認為，中國大陸與台灣終究會在和平情況下統一起來的。在他們中間也有人說，公然發表「四評」的中共，其「夜郎自大」的程度已飆過頭了。也有不少人擔心，此舉若不成為笑柄便是幸運的了。

H：大國的領導人，往往會掉入「大國主義」的陷阱中而不得自由。政治的一切在於對其結果負責。李先生的務實外交及中共「四評六彈」的影響，不久將會成為一種「結果」而呈現出

15 同註1，頁206～208。

來，我將拭目以待。中國有這樣一句諺語，叫「順我者昌，逆我者亡」。不用說，封建時代或者獨裁政權時代的「我」，即是指帝王或者獨裁者。面臨21世紀的新時代的「我」，應該理解為：代表大多數人民的意志，即民意吧。不管是國民黨、共產黨、民進黨，或是新黨，他們都應該知道，我們市民或者國民，已經不是那種原封不動而乖乖地接受各黨所決定的「黨意」的時候了。

C：正如你所說的，的確如此。我想補充一句，希望重新研究「黨意」即「民意」，「朕意」即是「民意」的鴨霸模式，特別想要求那些既不用功又不讀書的政客們進行這種學習和思考。

「接受羅馬帝國權威的人，最終得以立身全家。相反，反抗羅馬帝國權威的人，終至沒落身亡。」這種羅馬帝國主宰和平（Pax Romana）時代的「歷史教訓」、「明哲保身的生活哲學」，已經過時了，現在都得全扔到垃圾箱裡去了。不了解這種情況的中國人政客，在台灣海峽兩岸仍然大有人在，這不能不令人感到痛心和遺憾。

第三章　希望之中的「生」與「死」

第一節　光復狂歡曲

常夏之地的台灣，1945年8月15日這一天的正午特別炎熱。當時，我待在被學校退學處分的R*前輩代其父管理的碾米所辦公室裡。我是殖民地菁英中學校二年級的學生，屬羊。那時，我的故鄉中壢是一個農村小鎮，就連有收音機的家庭也很少。這一天，日本天皇透過收音機，發布無條件投降的廣播，所謂的「玉音放送」。

一、台灣的「八一五」百態

由於強烈的雜音，只能斷斷續續地聽到天皇陛下的低沉聲音。R前輩說：「好了，從明天開始，要學習三民主義了。」我訝異地問：「三民主義……？」他強有力地回答我說：「是孫文的三民主義啊！」說起來，剛從憲兵隊釋放出來而受到退學處分

＊ R前輩即為戴國煇的鄉兄廖運達先生。

的他，是以輕輕的耳語對我說的。我記得，戰爭結束前的頭一年秋天，他曾說：「我想找一條路子去重慶，打日本兵去！」

R是文武雙全頗為突出的優秀學生，日本人教師曾勸他去投考「陸軍士官學校」或「海軍兵學校」。自戰爭末期以來，日本當局也允許台灣人進入日本的軍事學校。富於正義感而又有民族主義感情的他，當然拒絕了。他跟數名夥伴一起，曾搞過「夜襲」，對那些大聲誣蔑我們本島人學生為「清國奴」，並用硬拳頭揍人的日本人高年級學生，以及留級下來成了同級而原為高年級生的日本人，予以痛毆，因而違反校規，慘遭逮捕。經過調查，他們在決定夜襲之前，曾經穿中國服裝，照過相，故以準思想犯名義，成了日本憲兵隊的囚犯。日人蔑稱唐裝為「支那服」，日本當局以推行皇民化運動為由，禁止台民穿用。

戰爭終於結束了，沒有了空襲，燈火管制也無須執行了。人們一派安心感，大街小巷也出現了生氣。耀武揚威的日本人鴉雀無聲地躲在家裡，一夜之間竟變成了抬不起頭的「日僑」。日本人由支配民族，一轉而變成暫居他國的僑民。在日本人的小小社會裡，漂浮著一種氣氛，似乎感覺到任何時候台灣人都有可能對他們施行報復和私刑暴力反制的不安。

1926年8月1日來台灣曾經擔任過警察官及郡勸業課課長，戰爭結束後遣返日本的大沼衛，曾寫了一本名為「被遺忘了的日本人」的回憶錄。他在此書中，對1944年10月「美國空軍的飛機」猛烈轟炸時這樣感慨：

一旦敵人登陸，直到昨天還是朋友的六百萬名台灣人，很可能

> 立即變成敵人。如果是那樣，軍人當然是跑不掉的，就連一般日本人也有可能被埋葬。台灣存在著在日本內地想像不到的困難與不安。經常是夜不能寐，直愣愣地站在那裡想，把愛妻交給敵人，還不如由我自己把她殺死，自己也……（中略）……，我茫然失落地懷著這種悲壯的想法。[1]

更能說明當時在台日本中堅官僚感慨心情，時任台灣軍司令官安藤利吉的講話亦可當為佐證之一。他說：

> 日本占領台灣五十年，現在正是明明白白地亮出歷屆總督所推行的政治考核表的時候了。換句話說，如果其統治眞正地掌握了台灣民心，即使敵人一旦登陸，使全島戰場化，台灣的同胞也會與我皇軍齊心協力，挺身而出，粉碎其登陸部隊。這必須眞正地皇民化了才行。但如果是相反，台灣的同胞萬一出現與登陸部隊相呼應、相串通，從背後刺你一刀的情況怎麼辦？事態是極其嚴重的。然而我的看法是，我們沒有勇氣和信心能得到台灣同胞的絕對信任。也就是說，以什麼樣的形式表現來考核歷屆總督的工作成績，這要與諸君共同深切地加以注意，並予以妥善處理。[2]

這是1944年4月某日，日本實力人物祕密聚集於台北糖業聯

1 大沼衛，《忘れられた日本人》（東京：サンケイ出版サービス，1975年），頁229～230。

2 伊藤金次郎，《台湾・欺かざるの記》（東京：明倫閣，1948年3月），頁77。

合會館時，安藤利吉在會上的講話。此一聚會，甚至連台灣人御用紳士也沒讓參加。安藤很受到東條英機賞識，他被破格地由預備役中將直接晉升為大將，並被任命為台灣軍兼第十方面軍司令官，決定讓他掌握新指定為戰場地區的，包括台灣和沖繩一部分的第一線作戰權。這可能是由於他具有一種不甘居人之下的氣勢吧。因為現役海軍大將長谷川清就任台灣總督，而他多少有一些競爭意識，東條可能擬借其稚氣以對付海軍大將長谷川的吧。

出席上述聚會的《台灣新民報》（1944年4月1日，為戰時統制和統一而新辦的台灣唯一的報紙）的主筆伊藤金次郎斷言：

> 這是非常合乎道理的憂慮，恰似只泡醬了一夜，尚未泡透醬菜似的皇民化運動。一旦危急之時，要求台灣同胞能與日本人採取同樣行動，這是任何一位樂觀者也不敢肯定的斷言吧。[3]

這些話代表了一般在台日本人的見解。

不久，美軍飛機的空襲更為激烈了，坊間開始流傳著美國潛艇在台灣近海出沒的消息。台灣的御用紳士階層人士，很快就慌了手腳，為了應付這種局面而疲於奔命。將這一期間的動向淋漓盡致地加以描述的，是林衡道的小說《前夜》和〈證言〉。林是被部分人所熟知的，台灣最大的富豪林本源家出身的博學之士。他畢業於成城高校（日本舊學制高校）後，進入東北帝國大學，受教於馬克斯經濟學家宇野弘藏。他的小說以日華事變（盧溝橋

3 同註2書，頁78。

事變）為主要時間軸，以台灣、東京、上海周邊空間為舞台而展開。台灣人的上層人物與以日本軍部為首的日本當局勾結，不斷地搜刮錢財作惡。這些人的生活，一貫是與戰時節儉體制無關，隨心所欲，腐敗透頂。其最精采的壓軸部分是，估計到了日本吃敗仗的局面，早早地從箱子底掏出「長衫馬褂」（男性的唐裝禮服），以做準備。而其更巧妙的布置是，他們想像要遭到民眾的處罰，在鄉下找一個可靠的佃農家，求其代建一個避難所。另外，總督府評議員（僅次於貴族院議員的，台灣人的最高政治地位）的小姐聽到日本天皇宣布投降的「玉音放送」時，竟放聲大哭，泣不成聲。而且她們大喊：「日本還沒打敗」；其父丁評議員則始終保持冷靜狀態，並且安慰女兒說：「不必著慌，爸爸有錢，不管出現什麼時代，都會有辦法的。」[4]令人感興趣的是，林衡道的〈證言〉反映了台灣光復初期台北的大稻埕（永樂町，現在則為延平北路）這一條著名的台灣人老街風情。國府大陸時期的國防部長何應欽在湖南省聲明，台灣人不負戰爭責任（不向台灣人過問漢奸罪）。聽到這消息之後，台北的紳商們都鬆了一口氣，用雙手撫胸，都說感謝祖國的寬大，並在大街小巷歡呼：「日本統治下的我們是戰勝國，日本吃了敗仗，我們依然是戰勝國啊。台灣人最為幸福了，永遠是一等國民！」[5]

這只能說是徹頭徹尾的台灣「阿Q精神」的心情表現。

---

4 林衡道，《前夜》（台北：青文出版社，1991年1月），頁270～274。

5 林衡道，〈二二八事變的回憶〉（《口述歷史》2期，台北：中央研究院近代史研究所，1991年2月1日），頁215。

二、光復狂歡曲和在台灣的復員

日本戰敗的事實，逐漸在一般平民百姓的生活中擴大。受「經濟警察」控制的物品流通，又活躍了起來。街面的市場上，又開始出現了各種物品。我的家是住在農村的地主，把自家飼養的雞和鴨捆綁宰了，拜了「天公」，又祭祖先。父親擔心被日帝分別徵用在南洋及日本國內的長兄、二兄安全，用客家語祈求「天公」和「祖先」保佑他們。

長兄是台灣拓殖會社的技術人員，被派去西里貝斯（現印尼蘇拉威西省）工作。二兄是第一批被迫志願上陣的「學徒出陣」（臨時召集的大專在校學生入伍）。我還記得就在半年前二兄甲種幹部候補生訓練結訓，為了晉升少尉需購將校用裝費用要300日圓。因而家裡急速以郵政電匯到日本高松的曉部隊（即陸軍的船舶工兵隊）的事。我唯一的叔父是醫生。他是一個事業興盛的老輩西醫（1899年出生），但也遭到強制徵召，儘管是高齡，被徵為海軍少佐銜的軍醫。從高雄出發，乘船去南洋赴任，所乘船隻航至西貢沿岸時被美國潛艇擊沉，葬身於海底，這是日本戰敗一年以前的事。比筆者高一年級的、年齡大的，以及高二年級的四年級的學生們，都接到「警備召集令」，以學徒兵加入了「學徒大隊」。這是為了萬一在日本「本土進行決戰」時，而配備第十方面軍所進行的「戰時動員」的一環。

光復後首先是台灣人的高年級學生們開始復員歸來。他們各按自己的意思，成立「血盟團」或「鐵血團」等學生組織，這些組織像雨後春筍般出現，旋即又消聲匿跡了。他們要報復的第一個對象，首先是「三腳仔」（過度媚日派學生，不認為他們是自己人，人該是「二腳」，又不承認他們為日本人，因狗是「四腳仔」而所取的賤稱），並未將日本人作為第一優先的襲擊對象，這是饒有趣味的。對日本人的統治及凌辱，台灣的平民百姓背後暗地裡叫日本人為「狗」，並賤稱他們為「四腳仔」。這是因為台灣人看到他們隨地小便，或者裸體捆著兜襠布，在自家房屋周圍大搖大擺走動的形象，而為他們所取的罵名。四腳仔是指四條腿的畜牲，用以暗喻日本人的野蠻不文。人民為了蔑視「國語常用家庭」（日據時為全家會說日本語的台灣人家庭而創造之詞，門口懸掛「國語家庭」牌子），以及充當日帝爪牙而得意洋洋的台灣人，則罵他們是三腳仔。先把這些三腳仔，尤其是幹過警察的捆綁著吊起來，讓他們謝罪。這些三腳仔既逃得快，也敏於見機行事。他們把「支那」的稱呼改為「中國」，把子弟們關在家裡，進行中國語（北京官話）的集中傳授。他們從來自對岸的打工華僑（中國國籍）中尋找中國語教師，也有將日據時從對岸來台的理髮匠或裁縫師請出來，傳授國語當老師的稀奇情景。

原來，由於日本當局的鎮壓及管制，光復時，本島人也就是台灣人能通曉北京官話的，幾乎是沒有。

駐紮在大街上的日本兵，也許認為台灣人應不致對日本人有不善之謀而鬆懈下來。於是這些日本兵開始經營理髮小店和日本點心鋪。因為很受歡迎，所以生意興隆。純樸的平民百姓哄哄嚷嚷地到這些日本兵經營的鋪子裡來。他們認為，這些認真敬業，不曾與台灣人接觸的日本兵經營的理髮店手藝相當不錯，而且做出來的日本點心也好吃，他們感到驚訝，也感到稀奇。反而，那

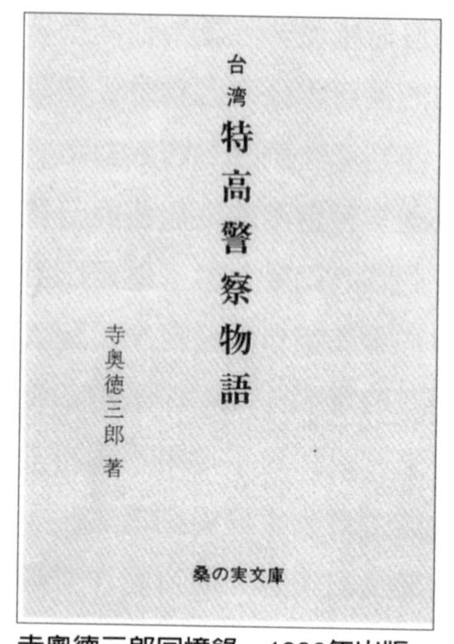

寺奥德三郎回憶錄，1980年出版

些耀武揚威，漫罵台灣平民百姓是畜牲、支那人、清國奴的日本人警察官卻躲藏了起來。日本兵們的理髮館和點心鋪，給街上帶來緩和氣氛。因為是徵兵制，台灣百姓弄不清日本軍隊裡原來就有各種不同的日本人的實情，而只是從日本軍服、軍靴和嚴厲的軍紀等外表來看日本軍人，而感到其兇悍和畏懼。

日本人來台旅遊時，只從表相發現，台灣人不但不仇日反而有親日之傾向，所以他們寫道：「日本戰敗後，台灣不曾發生對日本人的報復行為。」這是失其史實的，希望能讀一讀曾任台灣特高（警察）主任寺奧德三郎所寫的《台灣特高警察物語》[6]一書，大可窺知史實的另一面。在台灣幾乎未發生過大規模的兇暴報復行為，這是事實。但將此事一概而論，用台灣人的親日感情來加以說明，是不正確且不夠科學的。被迫淪為殖民地之前，台灣未曾有過自己的、真正的軍隊和官僚組織。自日本天皇的「玉音放送」到10月25日在台北市公會堂（現中山堂）舉行中國戰區台灣分區受降儀式，台灣的社會秩序是依然由日本的國家權力來維持。

6 寺奧德三郎，《台湾特高警察物語》（非賣品，日本（廣島）：桑の実出版社，1980年4月）。

我的意思不是說台灣人應該進行報復行為，但從客觀觀察，搞集團性報復行為需要有某種動力，而具有領導能力及煽動能力的人物，也是不可或缺的。戰爭結束時，多數台灣青年尚被置於戰時動員拘束之下，而且有十萬多人漂落在島外，出色的抗日運動政治家和領袖都在大陸。再者，台灣人熟知孤島台灣的地理條件，從其親身經驗也體會過，輕舉妄動只能付出過多沒有太大意義的犧牲，台灣人是考慮問題周到，而又精於計算的。他們對日帝當局，曾經對付抗日運動的激烈血腥鎮壓（參考第四章），是記憶猶新的。

台灣不存在自己獨自的軍隊和政治組織。在日本兵仍然活蹦亂跳地駐紮在台灣各地的狀況下，未見有台灣人去幹那種愚不可及的報復行為，是有其理由的。日本人說台灣人是親日的，或者是過於善良的，這種從感情上做自我陶醉式的解釋，只能安慰自己，但是難於讓他人折服。

安藤總督的自殺（1946年4月19日在上海監獄服毒）被報導的同時，台灣人從外地復員回來的舉措也走上了軌道。在對岸的福建、廣東等地臭名昭彰的台灣浪人（台灣籍民中的惡棍）或「半山」也開始回台灣來了。他們有一部分是混在來台接收的國府官憲中出現。他們假裝著曾經為抗日戰爭賣過命的樣子，確實是精采極了。大陸是寬廣的，在15年的戰爭中，大陸在客觀上存在過四個政權：即重慶的國府、延安的中共政權、南京的汪兆銘政權、溥儀的滿洲國等。暫且不談這種說法是否正確，不少的台灣人曾以各種形式與這些政權有過關係。

未去外地，而在台灣本地充當原台灣人皇軍士兵的復員結束了，這些士兵的家庭，都在做豬腳麵線吃，以驅逐厄運，並祝賀全家團圓和他們的子弟能活著回來。台灣人日夜盼望的祖國軍隊，卻總不見蹤影。在望眼欲穿的日子裡，終於迎來了台灣開省以來的雙十節（10月10日中華民國建國紀念日）。在作為舉行全島儀式的中央會場台北市公會堂（今中山堂），開會時間之前即已形成參會人員大爆滿狀態。對在儀式上聲討日本帝國主義和高喊建設偉大祖國的演說中，人們陶醉了、流淚了。幾乎所有的老太太都穿上唐裝。因戰爭時期受管制而許久未聞的鞭炮聲，又響徹了大街小巷。

不久，傳來了中央軍入基隆港的消息，人們精神抖擻，又是準備持旗歡迎遊行，又是製造七彩牌樓，人們情緒激昂，一片歡騰。

記得是10月18日，我患癌症臥床的母親，聽到中央軍所乘火車要通過我家附近中壢站時，穿著傳統的「客家衫」（客家女性穿著的唐裝），要家父為她叫一輛人力車（黃包車）。筆者弄到兩面青天白日滿地紅的旗子，陪母親一起去了車站。這就是我們家「光復狂歡曲」的小插曲。

三、復員歸來的「台灣籍民」和「半山」

1995年的夏天，我由於要出席一個學會之會議，非常繁忙。又因為是戰後50年的節骨眼，台灣、香港和大陸的兩岸三地都熱鬧異常。大陸方面出席會議的人也不少，因為是在香港和大陸召開的會議，筆者在會上試著提出了問題，強調：

香港以1997年7月1日回歸中國。近幾年，我一直與香港的朋友交換意見，也非常注意閱讀香港出版的雜誌。在香港，幾乎聽不到香港獨立論的聲音，這使我再一次感到驚奇。大陸當局是否由於香港人不提分離的獨立論而感到放心呢？我寧可相信，人們並沒有樂觀地認爲大家都在高喊「一國兩制」（實施一個國家兩種制度、五十年不變的政策）的口號就高枕無憂的吧……。而對有關迎接香港回歸的儀式方面，是做了周全的考量否？在此意義上，我希望能將台灣的二二八事件作爲重要的歷史教訓……。

對筆者所說的話，好像有不少人不明白而楞住了。甚至令人感到，有的人還在納悶，台灣人為什麼總是念念不忘「二二八」、「二二八」的，老是把二二八事件當為話題提出來的呢？

1955年秋，筆者為了留學到日本。之後，一邊進行研究，一邊努力搜集及整理有關二二八事件的資料。當初，絕大多數的台灣人舉起雙手大表歡迎，並迎接了國府的接收人員及中央軍（當時的國民黨軍隊的通稱，為區別與八路軍等而創造出來的稱呼）。然而，不久則為之一變，本省人即開始大罵外省人為「豬」。二二八事件時，部分台灣人還追趕著他們並施加暴行，表現了一種「瘋狂」。發生「瘋狂」舉動的根柢是什麼，至於台民的心裡深處又蘊藏著什麼情緒？我一直想弄清這個問題。

對此事的回憶，要追溯到半個世紀之前。1946年的寒假，我自新竹中學插班轉學到台北建國中學（前身為台北州立台北第一中等學校）讀書，被編入初中三年級。即便像我這個剛進到都市台北的鄉下學生來說，也能清楚地察覺到：光復狂歡曲的調子一天比一天地急速低沉，通貨膨脹日益嚴重；過期發薪已是家常便飯，失業者隨著從海外撤回人員的增加而擠滿街頭，過路人的目光嚴峻可怕。我看了一眼台北唯一的，不，可以說是台灣唯一的高樓百貨公司「菊元」（舊址即今日的台北衡陽路與博愛路口），那裡陳列著該是從上海進口的耀眼奪目的高檔次洋貨，我和友人一起步行參觀了台北市著名的圓環（圓公園）及大稻埕。如果以東京的作法加以比較，榮町的菊元是銀座，而大稻埕則是淺草。大稻埕的一些商店，堆滿了由對岸帆船運進來的雜貨，賣洋煙的地攤也擺滿了各種外國洋煙，市面顯得十分擁擠。與包裝華麗的洋煙相比，台灣專賣局（後改為公賣局）製造的香煙，顯得非常破陋寒酸。

與日本人撤走回國相並行，從日本復員回來的台灣人步伐也在加快。與此同時，從南洋及海南島開過來的復員船，也熙熙攘攘地擠滿又名雨港的基隆。我為了尋找長兄及二兄，經常從台北前赴基隆。但是，一直沒看到他們的身影，而映入我的眼簾的，卻是支撐著鬧市、活躍著對岸貿易的一排排眾多帆船。

操縱帆船交易的，曾有一部分人屬於「台灣籍民」[7]。原來的台灣籍民，是指日本統治時期的台灣本島人，但他們是居住在日本及台灣之外的海外人們。他們主要聚集於對岸的廈門，也廣泛地居住在中國大陸各地，以及南洋即現在的東南亞一帶經商。其中也出現了少數一些在與日本合作過程中歸化日本，或者先編

7 參照拙著，〈日本の植民地支配と台湾籍民〉（台灣近現代史研究會編，東京：《台湾近現代史研究》第3號，1981年），頁105～128。〔參見《全集4・第七章》〕

入台灣籍再取得日本國籍的中國人。這些中國人中，並有少數人冒稱台灣籍民，進行不正當活動。

隨著日本帝國主義對中國侵略及其對南洋擴張（後來變為侵略）的加深和擴大，日本官憲開始利用台灣籍民進行活動。這是因為他們能流利地使用與對岸居民同樣的閩南語及客家語，生活習慣和體型也頗為相似，從而利用他們充當日本的「爪牙」，非常合適。台灣籍民中，從此亦出現了次等日本浪人一類的「壞蛋」，以擁有台灣籍，亦即日本殖民地台灣籍，利用日本在大陸的領事裁判權這個隱身傘來幹罪惡勾當。他們自己或以自己名義讓別人經營鴉片煙館，販賣鴉片，以及經營娼妓館等來作惡積富，這引起中國方面官憲和百姓的反感，也是理所當然的。

不可忘懷的是，廈門有南洋華僑領袖陳嘉庚創建的集美學校及廈門大學。這兩所學校乃是福建系華僑子弟在廈門一帶的著名教育中心。為了躲避日本領事館的監視，台灣人的青年改名換姓在同系學校就讀者不少。之後，其中也有不少的青年人投身於國共兩黨所領導的中國革命。光復後，他們當中一部分人變成接收國民黨官憲的要人而歸鄉，這或許就是人性軟弱性格的表現吧。其中的一部分人衣錦還鄉之後，得意洋洋不可一世。他們以勝利者自居，擺出抗日戰爭英雄的架勢，藐視鄉里百姓。他們雖以抗日英雄自居，但人品卻極為低級，簡直就是一夥見了「日產」（日本人留下的不動產）就紅眼的徹頭徹尾庸俗之輩。過了不久，本省人就蔑視他們賤稱為「半山」，投以白眼。

直到光復後，本島人、本省人以及台灣人是否存在一種自己是開拓移民後裔的意識呢？很多人對原鄉的人們敬以「唐山人」，或者「長山人」為尊稱。舉行葬禮時，入土於墓地之儀式又稱為「還山」或「出山」（客家話）。返回唐山或長山，亦即回歸原鄉中國之意。如今原本為敬稱的「唐山」，變之而為蔑稱的「阿山仔」。他們最後把與阿山仔狼狽為奸而幹盡壞事的原台灣人及從大陸復員回來的台灣人蔑稱為「半山」，即半調子大陸人而加以白眼看待。

中國和日本都有一個同樣的諺語叫「壞事傳千里」，這種說法，是妙絕而恰當的。傳至今日，已經給人們造成了整個台灣籍民和「半山」統統都是「壞蛋」的印象。台灣籍民中的「壞蛋」被蔑稱或異稱為台灣「歹狗」，或日本籍台灣浪人（流氓）。今天，隨著台灣資本進入大陸，或者台灣人去大陸旅行的頻繁增加，對橫行大陸的台商又開始出現「壞蛋」的蔑稱。聽說，最近大陸已開始流行背後叫台灣人為「呆胞」（呆為台的諧音）的蔑稱。歷史似乎是在反覆著。

日帝當年，在背後操縱台灣籍民幹「壞事」者，主要是台灣總督府警務局，曾擔任該局長的本山文平，在其著作中留下了如下證言：

> 善鄰協會表面上是爲了與鄰國支那締結親密交往而成立的協會，但背後卻隱藏著要將南部支那納入日本勢力範圍的謀略。屬於警務局長管理下，在對岸的福州發行報紙，成立了小學校。在汕頭，也出版報紙。在廈門、廣東則設立醫院。將各地的領事也任命爲「囑託」（參議）。其經費則由台灣總督府支

付，其指揮和監督則由我來擔任。[8]

接著，本山明確地列舉日籍台灣流氓代表人物的一例，他說：

我在擔任台灣警務局長時代，福州日報的記者李呂冀曾爲我當嚮導。在當時，李改名爲李子堂，有陸軍少將板垣做其後台，他當上了天津大報《天津庸報》的社長。
圍繞李呂冀的行爲可以看出，當時的日本軍部是何等的蠻橫無道。李以前是台灣萬華黑道組織的一員。被我的友人、《福州日報》社社長鎌田正威君挑選，當上了福州日報社的職員。他在任職中，接到台灣軍司令部Y副官的密令，爲了製造向南支那（即華南）出兵的口實，你必須在福州殺死日本人，地位越高越好，軍艦的艦長也可以。李經過考慮，將病魔纏身而餘生不多的日本人小學校校長殺死。於是台灣軍司令部便以此爲藉口，向日本本國陸軍中央申請出兵。然而，日本軍中央卻說，出兵只限於北支那（按指華北），駁回了向南支那出兵的申請。但領事館警察不知其中的暗盤關係，搜索了犯人，檢舉了李，並護送至台灣，以殺人罪犯名義付諸審判。但李強調是受於台灣軍司令部之命，而鎌田君也向台灣軍司令官眞崎大將提出抗議。負責處理該事件的二反田法官，起初雖不相信李說的話，後經與軍司令部照會，了解到實情。便放李一馬，以不起

8 本山文平，《夢の九十年》（非賣品，主婦の友出版サービスセンター，1971年7月），頁90。

> 訴處分處理，讓其逃往南支那（即華南）。
>
> 由於上述關係，李後來得到板垣少將的援助，成了《天津庸報》的社長，把我介紹給擔任天津方面日方所擁立的傀儡政府冀東政府的主席殷汝耕。（中略）此外，他引導我去日支事變（中日戰爭）的發生地盧溝橋，指著豎立在那裡的一塊爲青森縣出身的一名日本士兵所建立、而由日本青森縣知事寫的「膺懲暴支」四字的紀念碑說：爲何不寫「暴將蔣介石」呢？寫「暴支」即是指全部支那人，此碑將來肯定會被支那青年破壞掉的。他批評了（日本）軍部的作法。（中略）之後不久，李就病死了。在上海爲他舉行了盛大的葬禮，由陸軍大將松井石根（戰後被東京裁判法庭判爲南京大屠殺的主犯而被判死刑）擔任葬禮委員長。[9]

李的死，可以說對他本人有兩點所得：一是「得時」；一是「得其所」。如果他光復後仍然活著，那將是何種命運等著他的呢？總而言之，李的一生大有發人想像之處是確實的。

第二節　台灣人菁英的困惑

光復後曾為台灣醫學界領袖之一的魏火曜博士（1908年生，畢業於東京帝國大學醫學部），1942年曾就任博愛會的廈門醫院小兒科主任醫師。他在充分了解同一系統醫院的日帝政治意

9 同註8書，頁124～125。

圖下，對所進行的醫療工作情況作了證言[10]。中國有一句名言是「人在江湖，身不由己」，而且所有的人都有「七情六欲」。「七情」是指：喜、怒、哀、樂、愛、惡、欲等七種感情。而「六欲」則是指：由身、意、耳、目、口（舌）、鼻六處所產生的欲望。凡人則多為這「七情六欲」所困惑。故而，台灣知識分子應該認知，在台灣這塊日帝的殖民地上，經常處於受到壓抑，難以展現自我實現的台灣青年本身，到處都有可能使自己陷於傀儡化的陷阱。

一、原鄉意識與祖國意識

光復前後老、壯年一代台灣人的中國大陸觀或大陸意識，是夠複雜的。想要探尋台灣原原本本而又真實的歷史連續性——即自我認同性格，需要具備相當銳利的洞察力和分析力。我認為，我們必須避免僅從事物的表面現象，或者想當然地做下簡單結論的蠢事。從此意義上講，日本南博教授的方法是值得參考的。南博試圖將日本人的自我意識分為表層意識（表面）、中層意識（真心）、深層意識（個人的潛藏意識）、基層意識（歷史的潛藏意識）等四種來分析[11]。只是台灣這個框架，歷史上就不曾存在國家這樣的體制，這值得留意。而且，由於締結了《馬關條約》，清朝政府和日本政府把台灣從大陸割離，台灣被日本殖民

10 《魏火曜先生訪問紀錄》（台北：中央研究院近代史研究所，1990年6月）。
11 參照南博，〈大眾社会と自我〉（馬場謙一等編《日本人の深層意識》卷12，《現代社会の深層》，東京：有斐閣，1987年），頁155～178。

地化了。早期的半個世紀，就是處在這種特殊情況之下。因此，台灣人的意識，尤其是對大陸的意識，至少需對三種不同的立場進行推敲和研究，即對祖先故鄉的一種「原鄉意識」、體現為樸素民族主義的「祖國意識」、接受辛亥革命之後的新興近代民族主義，亦即反帝、抗拒西方列強屬性、近代民族主義洗禮的「中國民族意識」等三種意識，這是筆者所思考的分析角度。

「原鄉意識」是明確易懂的，然而，從台灣歷史形成的特殊性看，用一般性的分析是難以說明「祖國意識」的。台灣人的祖先多數對開台之祖鄭成功懷有強烈的尊崇之情。另外，也抱有一種被清朝拋棄的被害者意識，因而一貫流露著一種反清復明的志向意識，甚至視明朝為祖國的意識，也是大有人在的。

魏火曜與許多20年代以前誕生的台灣人知識界菁英一樣，在他的心理「基層」和「深層」存在著一定的「原鄉意識」和「祖國意識」。以此為基礎蘊涵著「中國人意識」，因而存在著上升為反日或抗日意識的可能性。然而，對讀過日本舊制高校到東京帝國大學這種培育日本超級優秀人材學校的人來說，很可能不會輕易走上（反日、抗日）這條不歸路的。

為了構築原原本本的、真實的台灣史圖像，展望光輝的明天，只有將我們所尊敬的前輩所留下的證言和照片提示出來，以供參考。批判本是社會科學的屬性，批判更不等同於反對，因而切望各位對筆者的評比予以海量，多加包涵。

未能將「原鄉意識」和「祖國意識」加以區別及思想化的台灣人前輩們，在時代的激流中，幾乎將所有的精力都消耗在抵抗和倖活的兩端。以活出「歷史」，實踐歷史（參照第四章）為生

魏火曜夫婦結婚照，1934年4月攝於台灣神社

活哲學，在時代的激流中撐船及穩住自我定位已是很不容易的。看到魏火曜的結婚紀念照片，感觸尤深。1934年4月，魏與台灣屈指可數的富豪、基隆顏家的掌上明珠結婚。夫人是在日本女子大學專攻「國文學」（日本文學）的才媛。

結婚紀念照片是以台灣神社為背景拍攝的[12]。魏火曜在敘述他有關結婚儀式的情況說：

> 介紹人是「台灣日日新報社」的主筆大澤貞吉先生，先是舉行了中國式的結婚儀式，爾後又在台灣神社舉行了日本風習的結婚儀式，即「三三九度」（日本結婚儀式的交杯酒，即三杯酒，每杯各飲三口。）當時的法律手續是只向户籍課申報即可，不舉行日本儀式也是可以的（要點），云云。[13]

從今天看，性格敦厚的魏火曜，可能僅止於要與其父一起討好其父工作崗位（台灣日日新報社）的上司而逢場作戲，才舉行了中日兩方的結婚儀式吧！拍下這種照片，恐怕也沒有經過深思

12 同註10書的照片，頁3。

13 同上書，頁135。

熟慮。我並沒有為此找碴兒和挑毛病的意思，然而，台灣知識界菁英分子，一貫地不怎麼在思想層面上考慮問題才是讓我深感遺憾之處。我只想提醒由此事惹起的社會問題的嚴重性。

台灣神社是日本統治台灣在精神層次上的權威象徵。是日本國家神道在台灣設立的圖騰，日本當局經常強迫台灣人去參拜神社。他們斷絕了台灣本地原有的宗教信仰，不斷策劃台灣人的「皇民化」[14]。對此，魏不該不知道吧！在台灣神社舉行「三三九度」婚禮，是意味著接受日本的殖民地統治。如果因此讓日本人感到這種作法是對日本「精神權威」的一種屈服和妥協的證據，尚有任何反駁之餘地嗎？事實上，具有善意而單純國民性格的一般日本人，是天真純樸的。時至今日，他們仍在經常頌揚台灣人的親日表現，說這些話，是為了不使日本人遭到誤導而說出不得體的逆耳忠言，希望能給予理解。如果是和平時期，在正常的國際關係條件下舉行的儀式或者著裝，只是獻獻殷勤了事，僅是相互交換親善關係的一種氛圍，誰也不會說三道四。但是處於殖民地統治及在被統治的非正常的關係下，應該期許被統治者的一方的「知性」（intellectuals）中，存在著一定且應守的規範。

14 參照宮崎直勝，《寺廟神の昇天——新領土の宗教對策》（台北：東都書籍，1942年）以及橫森久美，〈台湾における神社——皇民化政策との関連において—〉（台灣近現代史研究會編，東京：《台湾近現代史研究》第4號，1981年10月），頁187～214。

二、林茂生[*1]的迷惘和悲劇

1991年9月，筆者一邊就任國立政治大學歷史系的客座教授，一邊撰述《愛憎二二八》一書[15]，我發現，在《自由時報》副刊上，刊登了林宗義教授口述〈我的父親林茂生〉[16]的連載文章。文章上刊印著林茂生夫妻的結婚紀念照片[17]，雙方都穿著和服（日本式禮服）。其附記日期則是1917年4月。在那個時期，台灣人穿和服拍結婚照片是非常稀罕的。雖未經過調查，這恐怕是上層台灣人當中的第一個吧。據我所知，林茂生所創造的台灣紀錄，迄今有三個：第一，東京帝國大學的第一個台灣人畢業生；第二，第一個台灣人高等官；第三，第一個獲美國哥倫比亞大學博士學位的台灣人。這張照片可能是他創造的第四個紀錄吧！真不愧是為精神醫學界權威林宗義（台北高等學校→東京帝國大學醫學部畢業）博士。

> 父母親的婚禮是在台南市太平境教會舉行的，結婚的「披露宴」（喜宴），父母親穿和服禮服。當時父親是日本政府聘請的第一位台灣人文官（可能是指第一號高等官）。到底台灣總督府對他們的結婚儀式是否施以壓力，我並不知道，但記得小時候我曾持著他們的結婚照片，問父親：「爲什麼穿和

＊1 林茂生，1887～1947，台南市人，教育思想家，《民報》創辦人。

15 戴國煇、葉芸芸共著，《愛憎二・二八》（台北：遠流出版公司，1992年2月）。

16 該文後被胡慧玲的《島嶼愛戀》（台北：玉山社，1995年10月）所再錄。

17 同上書，頁13。

服？」，至今我已經忘了父親的表情，只記得他說：「因爲沒有別的衣服穿。」。[18]

筆者在這裡重新表明，絕沒有借事找碴的打算。從照片來看，那是高價的，帶有家徽的和服。如果說是日本人贈送的禮品，人們是容易理解的。而回答說「沒有別的衣服穿」，人們只能感到困惑不解，因為日本正規的和服是昂價的。也可能是由於受到秀才兒子的追問而一時不知所措，順口說出的話吧。我很早就發現林茂生的性格既敦厚又「怯懦」，這是從當年吳三連對他的批評而獲得的印象。吳是苦學讀書，1925年畢業於日本一橋商科大學（現在的一橋大學之前身），同年即進入《大阪每日新聞》的。他自學生時代即一直在批判日本所推行的台灣政治，是一位富於戰鬥性的台灣人記者先驅。

吳三連說道：

從七位高等官文學士林茂生足下：

余聞足下盛名久矣。足下爲日本領臺二十餘年來第一代學士、第一回高等官、第一次教授，其名聲之赫赫、與夫所得地位皆屬第一，使余羡望，使余抱非常期待。不寧惟是，誠爲我三百餘萬同胞羡望之的、期待之中心點。

青雲得意、功名顯達如足下，余恨未曾謀面，而仰指導高教之末由，實深抱歉。幸而於去年10月晦日，天長節（大正天

18 同註16書，頁40～41。

皇生日，爲農曆十月初三）佳日，得拜讀足下〈國民性涵養論〉一大論文，余感非常興味。表莊肅敬意而試讀之。竊謂文章乃間接，雖不得十分領教，是可資參考，故再三再四讀下而勉爲咀嚼焉。噫，問有可使余感服者乎，曰否是，與期待之相背馳，而使余抱多大疑惑且驚懼者也。其所爲言，甚乏常識、自相矛盾，足以表明自己氣象之貧弱、觀察之不足，猶以自欺爲得意，莫知愧赧。斯言或者污蔑從七位高等官足下之尊嚴，亦未可知。然於聲名赫赫、地位牢牢之足下，敢信其於人格上，更添一段之光輝。且又不論何物何事，皆占第一之足下，襟懷度量想亦第一，則有過失，是必可蒙赦宥而加教導之。故不揣冒昧、不省己愚、不察己之智識經驗、修養、尚屬幼稚，究非文學士足下之比，所以不惜揮此禿華（應爲筆）者、不外乎以愛民族、愛國家之衷，誠耳願有所鑑諒。

足下論文中，自喜愛高等官七位之殊遇，形式上之林姓早稱爲下野屍（Hayashi），而得全與內地人同模樣，余誠爲足下喜且祝福，而心竊慶賀乎當局施同化政策之功效，得足下表而出之。然獨於己雖曾改形式上之吳姓稱爲拘禮（Kure），務期與內地人同模樣，而猶未克達斯域，殊深遺憾。是足以知攻乎己之修養奮鬥之不足耐已。於茲不得不感服足下，化爲內地人之能且捷，誠可引作同化事業成功之證；其敏速又當推第一，詎非得以之爲龜鑑耶？

其次，足下計台灣文化之促進，曾主張謂必要創設多數私立學校之語，是余之所表贊意者也。然足下既當經營私立學校之大任矣，何故去而就官立學校，足下之主張與實際毋乃過爲矛盾，而使余不能無疑。才智之狡、口舌之詐如足下，是必有種種理由在焉。

（中略）

其次，足下謂「國家觀念，皆無之台灣人……云云」者，其言出乎從七位高等官文學士林茂生君本心與否，抑或將有買乎人之歡心而輕率發之於餘興的、無意識之間乎？余願聞其眞意焉。若因將買人之歡心而竟出乎餘興的無意識之間而言之者，是非如何，姑笑置之可也。然果出諸足下本心之言歟，其自欺亦甚矣。否則欺我三百餘萬同胞而侮蔑無視更甚矣。足下之獨斷的平然而語恬然不知所恥，殊令人驚愕不已、舌橋不下，斯謂之文學士林茂生君之告白談乎不知也。足下自謂已化於內地人者，令雙親既係漢族，其於形式精神姑勿論，於肉體即謂之漢族之一分子不亦宜乎，實不能免耳。然而國家觀念皆無之台灣人，換言之，國家觀念皆無之漢民族一語，吁嗟，林君茂生、意何在乎、言何指乎？

足下自以爲台灣人之例外乎，誠不知耳，不能無疑也。恐足下反顧自己之良心，尚亦不得以之爲例外而自處。謂之漢民族之一人可也。余竊解之曰，足下當於述國家觀念皆無之台灣人一語之瞬間，其裡面曾不自白曰：「余亦此中之一人也」乎。嗚呼！林茂生君，三連不敏，爲足下悲甚，否則爲日本將來、爲東洋永久，殊最不能已於悲焉耳。何者，日本有若斯國家觀念皆無之人物在焉。對此國家觀念皆無之人，且厚遇之以從七位高等官教授之厥職，覺危險奚極。且也，足下既具有國家觀念皆無之危險性，遂否傳染於天眞爛熳（應該爲漫）且白

> 壁無瑕之學生腦髓乎？爲日本將來、爲東洋永久，其能免於憂慮者哉。余欲有言，國家觀念皆無之健忘症，不在乎我全台人之心裡，乃僅有於林茂生君一人之腦海中耳，抑因良心苛責自不堪其苦，遂欲嫁罪於我台灣同胞而妄自菲薄者。不然，最高學府出身者，而自認爲國家觀念皆無之人，猶晏然不知恥辱，何其醜態乃爾耶。又足下自稱爲下野屍以爲有内地人之臭味矣，而莫知内地人古來以大和魂誇於世界，以國家爲唯一之生命，乃事君忠、事親孝之精神，足下果進而及此程度哉。
>
> 足下既無國家觀念之精神，尚敢自詡曰已同化爲内地人矣。而内地人竟持緘默態度，未嘗攻其不可，誠不可思議之至。雖曰有一國民之雅量，而足下不自知僭冒之羞，欺世盜名，竟獲倖免於禍，天網云乎哉奇極怪極。（後略）。[19]

這是頗具諷刺意味的嚴厲批評。吳三連先生當時是一位22歲的大學生。

我見到了一位剛由美國回台灣的K先生。他是一位很了解林家底細的人，因而姑匿其名。K翁看了一眼《自由時報》上的照片說：「林先生就是這樣的人，他為人驕傲，但是個經常在左顧右盼的人（機會主義者）。光復時，他穿上『長袍馬褂』站在慶祝光復大會場上，使我大吃一驚。他是一個敏於見機行事、見風轉舵的人。散會後，穿著『長袍馬褂』跟與會的美國軍官寒暄

19 吳三連，〈文学士林茂生君に呈す〉（《台灣青年》2卷5期，1921年6月），「漢文之部」頁1～5。（按：吳文先以日文刊載於《台灣青年》2卷3期，1921年3月號，日、中文間略有差異。）

時，人們都以羡慕的眼光看著他。因為，那是美國人及英語最吃香的時代，會說英語的台灣人是屈指可數的……」。社會經驗豐富的老實人K翁的冷靜而透徹的一席回憶，不能不令我想起二二八事件時被暗殺時，林茂生那副表情，該是既無奈又遺憾的「臉孔」。他在回歸「祖國」的那歡欣時刻，找到了自己新的「落腳處」，正試圖修正自己迄今的人生軌道時，竟遭到了暗殺。他被迫遭到了「死」這個無法挽回的、最大的屈辱性挫折。這只能說是「迷惘中的台灣人知識分子菁英」的非命之「死」了。

林茂生之子宗義對其父在光復後著裝「長袍馬褂」一事說：「我還記得1945年10月25日，台灣第一個光復節，父親穿長袍馬褂，高舉起臂說：『我們自己做主人翁的時代，已經來到了。』那張照片裡，父親興奮、自信、有力的表情，我永遠不能忘記。」[20]這證實了K翁的證言是真實的。

三、林獻堂的苦惱和自負

台灣在被日本統治整個期間，林獻堂是個聲望最高的領導者。他始終堅持著中間偏右的民族主義立場，又作為政治、社會、文化運動的領袖而身負眾望。

關於林的經歷及活動情況，我將在下一章介紹。在這裡，容我們仔細地研究一下他的祖國意識或民族意識。

眾所周知，林獻堂為保持民族自尊心，日據時期始終沒用日

20 同註16書，頁8。

語說過話。直到光復後的1949年4月流亡於日本，即使是隻言片語，他也沒在公開場合說過日語，這是盡人皆知的著名軼事。

林的抵制日帝姿態及其作風，並非他一個人所獨特的。筆者的祖父和父親都堅持了與他不謀而合的態度。然而，筆者並非想將此種姿態與近代中國的民族主義或愛國主義直接結合起來加以解釋。我認為，他們的風格，只不過是在他們的心裡深層和基層，蘊藏著的原鄉意識以及樸素的祖國意識對外界的一種謹慎的表露。

林獻堂與家祖父和家父不同，他擁有漫遊世界的經歷，也具有與日、華（華是該時代對大陸所使用的總稱）雙方上層人物進行交流所需具備的教養。因而不難想像，林的意識遠遠超過我祖父和父親所具有的那種意識。

1936年的2月底到3月期間，林獻堂攜其胞弟及其次子參加了「華南考察團」，該團係台灣人唯一的報社《台灣新民報》所組成。時間恰好在滿洲事變及上海事變之後，盧溝橋事變的頭一年。1935年秋，福建省主席陳儀曾經作為「始政四十周年記念臺灣博覽會」的賓客而造訪台灣。陳儀觀察了台灣後，對台灣人的民族派資本家感到興趣。為了開發福建省時，將他們作為引進資金的對象，因而翌年招待了華南考察團到福建參觀。

林獻堂一行抵達了上海，在那裡等待的是原台灣民眾黨的幹部謝春木（1902～1969年）。謝曾以中間偏左的立場指導過台灣的反日運動。他後來改名為謝南光，抗日戰爭時期，活躍於大陸。戰後，他作為國民政府駐日代表團的幹部進駐日本，再後來以新中國誕生為契機，奔投大陸。據說，他以人民外交學會的理事身分，從事對日工作。

抵達上海的林獻堂，被邀請參加了謝春木舉辦的「旅滬台僑歡迎台灣華南視察團」大會，並發了言。其時，林說「回到了祖國……」云云。對此，台灣總督府的御用新聞《台灣日日新報》作了報導（1936年6月25日朝刊），並大大加以譴責。

此時，台灣軍部當局利用林的「失言」，意圖懲戒台灣人的民族主義。唆使右翼要求林獻堂賠罪，並辭去一切公職，甚至在公眾面前毆打和侮辱林獻堂。這是1936年6月17日在台中公園由台中州知事主持的祝賀「始政紀念日」會場上所發生的事。人們將此稱為林獻堂的「祖國事件」而銘心不忘。

追溯當時，「始政紀念日」這個稱呼，是出自日本當局立場

陳儀（前排左）訪台，參加「始政四十周年記念臺灣博覽會」，攝於1935年

的說法。從台灣人的立場看，只能是「恥政紀念日」。對整個中國人來說，應該成為對日帝最初的「國恥紀念日」。對此，台民不能公開反抗，林獻堂有說不出的苦楚。林在不得不參加的慶祝會上，卻遭到了上述日本右翼的對待。「滿洲國」建國之後立即見風轉舵、為充當「日、支（按指中國）親善」架橋角色而開始活動的蔡培火，當時曾批判右翼的暴行說：

> 自大正末期到昭和初期左右，遭到了左翼風暴的襲擊。當時，我本身雖未遭到來自左翼分子的毆打，但受到他們不實的中傷和誹謗、排斥和侮辱。不，決不止於這些。我們爲了與反對社會正義、國家利益和民眾福利的各種特權勢力進行抗爭，長期以來，經過苦心經營而組織起來的一支民眾勢力，這是一支即使是不理解我們的官憲及特權人物也很難用力量干擾的民眾團結力量，但是，卻被左翼勢力徹底地破壞掉了。對此，我們深感遺憾。然而，今日則又是另一種情況。去年「二二六事件」後，我們台灣也受到右翼重新抬頭的餘波影響。曾經被左翼壓制的同志們，此次又遭受右翼的壓制。不僅在整個台灣島，在日本本國中央政界也受到許多名士尊敬的、德高望重的前輩林獻堂，竟也發生了被毆的事件。[21]

日本當局鎮壓霧社蜂起事件（1930年10月27日）後，相繼暴發了滿洲事變等巨大事件，多數台灣人被時代的洶湧波濤所吞

21 蔡培火，《東亜の子かく思ふ》（東京：岩波書店，1937年7月），頁98。

噬。即使是採取穩健派立場的林獻堂，也未能避免遭受日本人右翼的糾彈及侮辱。

然而到了1945年，望眼欲穿的日子到了，糾彈及壓制終於與殖民統治體制一道在台灣被解放了出來。台灣實現了光復，給林獻堂帶來了許多「夢想」。當時林認為，有關台灣回歸祖國的手續，皆須以他為中心來策劃制定及推動該是理所當然的。

前頁曾提到的林衡道，留下了珍貴的證言。他說：

> 值得一提的是，在前進指揮所尚未設立前的某日，台中某大紳士來至台北，當時的台北火車站前是一片瓦礫之地，大紳士由僕從扶持著，進入一家日人經營的某大旅館，宣布要接收該旅

旅港台僑歡迎台灣華南視察團的歡迎會，攝於1936年3月10日

館，並叫老闆當天搬到後院。當時政府還沒來接收，他就先來接收了。這件事轟動全台北，大家爭相傳說有位從中部來的大先生接收日本旅館。好奇的市民都去圍觀，我聽到消息後也去看熱鬧。[22]

據熟悉這種情況的某老翁說，當年的林獻堂，雖還不夠稱為「台灣王」，但他自負是「台灣的大家長（大老闆）」。據說，也確實具備有那種威嚴。

根據林獻堂年譜1945年8月20日左右所載情況，稱林在光復後立即開始了行動。他訪問了安藤總督，同行的還有同年4月4日與林獻堂、簡朗山一起被日本貴族院敕選的貴族院議員許丙，日語翻譯則為林獻堂的次子，畢業於日本一橋大學的林猶龍。另一同行者藍國城（家精），係台灣南部大富豪藍高川之次子，畢業於福岡高等學校及京都帝國大學經濟系，擅長柔道和劍道。可能由於這些原因，中日戰爭中出任「中支（按指華中）派遣軍」武官公署的少將銜參議，後升至中將銜參議。附帶提一下，藍在上海修建了一棟公館，有許多台灣人在其中進進出出。他的妹妹藍敏被比喻為台灣的川島芳子。據說，與重慶的軍統局（戴笠主宰、直屬蔣介石的情報機關）祕密聯繫而從事活動[23]。

林獻堂對有關台灣的治安問題，向安藤提出下述三項質問：

1. 目前治安尚屬良好，但今後有可能發生突發事件。為防止

22 參照同註5書，頁215～216。

23 參照中央研究院近代史研究所，〈日據時期台灣人赴大陸經驗〉（《口述歷史》5期，1994年6月），頁22～27。

事變，是否需要台灣人的合作？

2. 當下台灣尚居住著日本人，為了雙方能在和平環境裡生活，如何促進合作？

3. 今後建立中日兩民族的親善關係，是否需要建立以台灣為中心的聯絡管道？[24]

觀此三點，林獻堂極強的自負心理在此表現得淋漓盡致。

不論是好是壞，林獻堂衷心景仰清末民初（按指民國初期）的政治家、啟蒙學者梁啟超的改良主義、文人氣質，並以此來應付日本政治。光復後，他試圖以中國傳統士大夫沉默寡言的辦法來明哲保身。從其年譜1945年8月20日到1947年5月17日的記載中，隱約可見其情。

1. 前頁曾提到他帶著藍國城會見台灣總督安藤之事。對汪精衛之死，林在日記中寫道：「生為男兒，死得其所是人生至高之福。嗚呼！精衛！由於你多餘地活了十年，才有這樣的不幸啊[25]」。儘管是這樣的他，光復後竟自己當中間人，帶著藍國城這種有問題的人物，去訪問了安藤。我對林的那種詩人般的善意，作為政治家的迷惘，缺乏新觀點而又要掌握領導權的焦急情緒和自負等自相矛盾的姿態，甚感林欠缺自知之明而有所憐憫。

2. 同年8月31日，林獻堂伴隨著許丙、林熊祥、辜振甫等人，訪問了台灣軍司令部的諫山參謀長，進行了懇談。由諫山的規勸及合作，他們於同日下午飛抵上海。同行者為台灣軍及總督

---

24 葉榮鐘編，〈林獻堂先生年譜〉（葉榮鐘著，《台灣人物群像》，台北：時報文化，1995年4月），頁152。

25 同註24。

府的一些幹部。伊藤金次郎對此間情況作了如下敘述：

> 辜顯榮的第二代辜振甫，不像其父那樣富於冒險精神、是既粗野而又強硬的漢子，反而是八面玲瓏，善於社交的。振甫被認爲將是肩負台灣下一代的最合適的人選。然而，在與日本戰敗的同時，其活動舞台則由九天之上跌落入無底深淵，成了處在最痛苦境遇的人物。當然，在戰爭結束的同時，辜振甫爲與日本斷絕關係，而竭盡全力去試作勾銷一類工作。隨著戰局的激化，辜家在上海的財產即將發生喪失之虞的緊急時間，他曾委託台灣軍部的首腦部門，乘軍事機關之便，得以在台灣轉領了三百五十萬日圓財產轉匯回台灣。爲了感謝軍部幹部們的協助，辜向軍人遺屬捐獻了一百萬日圓救護金。當時的報紙對他的慷慨大方讚賞稱：「辜振甫的美舉，一下子就捐獻軍人遺族救護金一百萬圓。」
>
> 然而，此事之後不久戰爭就結束了，確定了日本戰敗。辜振甫與其說是心疼而反悔所捐出的一百萬日圓救護金，還不如說是擔心中國方面對他（與日本人關係）的看法。因而，他立即翻了臉，從軍部那裡將錢強要了回去。他的膽子相當大，但他想到，如果因（這筆捐贈款）而遭到中國仇視，那就一切都完了。爲了防患於未然，儘管是一位豪門少爺，也不得不厚著臉皮，將捐出去的錢索收回來。
>
> 昭和二十年（1945）9月，重慶政府的要人，通過日本軍官要求台灣的本地士紳乘飛機飛赴南京。一來，可能要他們宣誓盡忠；二來要聽取台灣的情況。那時，中國方面也提出了一些人

> 的名字。此外，也有不少爭先恐後的毛遂自薦者。與中國方面進行數次洽商的結果，從軍部去的，有諫山參謀長及兩三名高級幕僚，加上民間的台灣紳士林獻堂、陳炘、林熊祥、林呈祿、羅萬俥、許丙（但後來聽傳說，許丙未能進南京，只待在遠離南京的上海）等，倉皇地上了飛機。[26]

從上述情況可以看出，當時的台灣上層階級為保存自己而表現的慌張神情。辜是盡人皆知的台灣財界的巨擘。他才剛過80壽辰（1917年生），目前仍任兩岸關係台灣方面的窗口，即海峽交流基金會董事長*2。由於青年時代辜振甫的才氣縱橫、一表人材，林獻堂給予了重視和照顧。從辜的出身經歷看，如果沒有林的關懷，他是不可能成為飛赴南京的隨員參加此次活動的。

伊藤金次郎對林獻堂的評論是頗為有趣的。他說：

> 戰爭結束的幾個月前，小磯內閣爲改善對朝鮮、台灣政治待遇的政策，從台灣敕選了林獻堂爲日本貴族院議員。林獻堂內心熱血洋溢、冷靜沉著，確實有大人長者的風度。
>
> 此外，他德高望重，兼出身門第，頗得日本當局和台灣民眾的重視。他雖也曾爲民族運動的中心人物，但滿洲事變以來，面對法西斯化的日本政治，他縮回了尾翼，成爲對日本政策恭順的使徒。尤其是他對長谷川總督推行的所謂「仁政」相呼應，當上「皇民奉公會」的大屯郡支部長（林獻堂所居住的郡）。

26 同註2書，頁208～209。

*2 辜振甫任海基會董事長為1990年11月至2005年1月（其辭世日為2005年1月3日）。

他巡遊郡內各地，挺身於推動青年的皇民化。而且，爲了協助戰爭，不斷的努力奉獻。

因此，他與其他兩位有實力的人物一道被敕選爲貴族院議員時，日本人認爲他是適當的人選，並放心地認爲，他對日本的忠誠心是會愈來愈可靠的。

然而，戰爭一結束，日本戰敗已成定局時，他們卻又率先搭機飛赴南京，成爲國府接收台灣的先鋒，與葛敬恩中將及其他中國要人進行了數日的會談。

關於會談的內容，我們當然無法知道，但自以爲是的日本人，說好聽一點，想問題經常是過於樂觀的。他們認爲：「林獻堂是受日本貴族敕選的貴族院議員，是被優待的人物，因而不會對日本抱有惡意，他會竭盡全力地要求中國要人，盡量地對居留在台灣的日本人給予寬大處理。」或者認爲：「林獻堂在台灣復歸中國的同時，必然會在行政機關乃至其外圍機構占居要職，擔任居台日本人和台灣人之間的斡旋工作。因而，我們日本人應該抓住林獻堂，使之居中調停，就能多少得到一些方便。」等等。當時在日本人所召開的會議會上，有些日本人做了這些頗爲樂觀的臆測，說得興高采烈。

然而，在雙十節（1945年）那一天，在台北市公會堂召開的紀念慶祝大會上，林所作的演說，是一席最爲露骨的對日本政策的抗議和譴責。[27]

27 同註26書，頁114～115。

3. 1946年8月，以林獻堂為首的台灣紳商，以緩解台灣人與接收當局及南京要人的緊張關係為目的，由丘念台疏通，組織了「台灣光復致敬團」。同月29日，一行經由上海，在南京參拜了中山陵，繼而向蔣介石主席表示敬意，並以光復的報恩為名而捐了款。之後，作為表明光復後台灣人回歸祖國的儀式，對著陝西省的黃帝陵舉行了遙拜。據說，他們一行是以代表全體台灣人的名義進行遙拜的。這是1946年9月11日在西安近郊的耀縣所進行的活動。

值得留意的是，陳儀長官自始至終反對該代表團團長由林獻堂來擔任，這是一個不好的徵兆。

第三節　菁英們的願望及二二八事變

幾乎與此同時，以東京為中心的菁英集團，特別是東京帝國大學和東京商科大學的前輩們組織了「新生台灣建設研究會」，為謀求新的生活方式而開始進行探索。

一、學習國語及為建設而作研究

在等於船隻復員台灣的期間，在東京附近的台灣人知識界菁英們創建了國語學習會（學北京官話），以及為研究如何建設台灣的「新生台灣建設研究會」而進行學習和研討。

被選任為「新生台灣建設研究會」會長的，是朱昭陽（1903

年生，現仍健在）＊3。朱是台灣人，是台灣第一個考入日本第一高等學校（一高）的學生，後升學東京帝國大學經濟學部學習。畢業後進入（日本）大藏省工作。1944年曾任（日本）專賣局總局主計課長，一直升任為高等官二級。這是台灣人在日據時期擔任日本行政官的最高職位。但是，在以後的人事升遷中，朱氏被降任為群馬縣專賣局高崎分局局長。開始時朱認為這是歧視性對待的人事安排而打算辭職，但日本戰敗的氣氛日漸濃厚，遂忍耐了下來。

朱昭陽是矢內原忠雄（日本著名學者）的門生。1992年12月29日筆者為訪問曾去過台北市的朱公館造訪。當時他雖然年歲很高，但對時局的分析，極為明晰而公正。朱經歷過坐牢等光復後的風霜，顯得更加練達。他冷靜而透徹的中國民族主義論，較上文所列舉的任何人都富於現代性的遠景。對當今漂浮不定的世態，他甚至抱有一些擔憂的心情。

朱昭陽回顧說：「戰後不久，即1946年初召開了『新生台灣建設研究會』的成立大會。這是第一次大會，但也是最後的一次大會。那是聚集了兩百多名會員的一次盛會。雖然也有少數偏向於左右兩翼的人，但所走向的目標及活動內容則幾乎是一致的。」關於1. 反對殖民主義；2. 反對（民族）蔑視；3. 反對差別待遇等這些立場是共同的。可以說，對民族主義的認識也是一致的。大會後，大多數成員都陸陸續續地返回台灣[28]。他們返台後，都為了生活而疲於奔命。翌年，馬上就發生了二二八事變，

＊3 朱昭陽逝於2002年。

28 林忠勝撰述，《朱昭陽回憶錄》（台北：前衛出版社，1994年6月），頁68～69。

再次聚集會員已不可能。這就是我說第一次大會，又是最後一次大會的原因。

從會員名單可以看出，由於恐怖分子的迫害而死於非命的人，倖存下來而活躍於社會的人，確實都是一些傑出的人物。而倖存下來的有名人士都有一個共同點，那就是大部分人迄今仍然保持著沉默，沉痛的往事記憶猶新，他們可能不願再想起過去那些令人既慘痛又不愉快的回憶吧。

可是，「新生台灣建設研究會」成立大會的紀念照片，卻恰恰表現出他們對中國認識的膚淺程度。他們懸掛的青天白日滿地紅旗即中華民國國旗，不僅規格有錯，掛的方法也不對[29]。他們越是優秀分子，也就脫離自己母語（即漢語）越遠。即使能操母語，也不會用文字表達。也就是說，用文字表達母語的水平，是非常差的。日本殖民地統治所應負的責任是深重的。

其後，在台灣重建有特殊性的秩序，有了急速開展的趨勢。但洶湧蓬勃的時代潮流，沒有給予他們充裕的時間去重新學習國語和研究建設相關課題。但是，台灣人領導階層當時在想些什麼，期待著什麼，其最大公約數逐漸清楚地表現了出來。根據我個人的整理，有以下幾個方面：

1. 當年，很多人在踴躍地意圖改寫新歷史。從某種意義講，甚至令人感到其意氣軒昂的勁頭過火了。

2. 人們期待一直由日本人獨攬的政治職位，應由台灣人替代占有，而政治組織也應以台灣人為中心來運作，作為三民主義中

29 同註28書的照片，頁9。

國下一環的台灣，將該能獲得高度自治的吧……。人們也認為，由於台灣人真正地成了主人翁，因而一般老百姓不會再像日據時代那樣，苦受日本官憲的欺凌和壓迫之苦，而能過著比較自由而平穩的生活。

眾所周知，日本統治台灣時，雖允許台灣人的地主制及其重組，但牢牢封閉著台灣人資本家階級走上產業資本化的道路。

1. 在台灣總督府府令第16號（1912年2月）中，制定《禁止使用公司字樣命名商號條款》[30]，禁止台灣人獨自組織公司來經營企業。換言之，台灣人可以保有日本公司的股票，但不能組織台灣人自己的公司。

2. 台灣人自清末以來，以舊式的製糖方法經營著前現代化的小規模製糖廠（叫糖廍）。日本當局怕這種傳統糖廍的現代化和產業化，製訂了：⑴台灣糖業獎勵的規則（1903年6月、律令第5號）；⑵製糖廠取締規則（1905年6月、府令第38號）；⑶台灣糖業令（1939年10月、律令第6號）等，藉以培育了日本人糖業資本家坐大。另一方面，日本人卻利用法律手段扼殺了台灣人糖業資本家。對製糖業所採取的超經濟強制手段是政府的補助規定；設立工場的許可制；原料採集區域制度的規定等。台灣人只能停留在商人資本家和地主的地位上。因而可以說，台灣人資本的現代化和產業資本化因而被阻礙達半個世紀之久。台灣人資產階級的怨念和祈願的根源之一即產生於此。這是不可遺忘及忽視的。

30 台灣總督府編纂，《台湾法令輯覧完》（東京：帝國地方行政學會，1921年4月）的第十輯，頁124。另外，上述其他的府令、律令一類文字，一概引自該書。

另外一個問題是，日據時期台灣政治中，台灣人資產階級長年一直反對的，是專賣事業的制度。本來，專賣事業在日本國內也一直是存在的，但台灣的這一制度卻與日本國內的大相逕庭，從而使台灣人大為反感。

日據台灣的專賣事業始於1897年1月，所依據的法源則是律令第二號「台灣鴉片令」的鴉片專賣體制。爾後，陸續增加了專賣品的對象。日本戰敗之前的1944年，專賣項目已有鴉片、鹽、鹵水、樟腦、煙草、酒、石油、酒精、火柴和度量衡等，多達十種。

專賣事業的目的，本應是國家為行政上之目的，壟斷特定財貨的生產和銷售，以確保穩定的財政收入。其第二個目的是管控價格，也有保護生產者和消費者為目的的專賣項目。但從台灣人的角度看，只能認為鴉片專賣會使吸鴉片者吸而不停，以便毒害台灣人。他們還認為，關於樟腦、酒等的專賣，日本當局也搶了台灣人資產階級所依靠的特產品生產行業。日本不僅限制台灣人發展產業資本化，還限制商業資本的發展，因而怨念頗深。

如上所述，光復後，台灣的上層階級人們盼望解除那些在經濟上阻礙台灣人發展資本主義而套在脖子上的枷鎖、腳鐐和手銬，期待著企業經營的全面自由化。他們要求將日本人迄今所壟斷的官、公企業的幹部職位能由台灣人來替代。他們期待著得以從戰時日帝統治時期經濟警察那種專橫跋扈的控制下解放出來，並大幅度地恢復了自由經濟而高興。

台灣資產階級上述的願望和期待，是對足足有半個世紀受日本政治壓抑的不滿、怨念的一種反映。這些情緒又逐漸地進展集中成為對國民政府接收行政的不滿和失望，這是歷史的事實。

1. 台灣人對沿襲台灣總督府體制的殖民地統治時期的絕對性威權、極大暴力機制的台灣省行政長官公署制的反對和反感，國府當局是感覺遲鈍而沒能察覺出來。台灣人的中上層人士發怒了。他們認為，台灣回歸了祖國，為何不在台灣推行與本國其他各省同樣的省制，而硬要實施另外一套公署制呢？多數台灣人認為，這是對台灣的蔑視和差別待遇。

遭受過殖民統治的知識階層，對受蔑視和差別待遇是極為敏感的。這是全世界任何被殖民過的民族和社會的知識分子所共有的普遍性反叛性格。

2. 國民黨不僅不廢除專賣局，甚至還企圖新設貿易局以壟斷貿易，這是難以允許的。物價飛騰，物資不足，失業人口增加，接收當局的飛揚跋扈和推行弊政等，台灣人對這些新的外來者獨占日本人遺留的官位，以及對他們肆意壟斷「日產」等做法的不滿高漲了起來。這種不滿情緒不久就變成怨恨、仇恨而淤積於心，終於化為民心叛離的「火種」。「星星之火」加上原野上準備就緒的乾草，終致「星火燎原」，由而爆發了二二八事變。

二、二二八事變的「生」與「死」

讓我們再回到1995年晚夏秋初，召開的大陸與香港的學術會議的現場。

關於香港的回歸中國與台灣的光復，從其形式和時機，以及圍繞兩者的國際關係及國際環境來看，是大相逕庭的。但是，以切離中國一個部分的形式，港台由外國帝國主義作為殖民地去加以「開發」，加以分別經營的事實則相同。另外，還有統治主體方面的民族、國家和政策的差異，以及統治時期長短的差別。然而，港台的殖民地統治的本質是沒有任何不相同的。

殖民地統治不是慈善事業，其原本的目的是追求殖民地利潤。統治過程會發生諸多現象，但統治與被統治的事實與本質是大同小異的。殖民統治後遺症的最嚴重的問題是對於人性的破壞，筆者很久以來一直是這樣認為的。因而從被統治方面來說，比任何事情都重要的，就是必須從被統治者的根本立場上去恢復人性，以及重新確立自我認同，這是重新出發時的既必須又重要的課題。在此情況下，對被統治者的集體心理做深邃的洞察並給予關懷是十分必要的。

圍繞著半個世紀之前的台灣光復而發生的「摩擦」，就是不幸的悲劇二二八事變。發生此事變的原因之一，就是台灣人集體心理沒有被重視並加以適當處理的報應。如今仍有不少人沒有注意到這個問題。作為我三十餘年的汗水結晶，曾於1992年2月以中文與友人共同撰述了《愛憎二二八》一書。由於篇幅的關係，關於二二八事變的詳情請參閱該著。

我特地將書上加上這個副題「神話與真實：解開歷史之謎」。綜觀古今東西的歷史，沒有言論自由的社會，學術研究領域禁區繁多的國家，則必然「謠傳」和「虛構」橫行、蔓延。而最後遭受其苦難的不是別人，正是「基層」的老百姓。

這是非常遺憾的，而「神話」和「虛構」一旦成形，就會橫行無阻。在這裡，我想起了陳伯達所寫的《中國四大家族》一書。1955年秋，從台灣到日本，很快就找到這書，並進行了精讀。為了加深對台灣蔣介石政權的理解，這是渴望已久的事。讀過之後，感到其內容何等地貧乏啊！對於任何掌握了政治經濟學的ABC，此書是不足以掛齒的。然而，一般社會卻不是這麼認為的，此書只不過是為了蠱惑煽動人心的政治性小冊子而已。儘管如此，它作為最最暢銷的政治性小冊子，緊緊地抓住了苦悶而要求變革的中國民眾——尤其血氣方剛青年們思變的心。

企圖利用二二八事變的「不逞之徒」和政棍，仍然不斷出現。如果不將圍繞二二八事變的神話和虛構的面紗揭開，悲劇的「傳播瘟疫之神」將會再次出現在我們美麗的台灣島上，並危害中華民族。我認為，這是肯定無疑的，從而寫了《愛憎二二八》一書。

光復時期的台灣人，幾乎都不了解中國大陸的真實情況。台灣的「小雜魚」（後起之小人物）們，以自己無處發洩的能量，投向了革命和戰爭的中國。在中國大陸，有一些志在對抗鴉片戰爭以來的列強的侵略，並謀求從其枷鎖中解放出來的中國人們，創建自己獨立的民族國家，為共同目標而奮鬥。當然，中國處在「亂世」，時代的巨大潮流在激烈動盪。正因為他們是一些「小雜魚」，而「小雜魚」也畢竟是無關輕重的小人物們，故而無由察覺出被時代所撥弄的處境。不僅如此，甚至還有人假虎之威，而怡然自以為從「小雜魚」一變而為一條「大鯨魚」，令人驚奇。

在當時的中國大陸，具有稍大一些核心組織，主要以重慶為基地的國民政府。其次，處於較小核心但頗具潛力的中共，先在瑞金，後來在延安設立了根據地成為中共政權。然而，其中的任何一方都不能說是一個充分具備了「民族國家」實際內容的現代國家。此外，中國大陸還存在滿洲國、汪兆銘的南京政權和冀東防共自治政權及蒙古聯合自治政府等等其他政權。但後者的諸多都是傀儡，因而只能說是些泡沫政權而已。應該記住的是，那些政權都是由日本帝國主義所擁立的。正因為如此，在日本殖民統治下的台灣人，成了「小雜魚」，謀求寄身於日本人所準備的小小「池塘」裡寄生。這只能說，台灣人的青壯年不知不覺間具備了充當傀儡政權二等日本人「小雜魚」的條件。

其中不甘心於當「小雜魚」者，與重慶、延安，或者是與雙方都保持著關係，參加了抗日戰爭的鬥爭。

光復後的他們抱有一種對抗日戰爭懷有貢獻感和勝利感的心情。從兩政權革命性格的差異看，自重慶復員的一派人所抱有的，大概是一種「最後的勝利感」，而其勝利意識頗有自負外露之勢。與前者相較，延安派系統人士只處於一種含蓄而不露的境界。他們理所當然地認為，最後的勝利還在遙遠的未來，因而認為在一段時間內的活動，還必須深深地潛伏起來。他們處在一種不潛伏下來就很難生存的狀態之中。如何擺脫被定為漢奸而被逮捕的險境，是光復前後上述「小雜魚」們的至上課題。他們的生命和財產，一個時期是與這個課題息息相關的。

旅居大陸的台灣人，幾乎都復員而奔回台灣。

巧妙地利用國民政府接收的機會而暗中活躍的「半山」們，首先大搖大擺地走了進來。延安派以及接近他們的人，作為台灣省工作委員會等中共系統地下組織的活動家，則隱蔽地潛行歸台。他們埋頭於建構並招兵買馬能為新的「希望」與「革命」捨身忘生的青年人。

害怕被當成漢奸抓走而退卻的「小雜魚」們，不那麼囂張了。但在秩序改變期，必然會產生混亂局面。混亂局面往往又為「冒牌貨」和「無賴」提供活躍的場所。在「星火燎原」的二二八事變中，「冒牌貨」和「無賴」則演出了趁火打劫的角色。

悲劇結尾時，與事變本身並無直接關係的一群台灣人、知識界菁英的失蹤和死亡卻作為一種殘酷的現實而浮現。非法的綁架和暗殺，甚至還有遭到攔路搶劫錢財的人。有相當一部分被害者是有名望的、廣為社會知曉的著名人士。以此為契機，台灣人的被害意識日益增加，直到今日。多數台灣人看到的殺手是跟國民政府＝國民黨＝外省人一條線而簡單化及符號化為「阿山」。他們把外省人一般視為罪惡的象徵和化身。光復的程序上，不可或缺的回歸儀式（initiation）上的失誤所導致的流血摩擦，箇中實相，至今不十分明確。

那些在黑暗中死於非命者陰影背後的，徹底的實用主義者的「惡棍」們，也為所欲為，神不知鬼不覺地混了過去，僥倖活了下來。據說，至今仍過著傲慢、荒淫無恥的生活。今後，對那些想實踐歷史與真正歷史謀共存的人們，老天能否給予他們新的生存條件和希望的機會和保證呢？經歷了五千年的中國歷史和四百年台灣歷史的第一個總統第一次直接選舉的結果揭曉了。在此結束的延長線上，能否給予全體台灣居民以新的機遇？對這些中華民族的成員，能否帶來新的希望和「生」的機遇呢？

不，我們是迫切地在期待這種機會的到來！

決定香港回歸中國的，是在1983年的中、英談判會上。到回歸中國的1997年7月1日，實際上具有近十四年的準備期。香港的居民目不轉睛地觀察著北京政權，仔細地思索著自己所應選擇的方向。沒有那麼多選擇條件的一般香港人，目前只有一條路子，那就是接受回歸中國這一命運的安排了。由於這樣的人占壓倒多數，就應該重視他們的集體心性，細心地給予照顧，否則，中共當局將有遭到臆測不到的「反擊」的可能性。對此，我在前述學術會議上早已提出過警告。

1945年8月15日隨後台灣的祖國回歸，是以超過一般預測的速度進行的。然而，作為接收主體的，以陳儀為核心的國民政府相關人員，卻沒有充分準備的時間。1943年秋季之後的開羅宣言（1943年11月27日），對台灣的接收準備具體化，但當年國民政府官僚的陳舊體質和低效率，比眾人想像的還要差。這就更加惡化了接收台灣的狀況，加深了弊政的程度。

處於單純狀態的，只願謀求回歸慈母懷抱的「棄兒」台灣人，不能像香港人那樣有充分的時間與心情，以存疑的眼光去看待祖國的政府。親眼看到挨原子彈轟炸的日本，以及第二次世界大戰慘狀的當時台灣人，全身充滿著祖國愛、中國情和中國意識。為了表現這種愛和情，他們歡迎了來台國民政府的接收官員和中央軍。然而，那些「惡棍」們反而利用了台灣人的單純和熱情，瞄準了著名人士和有錢人，加以敲詐及打擊。

既純樸又富於中國情的台灣人，屢遭欺騙及無理的干擾，如今仍然留下了嚴重的後遺症和深深的傷痕。如果不能汲取這種教訓，「一國兩制」的口號不僅起不到什麼作用，反而會被扔得遠遠的，這是很明顯的。台灣人一直被現代日美兩國有意無意離間對中國的情感，已經不再是光復時般的那麼天真無邪了。等待著他們自己塑造的是，確立真正屬於自己的自我認同（ego identity）。我們不要再重演那種悲慘的戲劇，或再次遭受死於非命的結局。

三、在「告別中國」的遊行示威和白色恐怖之間

從筆者居留日本41年的經驗中，有一件可以確言的事。那就是日本人在議論罪惡的日本殖民主義時，總把台灣排除在外。在此次議論殖民地統治惡行時的日本國會決議中，是否曾將台灣納入其中而開門見山地進行過議論的呢？實況卻是曖昧的。

1995年5月2日，村山富市首相利用連休日訪問了中國大陸。這是在國會上「不戰決議」沒有得到意見統一的情況下出訪的（可以當為補償性訪中來看）。

同年5月4日的各個早報，都報導了村山首相與中國領導層進行個別會談的內容及情況。

據說，村山首相在會談時說：「日本的侵略行為及殖民地統治，對以中國為首的『亞洲近鄰諸多國家的很多人』帶來了難以忍受的痛苦和悲傷。對此，我抱有深刻的反省之意。」（日本方面所發表的報導，『』則為筆者所添）

在北京，村山做出將（被日帝侵奪者）對象擴至中國以外的亞洲近鄰國家的發言，是值得注意的。21世紀是亞洲太平洋的世紀，如果日本不能享有「回歸」亞洲而受歡迎的局面，日本就沒

有前途。在此情況下，與中國保持良好關係是不可或缺的。不難想像，村山首相是有這種認識的。

從報導分析，村山訪問前的溝通工作是做得相當仔細的。為了彌補沒能實現不再戰的「國會決議」所欠下的「心債」，日本方面以訪問盧溝橋「中國人民抗日戰爭紀念館」作為替代，換得中國方面同意日本所強調的構築「面向未來的日中關係」方案。而在亞洲外交上，對日方所提關於「共同促進繁榮與和平」，也表示給予合作與理解。然而，在台灣問題上，日方重新確認了「中日共同聲明」的內容，並強烈地表示，不允許台灣政治家出席1995年秋季在大阪召開的「亞洲太平洋經濟合作組織會議」（APEC）。

在東京的國際文化會館前理事長松本重治，曾經不止一次地對筆者強調，日美關係的核心是中國問題，日美關係即是日中關係[31]。將21世紀的東北亞形勢視為以日、美、中三極為基軸的展現，如今已成為常識了。在日、美、中三者之間的拔河競賽中，台灣的這個存在突然呈現了出來。而圍繞著這個富有的台灣，裡裡外外的邪惡念頭正在遊蕩。

台灣地區的主要政黨有三個：執政黨的國民黨，以棄舊圖新為目標，強調「中華民國在台灣」；1993年夏季由國民黨分裂出來的新黨，強調「中華民國台灣省」；而民主進步黨則強調未來志向，提倡推動建立「台灣共和國」。但對台灣地區內部的未來圖像，即國家圖像，尚未達成一致意見。在這種政治現狀下，出

31 參照伊藤武雄、岡崎嘉平太、松本重治共著；阪谷芳直、戴國煇編，《われらの生涯のなかの中国》（東京：みすず書房，1983年12月）〔參見《全集》24〕。

現了「告別中國」遊行示威。

參加遊行示威的人，是經過台灣的戰後史（則是光復史）而生存下來的人士。他們對光復後的台灣，他們對於因二二八事變和白色恐怖而倒下的人是怎麼想的呢？參加遊行示威的人，對於自己的先祖與日本帝國主義戰鬥而流血、流汗，被判刑處死，被打入牢獄而受盡災禍熬煎的歷史，也能若無其事地「告別」否？譴責他們「背叛」之聲已有所聞。

筆者絲毫沒有以道學姿態來譴責和批判台灣獨立派的意思。然而我明確相信，只要回顧史實，只要是漢民族，就不能完完全全地從「中國」徹底地逃離及超脫。

我認為，不能選擇自己出生時代的我們，作為時代之子，除了向時代挑戰，我們別無選擇。

不曾察知自己的時代認知錯誤，從而打著「告別中國」的橫幅標語，放著日本的軍歌和日本海軍進行曲進行遊行。他們確實是我的本省人（台灣人）同胞。這一部分台灣人知識分子的群體心性是客觀存在的。正因為這樣，才成了我們關心的對象，也有必要對它進行分析。他們正是台灣戰後史及光復史中結不出果的「謊花」。

根據新聞報導，被推選為「告別中國」遊行示威隊伍的名譽總隊長，是李鎮源。由李瓊月整理的《台灣醫界大師——李鎮源》已經結成書。據說，近幾年，高齡鞭策著他，站在民主化運動街頭遊行示威隊伍的前頭，受到青年人的支持和鼓掌，而日益感到健壯。

李畢業於日據時期台北高等學校及台北帝國大學醫學部。光復後，成為台灣大學醫學院藥理學教室的重要角色。近幾年，我調查了台灣戰後史與舊制台北高等學校的關係，發現了值得注意的現象。不知為何，昭和11年（1936）理科乙班的學生，大多數是傾向左派的秀才，被國民黨槍斃的人裡有許強。被逮捕後，被強迫「轉向」而倖存下來的，有蕭道應。日本九州大學醫學部畢業、戰後不久即去了北京的邱魏根（魏正明，已故）等的名字，也是不應該忘卻的。

李在台北高等學校時，比上述三人高一班，即係1935年的理科乙班的學生。由於某種情況，李晚了一年。他在台北帝大醫學部時，與許強、蕭道應二人同期。令人感興趣的是，李雖在指導民主化運動，卻不知他何以不願正視歷史。

李的口述傳記亦道：

> 李鎭源想起了白色恐怖時代。台灣大學醫學部的青年副教授許強、胡鑫麟、胡寶珍、蘇有鵬等人，也在會議中被便衣特務強行拉走。他們四個人只不過是爲了愛台灣，願使台灣大學醫學院更加發展而組織了讀書會而已。僅此即被國民黨捏造了罪名。許強爲了保持台灣人的尊嚴，堅決不答應向蔣介石提出自新悔過書，因此而被處以槍斃罪刑。他意志昂揚地走向了刑場。其他三人則被處以十年徒刑，被送進『政治監獄』。[32]

李在回顧談話中所提的胡鑫麟，是他的妹婿，是位著名的眼

32 李瓊月，《台灣醫界大師——李鎮源》（台北：玉山社，1995年12月），頁13～14。

科醫生。胡獲得自由後，在日本當醫生，繼而旅居於美國（1998年1月16日，因癌症去世於台大醫院），讓我們聽聽胡自己的說法吧：

> 坦率地說，從二二八事變的惡夢到加入蔡孝乾的組織（中國共產黨台灣省工作委員會），我從未想過台灣省有獨立的可能性。（中略）有人說，如果台灣獨立，美國會來支援，眞是這樣嗎？美國是那樣慷慨的國家嗎？爲了台灣，爲了他人能夠甘心付出犧牲和流血嗎？（中略）多年來，一部分台獨分子說，如果依賴日本和美國，以外國勢力爲背景，台灣即可以獨立。那種想法是過於孩子氣，過於天眞浪漫了。[33]

胡是經台北高等學校尋常科直升高等理科乙班畢業而考進台北帝大的。1939年他自台北帝國大學醫學部畢業。胡與李在高等學校時差四年，但在醫學部則低李三期。他們兩人是親密的朋友，也是親戚，誠然，對台灣現代史的看法上，姿態完全不同，是值得注目的。

總是在設想迴避「正面對決」，自置鴕鳥姿態來對應為善，不願多付出成本的台灣的民主化運動，即便是「告別中國」，也頗難發展築構為「對抗中國」之堂皇正道。

因台獨事件被處於死刑的，僅有二人。但是，對國民政府已經絕望而將理想寄託於中共，從而參加地下活動而死於白色恐怖

33 同註16書，頁111～112。

者，竟達兩千餘人[34]。與參加第一屆總統直接選舉的候選人彭明敏、李登輝同樣，1923年生於台北的葉盛吉的悲劇，令人心痛。他畢業於舊制第二高等學校（日本仙台），考進東京帝國大學醫學部不久時，第二次世界大戰結束。1946年4月返回台灣，插班台灣大學醫學院。從學生運動加入了中國共產黨的地下組織。1950年5月被逮捕，同年11月29日被刑死[35]。

與李登輝同為台北高等學校的同屆畢業生的吳調和（思漢），他們同年進入京都帝國大學（李為農學部，吳則考進醫學部）。吳調和的死，也刺痛了有心人們的心。在京都帝國大學就讀期間，為了參加抗日戰爭，吳為此潛赴重慶而逃出日本。實現了他的理想，勝利後從重慶回到台灣，留下了「思慕祖國，不遠千里」的日文回憶錄[36]。

讀了吳的手稿，想起了R前輩有關他尋找去重慶路線的故事。也想起了筆者的前輩一代人所抱有的祖國意識，以及他們所要體現的多層結構的民族主義。對台灣的青年來說，其革命及希望的第二個年代，似乎可以說是自1940年代後半期到1950年代前半為期。

光復前後，有政治意識覺悟的台灣青年，夢想著將其自身所追求的中國民族主義寄託於國民黨中國來實現，並為之犧牲了生

34 前揭拙著，《台湾》，頁221～222。

35 楊威理，《ある台湾知識人の悲劇》（東京：岩波書店「同時代叢書」，1993年2月）。（按：本書之中文版，已由陳映真譯，以「雙鄉記」為名，由台北：人間出版社，1995年3月出版）。

36 吳思漢，〈祖国慕ひて千里近し──一台湾青年の帰国記〉（台北：《台灣新生報》，日文欄，自1945年12月19日開始連載7回）。

命。戰後，由於國共的內戰，以及由於二二八事變發生的悲劇及挫折，人們試圖修正軌道，將新生與希望寄託於中國共產黨。他們寄託於中國共產黨所領導的革命，為了體現更加現代化的民族主義而捨身以赴。這種思想與行動是否正確，並不是筆者所能回答的問題。我之所志只是全面觀察真實的歷史，重新進行立體的、綜合性的歷史認識，並由此而發現台灣史的本質性問題。吳思漢也是作為一個中國共產黨黨員而在台灣活動時被逮捕處決的。他與葉盛吉雙雙亡身時，同為27歲的青年。

我再介紹一位原住民出身者的悲哀事跡。是一位名為羅辛・瓦旦（漢文名為林瑞昌，日本名為日野三郎）醫師的悲劇事跡。林為1899年出生於台北州（舊日據期行政制）的泰雅族菁英。他是僅僅兩位原住民系台灣人醫師先驅者之一。父親是角板山（日本昭和天皇尚為皇太子時期去過的名勝地）的總頭目，在抵抗日帝占領台灣的早期過程中，他的三個弟弟都被日本軍殺害，在無可奈何的情況下歸順了日帝殖民地體制。日本統治當局讓羅辛・瓦旦進入後藤新平創建的台北醫學校（後升格為醫學專門學校），把他培養成醫師，爾後甚至讓他娶了日本人為妻，是一種政治策略性的婚姻。光復後，他受到國民黨提拔，當選為省議員。然而，他對國民政府失望了，從而參加中共在台地下黨領導之少數民族的解放運動，並因而被逮捕，於1954年4月17日被槍斃。得年僅為55歲[37]。林瑞昌的姪兒林昭明因「蓬萊民族自救鬥爭青年同盟」案子而被逮捕，被判處了15年徒刑。根據國府當局

37 參照松井やより，《悲情山地を行く》5（東京：《朝日新聞》夕刊，1993年10月29日）。

祕密出版的資料稱，中國共產黨台灣省工作委員會成立了其下屬組織——山地工作委員會，將台灣少數民族各族的名稱重新統一命名為蓬萊民族。據說，計畫以此為基礎，創建一個能與中共軍武力解放台灣時，相呼應的山岳地帶中共武裝根據地[38]。

有關台灣現代史，尤其是戰後史的研究剛剛就緒。

然而，對白色恐怖時期的研究不僅落後，而且可以明顯地看出，多數研究者甚至對弄清白色恐怖時期及其實際情況也採取迴避態度。可以說，如果採取這種鴕鳥態度，即使有意弄清台灣史的實際面貌亦是不可能的。只有將原來的歷史實際情況弄得清清楚楚，才有可能以史為鑑、正視當今，並展望未來的。以上介紹了在台灣嚴峻的生活現實與「夢想」的夾縫中格鬥，而終與刑場的晨露一道消失的一部分人們的故事。在名叫台灣這個「場域」，有一些人躲在黑暗的角落，日日夜夜裡在恐怖威脅中活了下來。更多的平凡百姓主要是為了餬口，為了平凡的生活而疲於奔命的。這些人都在構築台灣史，台灣社會卻無暇構築相應的台灣史及回饋這些平凡百姓，真實無偽的日常生活。作為一個意圖撰寫台灣史的筆者來說，如何試著將自己這個「書生」的視角，與一般平凡生活者或生產者的意識及視線融合在一起，是一種嚴峻的挑戰。這種挑戰，今後對筆者之有生之年而言，將不會結束，而將該是持續下去的。在寫完本章的同時，筆者重新確認了這個事實。

38 國家安全局印，《歷年辦理匪案彙編・第一輯》（台北：李敖出版社，復刻版上冊，1991年），頁148～149。

第四章　台灣的認同危機

第一節　喪失自我的台灣人及其怨念

只要不是對台灣社會情況生疏的人，應該會熟知關於1972至1988年間台灣社會的激烈變化吧。附帶談一下，1972年是從尼克森訪問中國開始、中美關係解凍和中日邦交建立的一年。而1988年則是蔣經國的去世和李登輝時代揭幕之年。然而，真正發生結構性變動的，則是1990年5月底以後開始的。也就是說，李登輝結束了繼任總統的任期，由國民大會正式遴選為第八任總統，自1990年5月20日上台就任開始。

自蔣經國逝世、李登輝就任繼任總統的1988年1月迄今，國民黨內高層展開了激烈的權力鬥爭。不，也可以說鬥爭一直繼續迄今未完。其具體內容，我準備在本文中割愛。權力鬥爭的勝利者李登輝曾做這樣的自我分析說：

我沒有槍，拳頭又小，在國民黨裡頭也沒有派系。儘管這樣，而我之所以能支撐到今天這個局面，靠的是存在於我心裡的人民的聲音。台灣人民對我有所期望。我必須堅持下去，我常常這麼想。[1]

李總統在言外之意表露出在權力鬥爭中，他打著「人民的呼聲」這張牌而存在，並加以巧妙地運用迄今。

對李的自負，至今還沒有人正面地提出反對意見。偶爾聽到的是，以一種感歎和羨慕的語氣說：「李先生為什麼是那樣一個自信滿滿的人呢？」反對派的一方卻大罵說：「自鳴得意、也太過分了吧！」

我們感興趣的第一個問題是，想聽一聽李所說的台灣的「人民的呼聲」的具體內容是什麼？第二個想知道的問題是，李登輝如何對人民的呼聲加以汲取，並有組織地轉化為他所認為的改革的能量。第三，那個「人民的呼聲」是不可能一成不變的。如果是可變的，人們能否預見會有什麼變化。第四，李能否將台灣大多數居民對前途的共識團結起來，建構眾人的信心，從內部產生相應的高層次的認同意識，並使之逐漸成熟到能引導多數人選擇出嚮往的方向。對於上述種種，筆者將於下文給予綜合並加以探索。

理解台灣人的群體心性及群體意識的大前提下，必須總結台灣人意識的形成，以及喪失自我的體驗。在一般情況下，人們就會直截地以為作為一個人，自我是無條件地存在的。大多數人都認為，這是自明之理。是這樣嗎？這是值得懷疑的？

近來在台灣，有不少人有這一類的錯覺，以為台灣人的概念

1 同第二章註10，頁537。

是一種超時空的存在。所有的概念，只能是特定時間和空間的產物。這是社會科學粗淺的一般道理。然而，政治的狂熱氾濫於社會，讓那些蠱惑人心者在社會上橫行，人們就會失去冷靜。儘管是暫時的，甚至也有不少人會失去理性且判斷錯誤。學者的理性發言，也可能因「劣幣驅逐良幣」而失聲，被驅趕到社會的角落去。這種情況台灣也不可能例外。

蔣家威權政治解體前後，出現了新興的來自內部的反體制運動。由於長年的壓迫和鎮壓，民眾方面積壓的不滿和怨恨頗深，這種反抗的能量，為尋找發洩口而蠢蠢欲動。政客們為了謀求確保眼前的政治利益，進行煽動演說，以迎合單純抱有怨念的人們之所好。

政客們動員平民百姓，試圖將其能量用來支持並擴充自己的政治活動資源。為靈活地達成這個目的，他們大談台灣民族論和台灣人優秀論等，煽動和討好不熟悉真正內情的平民百姓。不僅如此，他們自己還被自己的言論所陶醉。這種「拔高逞強」的社會風潮，所謂的「民粹主義」自現代社會出現以來，世界各地並不是沒有先例。第二次世界大戰前後的德國和日本的事例，仍然使我們記憶猶新。

戴著社會主義的假面具，使很多市民沒有識破以「日爾曼民族優秀論」和以反抗猶太主義來蠱惑人心的希特勒的真正意圖。不，還不止於此。當時德國的國民感情和國民傳統，恰好為希特勒的煽動準備了基礎，助其造謠蠱惑獲得一定的效果。這一點是萬不可忽視的。

日本的例子也是可以借鑑的。以大和民族優秀論為基礎，在東亞的盟主日本的美名之下，大唱高調的口號，高唱「從白色帝國主義手中解放有色人亞洲」。善良的日本人，多數都天真地理解接受，並積極呼應。國粹主義或者是負面民族主義的弊害是可怕的。作為後起的資本主義國家而「市民」意識不充分成熟的社會，或新興的民族國家，容易墜入這種陷阱。我們不能忘記，我們比鄰曾經墜入過這種陷阱。

基於政客型政治運動的需要以及政治上的緊迫要求，語言或者是結論一類的事物總是先行的。通常政客們試圖首先羅列情況，以論證放在後面加以補充的形式矇混過去。

呼喊毫無實際內容的口號，是最簡便、最廉價的了。這些口號具有容易使激動的人們如癡若醉的世俗性格。文化大革命時期在中國大陸出現的，以紅衛兵為中心的瘋狂勁頭，難道不是很好的例子嗎？文革結束後才弄清楚的那種悲慘的後遺症，是我們所熟知的荒唐之事。虛構必然要崩潰，泡沫終究會破滅爾後消失。

一、從「支那人」到「本島人」

所謂「台灣人」這一稱呼，在當下的台灣，由於逐漸獲得了市民公認，似乎正在固定下來。在叫台灣人這個稱呼之前，稱「台灣本省人」，更早以前，就稱為「本島人」。而在稱本島人之前，則被日本人蔑稱為「支那人」或台灣的「土人」。

第一次甲午戰爭時打了敗仗的清朝中國，根據其與日本所締結的《馬關條約》，將台灣、澎湖列島割讓給予日本，日本接受後，將台灣變成了殖民地。

也有稱台灣為「無主之地」、「無主之島」或「無主之國」等，這不過是一種庸俗論調。日清戰爭時，如果台灣真是「無主之地」、「無主之島」或「無主之國」，那麼明治的日本應該可以用其武力隨便占領台灣，當時日本首相伊藤博文為何還要死皮賴臉地硬要與清朝的媾和全權大臣李鴻章激烈爭論據台，又何必要締結《馬關條約》呢？

日本的占領軍進攻台灣時，我們台灣人的祖先曾群起抵抗。台民反抗的事蹟在日本方面的歷史資料中也有記載，就毋須在此多說。我說「台灣人的祖先們」云云，但「台灣人」這個稱呼，當時尚未被使用。

當時的台灣居民是處於各自分散的狀態。擁有多數又占優勢的漢族系居民，稱少數民族的原住民系居民為「蕃人」，並傲慢地根據他們的「文明」程度，分別稱原住民系居民群體為「生蕃」和「熟蕃」。來自對岸的移民及其後裔們貪婪地、不斷地對原住民族的居住地進行蠶食。為了對應來台漢族的侵奪行為，原住民們以「出草」方式加以抵抗。出草的意思是襲擊敵人，取其首級。取首級的習俗，在原住民之間，即在其異部族之間，也不斷地發生。

在漢族系住民之間，有「分類械鬥」的陋習。分類械鬥是指在爭奪土地或水源的權益等時，互相以農具等鐵器進行武力鬥爭。在移民中占絕對多數的是來自閩南的移民，他們甚至根據其出身地再分為泉州幫和漳州幫進行械鬥，一般稱這種鬥爭為泉漳對立。泉漳之間雖然有矛盾和械鬥，但他們所使用的語言卻幾乎相同，只在腔調上有些許差異而已，其總稱為閩南語，或者福佬語，有時也稱廈門語。

從廣東省和福建省的內地渡過海峽來台灣的人們中，有使用客家語的族群。他們自己和別人都稱他們為「客人」或「客家人」。他們來台灣的時期與福佬語集團相比雖晚一些，但直至今日，其人口總數僅占據全部在台灣漢族系居民的13％多一些。他們所使用的客家語，與福佬語是完全不同的。兩者之間，在風俗習慣和傳統信仰方面也略有差異。客家人被多數派的福佬系人排擠，也受到歧視，但他們堅持以自居客家為榮，他們強調只有自己這些人才是從中原來的，才是真正的漢民族，以此與福佬系人對抗。而閩客之間的矛盾與抗爭，至今雖然逐漸緩和，但也沒有間斷過。

在日本推行殖民政策的日子裡，日本當局不可能不發現台灣內部居民之間的矛盾和分裂。因為他們在統治台灣時，業已搬用了殖民地統治時的老辦法，即分割統治（divide and rule）的辦法。筆者記得，在公（小）學生時代的1930年代，與日本人教師之間有過這樣一段會話：「你是福建人？哦！你不是，你是廣東人啊！」日本人一旦生氣罵我們時，就蔑稱我們「清國奴」，或者「支那人」。客家人的多數確實來自廣東省，但並不是一般所說的講廣東話的廣東人。另外，在台灣的客家人中，有不少人是以福建省的永定等地為故鄉原籍的。日本當局及其有關人員不知為何，直至其戰敗還一直把客家人錯誤地混稱為廣東人。

在中國的東北三省，即日本人俗稱滿洲的地區，相繼爆發事變。即關東軍炸死張作霖事件（1928年6月4日）；柳條湖事變（滿洲事變，1931年9月18日）；「滿洲國」建國宣言（1932年3

月1日）等。在日本一手炮製滿洲國之前的1月28日，發生了上海事變。

在台灣，1930年10月27日發生了霧社事件[2]。同時，世界經濟大不景氣波及日本，引起「昭和經濟大不景氣」，社會不穩狀況擴大，圍繞日本的內外形勢風雲告急。

日本在台灣作為「理（治理，下同）蕃政策」的成功事例而自我吹噓的霧社「蕃」卻一改前態，揭竿叛旗造反。他們的抗日暴動，是對日本的一大衝擊。霧社原住民對那些在每年例行運動會中聚集起來的日本人，不分男女老幼，以接近於殺絕的形式，處以「出草」之刑。對那些樸素、單純而善良的人們，出自民族深仇大恨發動的共同起義行動，全世界的人們都大為震驚。

跟隨明、清兩朝舊習而使用「蕃人」、「生蕃」、「熟蕃」等蔑稱，而又將這種蔑稱輕率沿用下去的日本當局，由於遭到痛擊而不能不考慮轉換政策。因此，日本人大幅度修正「理蕃政策」，以策劃及實施收買人心的政策就提到日程上來了。戶口調查的規定[3]，也作為政策修訂的一環而公布。1935年6月4日，作為「台灣總督府訓令第三十四號」而公布的，即屬於這一規定。這一規定的種族欄記載所使用規定的種族別簡稱，顯示了日本當局的政策方向，是頗令人感興趣的。

1. 內地人（係指日本人）：內

2 霧社事件及在此期間的經緯，請參照前述拙著，《台灣霧社蜂起事件——研究與資料》（台北：國史館，2000年）。

3 畠中市藏，《台湾戶口制度大要》（東京：松華堂書店，1936年6月10日），頁309～311。

2. 本島人

┌福建族（閩南系人，也稱福佬人）：福
├廣東族（係指客家人）：廣
├平埔族：平
└高砂族：高

除去台灣的日本人，亦即「內地人」以外住民的總稱，在法律上決定通稱為「本島人」，應與滿洲國的成立不無關係。而在1930年10月29日的日本內閣會議上，日本將對中國的正式名稱，由過去的支那改為中華民國。可能是在這種潮流中，因不能將台灣的支那人統稱為中國人，而決定稱之為本島人吧。另外，將朝鮮人改稱為半島人，也差不多是同一個時期。或許，日本當局的這一種修法又是對應本島人而有「半島人」之改稱。因尚未調查清楚，實在遺憾，僅在此提出問題來，請讀者諸賢參考。

不管怎樣，曾被稱為土人、支那人、蕃人等的台灣的非日本人居民，從此在法律上就被統稱為「本島人」了。

二、自我喪失中的自尊和懷疑

在世界的任何地方，不論古今中外歷史，都未有不具歧視的殖民地統治。換句話說，如果沒有歧視對待，殖民地統治就不能成立，即使是成立，也有歧視的程度輕重、外表糖衣的巧拙之別。

在殖民地體制下的財富掠奪和經濟方面的剝削，是從表面上就看得清楚的。然而，意外地不被重視的，是殖民體制在人性方面所造成的損害。在統治者和被統治者方面，人性的損害都在並行發展。本書擬將重點置於被統治者，即本島人方面所受損害加以敘述。人性問題本是屬於看不見的形而上學的範疇，一般是很難察覺出來的。

日本對台灣的殖民統治，長達半個世紀。隨著日本對亞洲侵略及對外戰爭的擴大，本島人也被捲了進去，對本島人的戰爭動員也強化了。針對他們的皇民化運動也隨之深化，因此，本島人的人性進一步被扭曲著，帶著所謂殖民地劣根性的卑微鄙陋的典型人物不斷地出現。

圍繞殖民地的事物和現象也與其他社會的事物和現象一樣，經常是以「動」和「反動」的糾纏中平行發展的。

台灣的抗日運動中，以平地（即漢族）為主體的部分，以1915年發生的「西來庵事件」為界，可劃分為兩個時期。西來庵是台南州（現為縣）屬下一家「齋堂」的名字。以此庵為中心，齋眾隱蔽聚集而起義，旨在將所有的日本人從台灣趕出去，以建立「大明慈悲國」。這即是西來庵事件。這是一次從台灣南端的屏東到現在的嘉義縣所屬竹崎，以及今日雲林縣的斗六，席捲整個南部台灣廣範圍的事件。起義方面的有關人員竟達一千數百人，事件被殺害的日本人則達一百多人。雖說蜂起的時間很短暫，但占據了幾個村莊的游擊隊伍，由於它的「戰績」頗大，反而遭到日本方面近乎種族滅絕的殘酷的大鎮壓。

接替因該事件而引咎辭職的內田嘉吉民政長官之後任者，是下村宏（海南）（1875～1957年）。下村是由日本遞信省儲蓄局長升任的，之後，他歷任《朝日新聞》社副社長，日本放送（廣播）協會（NHK之前身）會長。第二次世界大戰結束時任情報局總裁。下村一上任，就遭到輿論及議會的質詢攻擊，然而，現在幾乎已經沒有知道這一段歷史的日本人了。同時，在日本人進行鎮壓西來庵事件時，有勢力的本島人撒手不管一事，也被人們忘卻了，是否歷史的大潮流，會把一切往事都湮沒掉嗎？

在山地以原住民為主體的抗日起義，是發生在西來庵事件15年之後，大體上是與前述「霧社事件」一樣被鎮壓平息而告終的。

日本人為了對謀反者處以嚴懲，很早就制定了《匪徒刑罰令》。尤其是為了使政治案件得以交給台灣總督府臨時法院處理，特別頒布、實施《台灣總督府臨時法院條例》。眾多的抗日烈士被立即判決而與刑場的晨露一起消亡之事，累累然留在史冊上。

武力抗日犧牲多而收效少，人們可能由此而做了反省。西來庵事件之後，武力抗日運動轉變為文化及社會運動。然而，這也隨著日本對中國大陸侵略政策的激化而遭到鎮壓，不久也就走下坡路了。特別是滿洲國的建立和爆發盧溝橋事變以後，日本人進一步加強了對本島人的皇民化運動。

依據府令第19號（1940年2月），日本當局進一步修改了戶口法規，「在知事廳長的許可下，本島人的姓名得以更改為日本內地式的姓名」。人們認為，這是日本當局基於強化統治台灣的根本方針即同化政策之需要所作的修法[4]。

當時，殖民地台灣的青年菁英被允許從事的社會地位最高的職業，是私人開業醫師及律師。第二、三級是公立學校的教師，以及警察官（巡查以下的職務居壓倒多數）等下級公務員，或者是生產合作社、消費合作社、農會等的職員。除此之外就幾乎找不到就業的路子。多數大專畢業生出生於上層地主家庭，畢業後也不過就是返家做個「出租土地行業」（日語稱為「貸地業」）而終其一生。

不甘心於從事「出租土地行業」而終其一生的年輕人，試圖「雄飛」海外。他們一旦有些能量的積蓄，就想辦法找一個能出去海外的機會。日本對大陸以及其後對南洋的侵略和擴張，為本島人開拓了一個作為「二等日本國民」活躍的機會和場所。本島人的原鄉俱在華南（福建和廣東），而與大陸的漢族尤其是與華僑，語言和風俗習慣都接近，因而日本當局要求靈活運用本島人。從此，日本人對既通曉日本語又熟悉日本人作法的原中國人的本島人，開始重視了。

這雖然不是什麼正常的形式，但對台灣「小雜魚」來說，還是喜歡水啊！名為本島人的這種「小雜魚」，被放進或者是自己跳進滿洲、中國大陸、南洋這樣大的池子裡，試圖去燃燒其作為小雜魚式的能量。這使小雜魚們產生了一種幻覺，認為就此走出了被排擠、被蔑視而積怨頗深的封閉的殖民地台灣，換得了一個「新天地」。聽說，他們有一種得到了自由的錯覺，甚至還體會

4　（日本）外務省條約局法規課刊，《日本統治下五十年の台湾》（東京：1964年5月），頁242。

到一種解脫感。

在此過程中，台灣人中喪失了固有的自我而感到茫然的人可惜不多。對於被投進新環境及生活方式而感到苦惱，不斷地捫心自問自尊心何在，從而產生懷疑的人也不多。不，在日本軍依然處於優勢期間，有良心的台灣青壯年，無寧說是在隨波逐流中逐漸地減少。但一般地說，人類對自身欲望的擴展，總是會不斷加以自我正當化的。

第二節　二等日本國民及通向中國人的道路

台灣殖民地時代的大眾傳播界，有一位叫宮川次郎的評論家。他留下了五冊單行本的書。其中的一本叫《台灣放言（漫談）》，彙集了他所主持的《台灣實業界誌》刊物上的雜文而編輯出版的。由於該書所寫的文章是以昭和5至9年（1930～1934年）期間的情況為主題，因而成了現在回首過去、了解大轉變時期的日本、台灣、滿洲和中國關係情況的珍貴資料。

該書作為序文而進行介紹的，是宮川自作的〈台灣進行曲〉。沒聽說這歌詞曾配過樂譜，可能是作者寫來替代序文的。

台灣進行曲

是哪一個？

說「台灣是台灣的台灣」的傢伙！

台灣，完全是「日本的台灣」。

台灣，是日本的血和汗的代償。

這樣說，有什麼不合理的？

日本領有台灣，儼然是世界的眞理。

我等敬重前輩所流的血和汗。

我等將沿著粒粒皆辛苦的前輩足跡走下去。

我等之所以能安居，全都是國家和前輩之所賜。

霍亂、赤痢、鼠疫、瘧疾，

還有鴉片、生蕃，將一個庸庸碌碌的台灣改造成形。

生產了蓬萊米，

生產了砂糖，

生產了香蕉，

建立了學校，

修建了道路，

點起了電燈，

對此還有不平，就請滾出去！

日清戰爭，是把日本從支那的侮辱中拯救了出來。

日俄戰爭，是把日本從俄國的侮辱中拯救了出來。

如今，又必須把日本從諸外國的侮辱中拯救出來。

拯救吧，拯救吧，拯救祖國。犯我祖國者必須打倒。

威逼我神國祖國者，則討伐之。

台灣的人口五百萬，其中內地人二十五萬，蕃人十四萬，外國人四萬，其餘的都是台灣人。

從數字看，台灣人占絕對優勢。

僅僅二十五萬，就能統治四百七十五萬，不亦快哉！

不要讓任何人染指這個台灣。

一塊土，一撮草，統統都與大和民族息息相關。

若有來犯者，決然與之對抗。

與此同時，粉碎在政治工作上阿諛奉迎的內敵。

依此死守我台灣到最後一個人，到生命的盡頭。

昭和九年（1934年）12月。[5]

把這一文字與司馬遼太郎所寫《台灣紀行——街道漫步》一起閱讀時，一定會使讀者驚奇。其文脈的根基何其相似啊！人們經常說，在「國民性」及「政治文化」方面，有可變的部分，也有不可變的部分，《台灣紀行》恰好說明了這一點。與司馬的邏輯和文脈相呼應的台灣知識分子，特別是老一代的知識分子是有的，這是一種客觀的存在。另外，也聽說年輕一代的台灣人，懷著略有不同的感覺閱讀司馬的《台灣紀行》。

總之，《台灣放言》的時代背景，是一個大的轉型期，也是一個圍繞著台灣人認同危機表面化的時代。

人類在面對時代和歷史及對兩者挑戰的時候，其生活方式大致可以有三種選擇：

第一是得過且過醉生夢死，第二是只求平安過日子，第三是活出自我民族尊嚴來。這三種態度往往是在一個生物體中混淆著同時進行的。自己掌握不住命運的人，或者不想去掌握自己的命運的人，多數被強制去過醉生夢死的、過度消極的生活方式，或者是只有甘心於這種生活風格而別無選擇餘地。另外，欠缺一套

5 宮川次郎，《台湾放言》（東京：蓬萊書院，1937年2月20日再版），頁1～3。

人生哲學，隨著個人的欲望而隨波逐流的，以自我為中心的生活風格，則僅能停留於只求平安過日子的層次了。

中國有句俗話：「識時務者為俊傑」。這本應解釋為「能夠深入地洞察時代的形勢，正確地認識時代潮流的人，才是英雄豪傑。」然而，現在這個世道，輕佻漂浮而缺乏理智，對「識時務」的庸俗解釋到處氾濫，將「追認並肯定現狀」及「隨波逐流」與「識時務」混為一談，產生了一種錯覺，認為只有「現實路線」才是唯一可選擇的道路。

不論是什麼世道，只有敢於與「時流」即流行等低層次的常識進行抗衡而生活，才能堪稱為勇敢的選擇。要奪回在殖民地統治時期被剝奪的語言，被扭曲的人性，被踐踏的人權和自尊心等，這需要被統治者付出勇敢的行為，但這必然要伴隨著「坐牢」和「流血」的苦難。在時代和歷史的潮流中「活出自我民族尊嚴來」的生活態度，嘴上說容易，但做起來卻很難的事。在那種瀰漫著爛泥漩渦的政治現實中，一般本島人是身不由己的。

一、謝介石當上了滿洲國的外交大臣

宮川次郎在前述一書中的「重新認識滿洲國」一節中寫道：「保護滿洲，也就是確保我們的生命！這樣大聲疾呼的滿洲事變，已經成為過去的夢了。現在作為一個立憲君主國，具有旭日東昇之氣概的新滿洲，是以颯爽英姿出現在我們面前的。這確實是順天安民之樂土，與鄰邦支那那種風波迭起的醜態相比，是如何的秩序井然啊！真不知以何等語言來表達其欣快之情。」[6]今日想來，文中以滿洲來比擬台灣的日本人開始出現了。

此事暫且擱置一下。同文中也顯示出意氣軒昂之「大話」，他說道：「滿洲帝國的外交部大臣謝介石氏是台灣新竹出身。（中略）除此之外，還有許多與台灣有關係者處於顯要官位，全力以赴地盡心於工作，這是令人愉快的事。」

新竹是筆者出生的故鄉。我從公學生時代開始，就一直聽說過謝介石衣錦還鄉的逸話。1935年秋，台灣總督府為了宣傳統治台灣的成功，舉行了「始政四十周年記念臺灣博覽會」（10月10日至11月28日，於台北市公會堂），作為展覽一環，招待了謝介石，其歡迎陣容之龐大，迄今留下了話題。

附帶說明一下，謝生於1878年（光緒4年，明治11年）。公學校畢業後，從事翻譯工作。日俄戰爭前，被聘任為東京東洋協會學校（拓殖大學的前身）的福建語（福佬語）講師。同時，又就學於明治大學。在此期間，與清朝要人張勳之子結為親交。借助於這種關係，於光緒末年渡華，爾後，歷任福建法律講習所總教官、督辦川漢道大臣隨員、吉林法政學堂教習官等職。辛亥革命後，任吉林都督府政治顧問。1914年移居天津的同時，由台灣籍轉為中國籍。嗣後又任直隸（河北省）巡按使署外交辦事員。1917年兼任直隸交涉公署會辦，迮而成為安武上將軍張勳的祕書長，參與籌劃1918年的復辟活動。復辟失敗後下野引退。然而，

6 同註5，頁89～91。

1931年爆發柳條湖事變時，直往吉林，在東北行政委員會（日帝炮製滿洲國的公開組織）的巨頭熙洽手下就任吉林交涉署長。滿洲國成立後不久，於1932年3月11日升任為外交部總長（外交大臣）。他擅長日本語，並具有擔任日中雙方官吏的經驗，因而受到賞識。他還兼任同年7月25日組織的「滿洲國協和會」的事務局長[7]。這是一個耀眼的「花瓶」誕生的經歷。

滿洲國取得日本承認時（1932年6月14日），謝成為赴日的答謝使而訪日，受到了國賓般的禮遇。而1935年秋季訪問台灣時（9月27日至12月16日）的官銜是滿洲國駐日本首任大使。台灣總督府沒有忘記具體地、靈活運用衣錦榮歸台灣的謝。御用新聞《台灣日日新聞》在訪問謝的報導中說，謝有這樣的談話：在日本留學的台灣青年，一知半解地談論政治。要在台灣實施地方自治制度，現在還為時過早，總督府沒有必要對本島人客氣云云。這惹起台灣反日人士的反感[8]。

作為一個「花瓶」的謝介石，受到了日本當局非常優厚的待遇。聽說，晚年的謝在北京死得悲慘，但詳細情況不明。在他的同夥中，今日恐怕無人願意回憶他的「恥辱的夢痕」。因為，筆者搜求有關於他的證言已久，但始終未發現有人肯出來作證。

另外，在柳條湖事變之前，有的台灣人青壯年以私人開業的醫生為中心，先謝介石而到「滿洲」活動。其中也有在滿洲國建國後去偽政府當官，從事法律界及司法界工作，也有到偽滿建國

7 參照台灣新民報編，《台灣人士鑑》（台北，1937年9月25日），頁170。

8 參照葉榮鐘，〈林獻堂先生年譜〉（《台灣人物群像》，台北：時報文化，1995年4月），頁135。

大學（1938年5月創設）留學的台灣年輕人。在我的周圍也有那麼幾個軟骨頭及投機的親戚和熟人，他們自己雖然也是二等日本國民，但看不起「滿洲人」（指除日本國籍及外國國籍之外，在該區域居住的人。為與中國人加以區別，以含有「滿洲」該脫離中國之意，稱其居民為「滿人」）。他們不但沒有反省仍在回憶那些得意往事。

二、辜顯榮奉敕遴選為（日本）貴族院議員

與謝介石在滿洲國誇耀榮華的同一時期，台灣的著名人士辜顯榮被敕選為台灣人的第一位（日本）貴族院議員。這是1934年7月2日，辜當時年69歲。

有趣的是，先前在《台灣放言》中為謝介石打進滿洲而大肆喝采的宮川次郎一改前態，從側面向日本的中央政界找碴兒說：

> 台灣的辜顯榮君被奉敕遴選爲（貴族院）議員，這實在是可慶可賀的。他得到相當多的特權，也受到政府的照顧，總之，作爲一個右傾派，自始至終未曾改變態度。對這一點我佩服。
>
> 大約是從來未想過從朝鮮選一個敕選貴族院議員，從台灣選一個敕選議員也無不可……。如果是這樣，所謂奉敕遴選，就令人奇怪了。
>
> 日本對台灣的統治是政治，斷然不是慈善事業。貴族院議員如仍然因爲政治的體現而從台灣選出貴族院議員有何意義？無疑應先弄清它的意義而後才進行奏請敕選。（中略）

辜君被敕選後，台灣人說了什麼，有什麼感覺？發生了什麼影響？

以上這些，的確只有總督府的官吏們才知道。這是頭腦不清醒的中央政府當官人士所想像不到的事。充其量他們這麼想：台灣人高興了，台灣統治的軌道從此順暢無阻了。

晚年時期的辜顯榮，攝於日本自宅，1937年

可能是由於距離較遠而聽不到這裡的聲音。中央政府的官員們呀，正如你們所想的，台灣人是高興了。然而，他們在高興的同時，也輕視了內地人（日本人）。這個趨炎附勢的民族（日本人也半斤八兩）則會睥睨周圍而得意洋洋地想，怎麼樣，在台灣的日本官吏中怎麼沒有貴族院議員呢？（很想更加直截了當地說，但中央的大官們呀，請原諒，台灣對言論的取締太嚴厲了。如果你們一定要知道，警務局〔日帝在台的最高特務機構〕應該搜集了不少政治偵防報告，請你們去問問局長石垣倉治等人吧。）

爲何不考慮奉敕遴選親愛的中川健藏君呢？我並非在對奉敕遴選的資格問題說三道四。在台灣的殖民支配是政治統治的前提下，才提出了這樣的抱怨話。（中略）我的想法是，最低限度也希望能讓總督推行有效的政治。

> 不管台灣是多麼小的島國，不管它離開母國有多麼遙遠，既然安插了親任官員總督，必須是從名和實的兩個方面來提高其聲譽和地位。即使是有些蠢的人，也應該使他表面看起來很偉大。
>
> 中央的官吏們呀，我說了這麼多，你們還不明白嗎？[9]

當然，宮川是以居住於台灣的日本人立場提出要求的。然而，中央政界可能是綜觀日、華、滿、台的全方位關係而後將辜敕選為貴族院議員的。

辜在被敕選進貴族院四年之後，亦即爆發盧溝橋事件後不到半年的1937年12月9日去世，享年72歲。在此重新再錄當年追悼報導中的簡歷，以期對其生涯有所認識：

> 本島人第一個貴族院議員辜顯榮氏，在東京市世田谷區北澤町的自家療養病症期間，於9日上午七時因腎臟性哮喘發作逝世，享年72歲。辜氏除榮任勳三等的貴族院議員、總督府評議會員外，還歷任大和興業會社、台灣日日新聞、合同鳳梨拓殖會社等的取締役（董事），明治製糖會社的監查役（監事），以及龍江信用組合（合作社）長等職，是本島財界的鉅子。其經歷如下：
>
> 他生於台中州鹿港街，明治二十八年（1895）日本占領台灣時，到基隆歡迎皇軍。奉樺山總督之命，與南征軍隨行。之後

9 前引《台湾放言》，頁69～71。

> 就任保良局長、保安總局長，明治三十二年（1899）被升爲官鹽賣捌（銷售）合作社社長，爾來投身於財界，從事開墾耕地、開拓鹽田、改良製糖業、舖設鐵路等工作。日俄戰爭時，他參加鵝鑾鼻——菲律賓及台灣——福建之間的偵探隊，創建功績。大正九年（1920）任台中州協議會會員，翌年任府評議會會員，昭和九年（1934）被敕選爲至極榮譽的貴族院議員。他是本島人中的最高權力人士而功成名就之第一人。[10]

當然，由日本人所編的《辜顯榮翁傳》，表彰色彩過於濃厚，勢必讓讀者對故人產生反效果。但這是其遺族公認不諱的傳記，因而記述及選錄該是正確的。宮川所說：「得到了相當多的各種特權，與政府的照顧。總之，作為右傾派，自始至終未曾改變態度，對這一點，我表示佩服。」傳記恰好印證了宮川的上述發言。

辜始終一貫站在右傾派的立場上，立即意味著他始終站在與台灣本島人的反體制運動相對立的立場上。由於他與日本當局合作而發跡致富，因而一般的本島人一直罵他是「辜狗」（走狗辜）。人人均說「這是蓋棺論定的」。但將辜視為辜狗和單純的暴發戶，是過於呆板了，而從人物評價角度看，也可能不夠持平。從這一意義看，作為良心的民間學者，也保全晚節的葉榮鐘

10 《大阪朝日新聞》（1937年10月11日）。本稿則摘錄自辜顯榮翁傳記編纂會發行，《辜顯榮翁傳》（台北，1939年6月5日，日文版，非賣品），頁575。

老先生，給人們留下了寶貴的證言[11]：

> 日本統治台灣的初期，日本當局看到辜顯榮志得意滿的樣子，判定如果放之任之，將來對辜必難駕馭。於是爲了給他碰碰釘子，日本人捏造他的罪狀，威脅要逮捕他。之後，辜就變得老實了。日本人於是給他「虛位置」、「誘餌」和「甜頭」，任他爲監視和取締反日分子的保良局長、包銷食鹽和鴉片的總管。包銷食鹽和鴉片的利益和權限是極大的。爲了自強而覺悟了的本島人，終於掀起了反對吸鴉片的運動。這麼一來，辜的保良局長及包銷鴉片總管的職位就成了反日運動的標靶。辜個人又成了台灣人的反日帝之標靶，日本人就給予津貼，除特權的「甜頭」之外，還授與辜各種勳章。所以被敕選爲貴族院議員，即爲最高的「勳章」和「誘餌」。這是日本當局充分領會中國人社會「愛面子」和「趨炎附勢」的毛病而運用的「妙計」。
>
> 但是，辜與那些爲日本當局所施「誘餌」和「甜頭」而低三下四的小人和俗物有所不同，而辜具有另一種風格的。身材魁梧而豪膽過人的他，「反向操作」地利用與日本的關係，爲其故鄉及鹿港人做了不少事。因而，未曾聽到有鹿港人漫罵辜的。他與穩健派抗日運動領袖林獻堂（在後文闡述）一直保持著私人友誼關係。對創建台中中學運動，辜亦出了很大力量。

11 參照註8同書，頁305～310所載材料的同時，筆者並整理了葉老先生生前對筆者所談者為材料合成為一，在此披露。

附帶說明，上文所說的台中中學，是以林獻堂為中心的台灣有志者為子弟的自主性教育而試圖創設的私立中學。然而，此舉卻遭總督府的鎮壓而受挫，後被官辦的台中州立台中一中所取代。另外，對反體制雜誌《台灣青年》的出版，辜也捐助了一大筆錢。他充當日本軍嚮導的1895年，業已30歲，因而他的日本語能力仍停留在未成熟狀態。可能是由於這個原因，雖身任貴族院議員，但在公開集會時仍使用「台灣語」（福佬語）講話，因而惹起日本人的反感。

宮川次郎說道：

> 每次讓人感到奇怪的是，辜顯榮老人在公開集會上的祝辭，都滔滔不絕地使用台灣語。如果是因爲他不擅長日語，每次都應該練習朗讀日文講稿，或者是片言隻語也好，用日語來表達。然而不管你講的是什麼名文名句，讓人完全聽不懂的就沒有什麼生命力。與其説是沒有生命力，還不如説首先就是失禮的。[12]

辜接受當局的命令，要他組織與反體制的台灣文化協會相對抗的「台灣公益會」（1923年11月8日），以及「全島有力者大會」（1924年6月27日）。然而，辜卻計畫將它巧妙地敷衍過去。葉榮鐘認為辜絕不是真心做這些親日組織的。

更有意思的是，在台灣被唾罵為「辜狗」的辜顯榮，被日本

12 同註5，頁92～93。

辜顯榮訪華時，福建省主席陳儀贈送的私人照片

當局作為所謂「日支親善」的搭橋角色而大加利用，而也留下他隱蔽「民族主義」氣息的痕跡。1925年5月訪華時，他與段祺瑞總理以下的要人會面，被授與「中華民國勳二等大綬嘉禾章」。

辜被敕選為貴族院議員之後，於1934年12月10日出席了臨時帝國議會的開會典禮。翌日，他受日帝之命訪華。1935年1月，他與蔣介石手下的要人會面，同年4月赴福州，也會見了當時的福建省主席陳儀。在他的傳記中，選錄了許多蔣介石手下要人寄來的，及在這次會面時所拍的簽名的照片[13]。

關於辜的死，林獻堂在1937年12月9日的日記中寫道：

> 辜顯榮氏本朝去世。享年72。8月27日，余曾訪之於「萬平飯店」，不意是夜遂作最後之會。噫！人生無常，眞難逆料也。[14]

林向「公開場合上的對手」辜氏之寄言，無過於此。持此看法者，豈唯筆者一人而已。

13 參照註10，《辜顯榮翁傳》，頁146～264。

14 參照註8，《台灣人物群像》，頁309。

第三節　在歷史中實踐的人和被歷史沖走的人

一、年輕的「獅子們」與林獻堂

日本附歐洲現代化之驥尾，來了明治的現代，而後展開了日本的現代化。在這過程中，形成了不幸的現代日中關係。日本對台灣的統治，即為其重要的一個部分。

在這種時代的大潮流中，上述的謝介石和辜顯榮作為「徒然謊花」，綻放了一個短暫的時期。但只要是「謊花」，就不會結果。雖然這麼說，所指望的、所應該出現的「果」又是什麼呢？

謝和辜所度過的懸在半空的生涯，不論是在日本人、中國人，還是台灣人之中，都是難為的。一般人似乎對過著那種「得過且過」和「苟且偷生」而感到自我滿足。在此情況下，他們似乎不願去想應該「結出什麼果實」，或者怎樣「活出自我來」才有尊嚴的課題。事實上，也沒有跡象看得出他們想過這類課題。人們只能隱約看出，他們以一個二等日本國民而生活的心裡深層，流動著「舊中國人」的情念。謝和辜等台灣人的存在當然不是孤立的。歷史的事實顯示，在日據下的台灣人中上階層人士中，謝辜是有一部分同行者的。

與這些人相對的另一極，有投身於矛盾與苦惱之大海——即現代民族主義的時代大潮中的人們，那就是立志「在歷史實踐中活出自我民族尊嚴來」的年輕的獅子們，以及支持他們的林獻堂等人。

（一）青年們的熱血在沸騰

西來庵事件、以及在該事件13年之前發生的苗栗事件（羅福星事件[15]），是在對岸辛亥革命的餘波影響之下發生的武裝抗日事件。然而兩起事件都多少有些伴隨著農民武裝起義的封建性格。

與西來庵事件時間相當，第一次世界大戰爆發，也誘發了俄國革命。美國的威爾遜總統提出建立國際聯盟和民族自決等14條和平原則（1918年1月）的建議。民族自決立即成為被殖民統治的諸民族一致呼應的口號，相互影響下，在朝鮮發生了「萬歲事件」（1919年3月1日），在中國大陸展開了熱烈激昂的「五四運動」。這新起年輕的亞洲民族主義運動也使台灣青年熱血沸騰。

目前，我們能夠搜集到的基本文件，有日本特高警察編纂、並以極祕件出版的《台灣社會運動史》[16]。該書揭開了此間的經緯：

> 與支那及朝鮮留學生的合作：隨著以東京的台灣留學生爲中心的東京台灣人知識階層相應於時潮所發生的變化，必然招致與其民族及風俗習慣相同的在京支那人學生及知識階層的接近，並導致境遇相同的朝鮮人與之相聯合的傾向。這樣，到了大正

15 參照拙著，〈台湾の詩と真実——羅福星の生涯〉（收錄於拙著，《日本人とアジア》，東京：新人物往来社，1973年，頁138～140）。〔參見《全集》15〕

16 該書係台灣總督府警務局於昭和14年（1939）極祕限定出版的刊物。現在可利用的復刻版，有東京：綠蔭書局，《台湾總督府警察沿革誌（全五卷）》的卷3（1986年），而本書所引用的材料，載於頁24～27。

> 八年（1919），支那方面的中華青年會幹事馬伯援、吳有客、劉木琳與台灣人方面的林呈祿、蔡培火、彭華英及蔡惠如之間，協商成立了以親睦爲名的團結組織，並以「聲應會」爲名稱，成立了結社。

那時，馬伯援歷任設在東京神田的中華留日基督教青年會（設有學生宿舍及中文書店）的幹事及總幹事。他是湖北省出身，畢業於早稻田大學政治科的老前輩，也是孫文的中國同盟會成員。

根據他的遺言《三十三年的賸話》（1984年2月在台灣新竹當作紀念品而非賣品出版）稱：

> 五四運動給台灣的在日留學生帶來了巨大的影響，由於「血濃於水」而加深了馬伯援與台灣留學生的交流。他們取會名於「同聲相應」之意，組織「聲應會」。

「聲應會」表面上倡導親睦，但其本意則是呼籲眾多遭受日本帝國主義以及列強干涉和鎮壓的人們，加強聯合並進行交流。不可忘記的是「聲應會」的各個成員都與日本大正民主主義運動的鼻祖吉野作造有深交，而在吉野的民本主義影響下進行活動。

這些稱中國為祖國、與孫文所領導的國民革命及朝鮮獨立運動相呼應的台灣留學生的新動向，使得日本警察機構的神經緊繃起來，當然，他們遭到了各種威脅和鎮壓。經過幾多曲折，「聲應會」就自然解體了。接著成立了「啟發會」，後來發展為「新

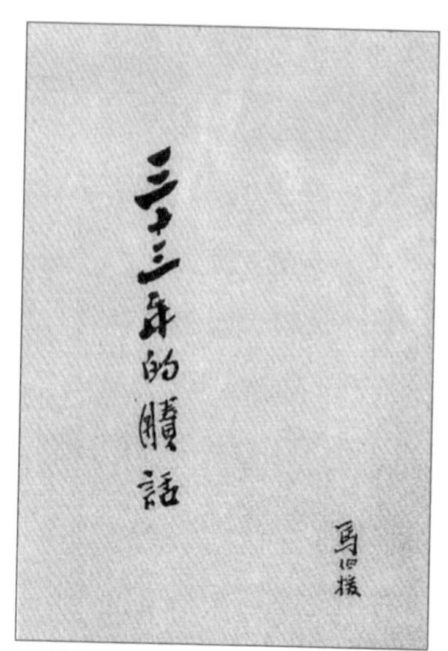

馬伯援著，《三十三年的贅話》1984年2月出版

民會」。時為1920年1月11日。日本當局的《台灣社會運動史》一書中承認，該會雖然標榜著提高文化的宗旨，但「其所實踐的，則是站在民族自決的立場上，對島民進行啟蒙運動，同時謀求合法地申張民權，這是無可置疑的事實。」

上述民族自決主義，是在威爾遜民族自決主張的基礎上加以發展的。這是針對日本殖民地統治體制而產生的台灣的民族自決主義，與近來的民進黨或者是台獨建國運動家們所主張的民族自決，是根本不相同的。

總之，台灣民族這個說法，那個時候還並不存在。正如前文所述，日本官方擔心的是台灣青年的民族覺醒與中國大陸的新興民族主義結合起來。他們所警戒的是，中、台雙方新興的民族覺醒之結合將阻礙日本實施其國策。

關於新民會的活動，《台灣社會運動史》有如下記述：

> 關於台灣統治的改革，對所謂廢除「六三法」運動以及設置台灣議會的請願運動，各自以個人資格參加。而關於出版雜誌，已得到蔡惠如所捐一千五百日圓，以及當時來東京的島內實力人物辜顯榮、林熊徵、顏雲年等所捐五千餘日圓，還有其他人

相應且量力的捐款。以蔡培火爲總編輯，並在東京麴町區飯田町設立了「台灣青年」雜誌社，發行了台灣人的民族啓蒙運動機關報《台灣青年》。而關於與支那人的聯繫，以蔡惠如爲首要人物，攜彭華英、林呈祿等人赴支，與容共時代的中國國民黨左右翼人物進行聯絡，以便爲培育台灣的運動而努力。云云。

「新民會」是為了避開日本當局的鎮壓，以及為了易於接受島內資本家的援助而成立的所謂公開機構。其實際上的運動體，始終是以該會的學生會員為核心而另外組織的「東京台灣青年會」承擔，並加以實踐。

順便加一句，新民會即是所謂的「新附之民」的結社，可以認為當時是使用了「奴隸的語言」來掩蓋抵抗的實質的。而《台灣青年》則遙慕著名的北京《新青年》所命名的。

（二）林獻堂和社會文化運動

與謝介石及辜顯榮站在相反立場的是林獻堂（1881～1956年）。在談論林的生涯時，就不能與意欲「在歷史實踐中活出自我民族尊嚴來」的台灣青年們的生活分隔開來。對台灣的年輕的獅子們來說，20到30年代正是咸信「革命」即「希望」的第一個高峰期。

而新民會、東京台灣青年會，以及由這兩個會發展起來的台灣文化協會（1921年10月成立）的核心人物，就是林獻堂。

林獻堂之父林文欽（允卿）係清末舉人，原廣東的候補道台

（介於省與府之間的一級官吏）。他是台灣中部的大地主，後又經營製造樟腦、製糖工業以及對香港的貿易，從而成功地積蓄了財富。可能由於父親過早逝世的原因，作為長子的林獻堂承受了風霜的鍛鍊。他雖然具有可以利用殖民地體制的機緣，累積更多財富的條件，但他沒有這樣做。他自幼即讀經書、史書等，與漢學親近，從而擁有一種樸素的中國民族意識。他的民族意識得以進一步強化，他的民族主義和民權主義得以在思想層次上提高，是受到對岸的改良派和革命派活動的影響。尤其是受到改良派出版的《萬國公報》、《新民叢報》（1902年2月梁啟超在日本橫濱創刊的維新派變法運動的機關報）及《國風報》等的影響很大。

林為訪問流亡於日本的梁啟超而做了各種嘗試。1907年初訪日的林獻堂，在旅途奈良與梁啟超偶然相遇。梁以筆談敘述：「本是同根生，今為異國人。對於時局形勢的激烈變化，只能表示同情。……今晚的偶然相會，絕不能認為是單純的偶然……。」對這種充滿惻隱情感的言語，林痛切感受到激動。同晚，梁還說：

> 從現在開始的三十年間，中國絕對不可能具有協助台灣人獲得自由的力量。因而，台灣同胞絕不要輕舉妄動，做出無謂犧牲之事。如果可能，最好是學習愛爾蘭對抗英國本國的作法，設法與日本中央政界顯要進行深交，以牽制台灣總督府的施政，

以緩和對台灣人所施的強權政治。[17]

據林與梁面談時同席的甘得中，所做有關證言稱：1913年在東京，由板垣退助介紹，會見了孫文的「右臂」戴傳賢（天仇），據說，在林控訴了日本在台灣的暴政後，戴回答說：

> 目前，祖國爲對付袁世凱的復辟運動而精疲力盡了。即使解決了這個問題，將來整頓局面也需要花上十年時間。因而，中國沒有餘力來協助台灣人。另外，日本是一個尚未受到民權運動洗禮的國家。它視革命如蛇蠍，因而（對民權運動等）絕對不會給與同情。諸君與（中國的）革命黨來往，必然會遭到鎮壓。我認爲，爲了諸君自己，上上之策是與日本中央政界的顯要結交，以便贏得他們的同情。這樣便可牽制台灣總督府所實施的政策，緩和其所推行的高壓統治，以減少台灣同胞的痛苦……。（要旨）[18]

梁和戴兩人對台灣方面的忠告，是切合實際的。後來，這個忠告成為以台灣文化協會為中心的，中間穩健派反日運動的基本方針。

另外，在五四運動以後，中國共產黨（1921年）及日本共產黨（1922年）相繼成立。整個東亞被捲入了戰爭與革命的風暴之中。在大陸的台灣留學生之間，雨後春筍一般地出現了許多革命

17 註8，《台灣人物群像》，頁71～73。

18 同註8書，頁74～75。

團體，並出現了「祖國派」台灣人留學生[19]。有關這一時期的情況，《台灣社會運動史》一書中有詳細記載。

始於九一八的「日中十五年戰爭」爆發之後不久，台灣以及台灣人的年輕獅子們也被捲了進去。

表1引用的「政治運動系統圖」係截至十五年戰爭前後的台灣島內的、政治運動圖像。台灣的政治運動如果從人脈關係上追索，就會以新民會為源流。然而，當然不是所有的運動都是因新民會的倡議而產生的。新民會是所謂統一戰線的原初母體。而其核心則始終是台灣中間穩健派的民族資產階級。因而，他們是改良派而非革命派。他們試圖在殖民地體制內謀求提高民權，在孫文的「大亞洲主義」框架內，打算一邊與日本的亞洲主義者相聯繫，一邊充當日中親善的橋樑。

批判性的政治運動被容許與十五年戰爭並行，而在長呼短嘆中存活下來的，只有「台灣地方自治聯盟」一個組織。其他留在島內搞運動的活動家們，在日本當局監視下被捲入皇民化運動。

在中共和日共兩黨的影響及支援下，1928年4月15日在上海成立了台灣共產黨。以建黨為先行，台灣青年的急進主義者們奪取了文化協會的領導權，但受到資產階級的共同抵制而陷於孤立。

台灣共產黨雖然是成立了，但在台灣島內的支持基礎是脆弱的，而且還受到日本當局的殘酷鎮壓。台灣的黨背負著內部對立的沉重包袱，迎來了十五年戰爭。有被打入牢獄的，有死於獄中

19 葉榮鐘，《台灣民族運動史》（台北：自立晚報出版社，1971年9月），頁76。

表1　政治運動系統圖

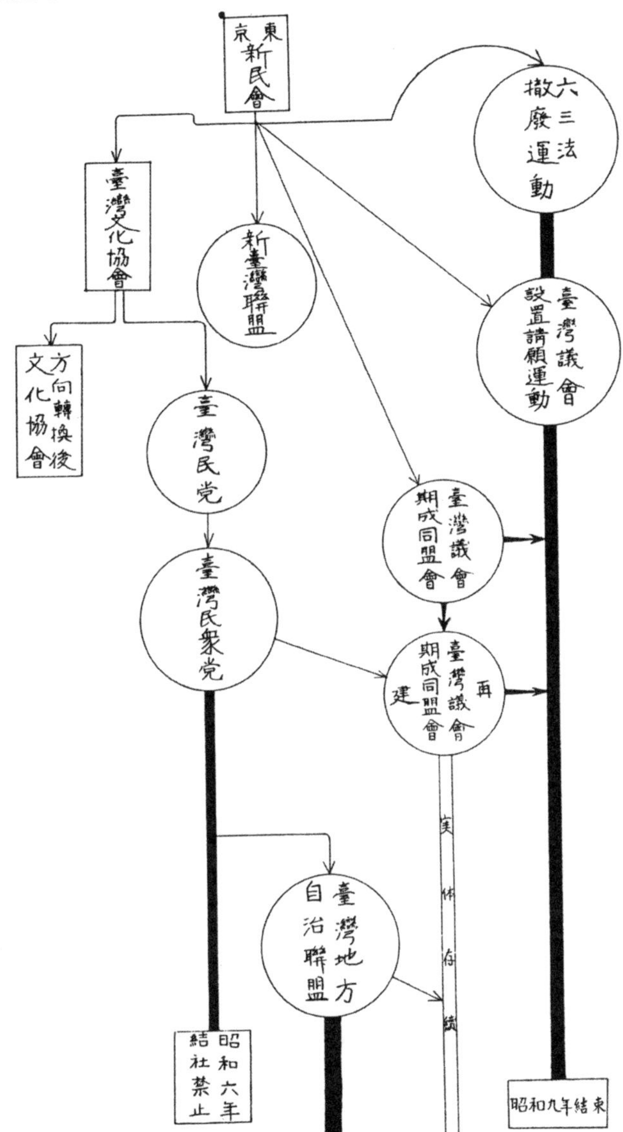

資料來源：《台灣社會運動史》，頁310

的，有變節的，也有逃往大陸的……在有關者中，出現了各種各樣的活動。但在島內，已經幾乎看不出值得一提的活動，而處於關門停業的狀態。

由於篇幅的關係，茲再次以再錄「文化各團體的聯絡系統圖」及「共產主義運動系統圖」，藉而結束這一段落。筆者認為，姑且不談台灣左翼組織內的實情及活動的實際成績，即使是瀏覽一下「革命」即「希望」的年代中的台灣青壯年的動態，也有助於了解箇中情況。

二、重新發現自我的矛盾性

（一）從史尼育唔事例中想到的

讀者諸君是否知道中村輝夫、李光輝、史尼育唔這三個名字？在疾風驟雨般的世事變化中，恐怕大部分人都已經忘記或不會知道的。

是1975年元旦前後的事。在印尼的摩羅泰島上發現了一名原日本台灣兵，即台灣「高砂義勇隊」隊員的中村輝夫。這一消息轟動了大眾傳播界。他被發現時，全身一絲未掛。他經歷了29年的歲月，在該島的荒野中，一個人不斷地和孤獨戰鬥著存活下來。

筆者是台灣出生的客家人。很久以來，即對原住民抱有一種為祖先負罪的感情。因為我知道我的祖先作為開拓農民而移居台灣後，蠶食了原住民們的土地，而成為寄生地主之一員。

表2　文化各團體的聯絡系統圖

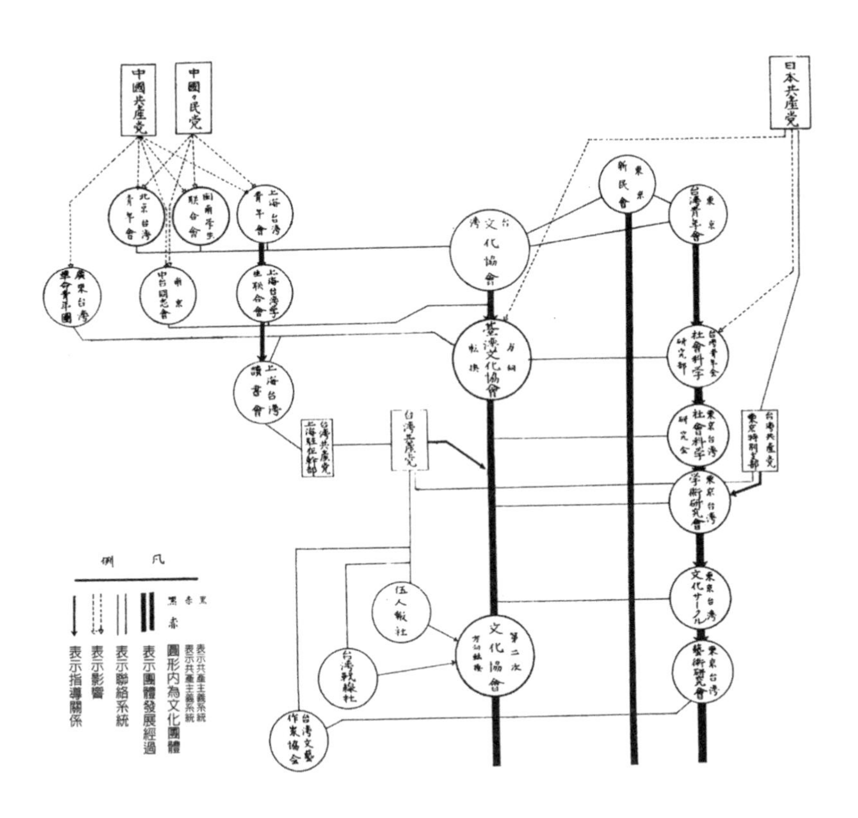

表3 共產主義運動系統圖

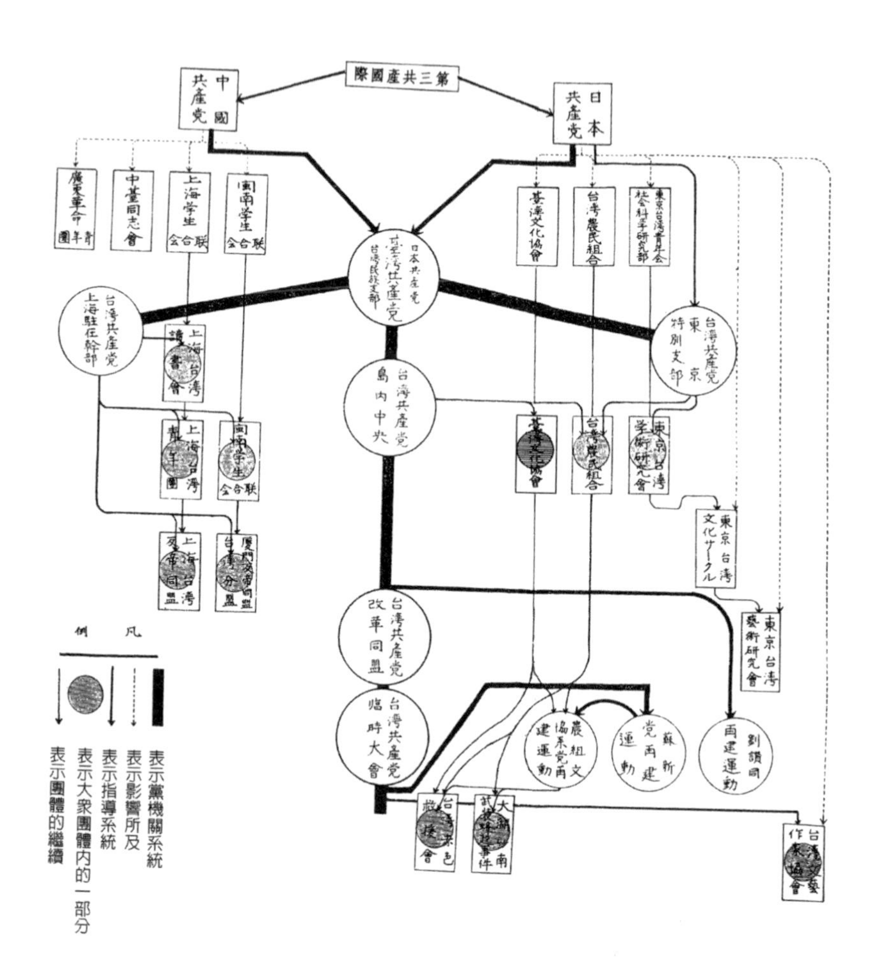

從摩洛泰島被護送到雅加達的中村輝夫，在1974年12月29日出席了記者招待會。在記者會席上，有一個日本記者問了一個愚蠢的問題。他問中村輝夫：「你的中國名字叫什麼？」由於沒有回答，記者則任意地斷定，他是「忘了」中文名字了。我絕不會忘記這簡慢待人的一幕。

說起來，中村輝夫是1918年出生在台東都歷的阿美族人，因而理所當然地有一個「史尼育唔」的族名，而沒有中國名或漢字名。那位日本記者由於不學所以不知，即使是那個日本名字中村輝夫，恐怕也是1943年10月作為高砂義勇軍特別志願軍被徵入伍之前，被日本人強制所取的。僅認為史尼育唔的悲劇，是戰爭引起的一類分析，也是不充分的。應該認為，這個名為「現代」所衍生的殖民主義的「野蠻」社會，才是毀掉史尼育唔一家，使其妻離子散，支離破碎的元凶[20]。

另外，李光輝這個漢名，只不過是光復後台灣的國府當局向一般高山族強加的漢字名之一例而已。

在史尼育唔活著回來之前，已經有過原日本陸軍軍曹（上士銜）橫井庄一（於1972年1月24日）及陸軍少尉、留置諜報人員小野田寛郎（於1972年10月19日）活著回到日本而復員的軍人。與這些人復歸社會的情況相比，史尼育唔的歸鄉情景，對筆者來說，是感慨無量的。史尼育唔到台灣後，乘公共汽車回到他的出生故鄉時，村裡人為了迎接他，人們圍起一個圓圈跳起阿美族舞

20　參照拙文，〈元皇軍補助兵士中村輝夫の生還から〉（拙著，《台湾と台湾人》，東京：研文出版，1991年第6版，頁187～221）。〔參見《全集1・關於台灣皇民化運動的展開——從原皇軍補助兵中村輝夫的生還談起》〕

等待著他的抵達。他一跳下了公共汽車，就立即跑進那個人圈，載歌載舞起來。筆者通過電視看到這種情景，被純樸的阿美族那種強烈的自我恢復力量所迷惑。直到現在，那時的興奮狀態依然環繞在我的眼前。

台灣的原住民族，不管其出身如何，數百年來，一直被外來人強制灌輸虛偽意識。天長日久，自身就成了虛偽意識的俘虜，直至今日。然而，近來在原住民的青年當中，從內部迸發出要求做一個實實在在的人的動向在發展著[21]。這確實是可慶可賀的事。然而，必須充分注意伴隨著急性民主化而來的「虛構」和「圈套」。

在第三章第三節中提過，在台灣原住民的戰後史上，原住民本身既已存在著欲以自己的努力來擺脫「蕃人」、「高砂族」以及「高山族」的處境的努力。用現代流行的語言來說，他們正在掌握重新構築自我及族群認同的機會，卻遭到了白色恐怖的迫害而受挫，從而付出了巨大的代價。然而，「歷史之神」是不會拋棄草根的人民的。人們又在努力把握重新發現自我和構築被撕裂了的相關認同的機會。

在研究霧社起義事件時，我曾經寫過下述情況：

不問國籍如何，目前我們（台灣近現代史）研究會中任何一個成員都不能、也不應該替代台灣的少數民族「高山族」（本想

21 對孫大川（卑南族）的多篇論文，以及以他為中心的《山海文化》雙月刊的活動，應給予注目。

稱爲土著台灣人或者先住台灣人，但因爲似乎尚未成熟，本書使用與中國大陸、台灣共同使用的漢語——「高山族」）來撰述他們的抵抗歷史。我們可以預見：在不遠的將來，將從少數民族內部產生探索有關少數民族自己的復權運動和確立創造自我族群歷史的主體性運動。將亦會從高山族社會內部興起、探討及整合、統一的自我主體性等自我認同相關的課題，迫切期望其實現。可以設想，在運動的過程中培育起來的、高山族本身的文筆工作者們，爲了探索自身如何走向未來之路，必將對自己民族所背負的光榮的史實以及被迫忍受的，既沉重而又黑暗的過去進行反芻，並加以對決及繼承。[22]

（二）「告別中國」遊行示威帶來的虛妄和痛楚

台灣的「知性」和文化界的人士，不知為什麼總是喜歡「悲情」和被害者意識的調調，而搞得烏煙瘴氣。人們總是把批判與漫罵混淆不清，學術和新聞的界線也弄得很曖昧。在有心的有識者當中，也有不少人批評並自嘲「是非不分明」、「官大學問大」。更批評對事物不能明確分清是非，以為官位越高學問就越博深的社會風潮。

「台灣人知性村」（intellectual village）正在成形中，應該快能獨立行走了。這個知性村之人們，頗多分不清個性（來自於個人主義——individualism）和自私（來自於利己主義——egoism），也分不清自愛和自我陶醉（narcissism）的區別，但高

22 參考註2，頁4。

聲呼喊確立「台灣主體性」和自我認同（ego identity）者卻絡繹不絕，實在令人滿頭霧水。

1995年4月16日在台北所進行的馬關條約百年告別中國遊行示威，不外是這種被扭曲思維的反映。可以說，把上述社會狀況現象化呈現為政治行為的恰當例子。

筆者並不是要說主張台獨建國就不好。台獨建國或許是好的、有其創造性及革命性的政治行為。然而，與中國告別就能獨立建國嗎？我認為，如果沒有起碼要與中國對決的氣魄，那麼就連台獨建國可能性的苗頭都不會有。

如果不從內心確立個人主義和真正的自律自愛，就不可能存在個體（自我）的自立。我想問一句，如果沒有精神上的自立，還有什麼「台灣人的主體性」可言呢？台灣知性村的朋友們，有沒有將尼采（F. W. Nietzsche, 1844～1900）所說的「牢獄」這個概念納入思考的射程之內，來思維的呢？我想是沒有的。遊行示威的隊伍簡直就像在說：「讓我們大家手拉著手，一起闖紅燈吧！這樣才是安全的呢」這就是我要說的虛妄的理由。

這一百年期間，在日本的殖民地統治和國府的戒嚴令下所遭受的獨裁專制，使我們嘗盡了屈辱和辛酸。主張日本帝國主義的殖民地統治促使台灣脫離了中國，是一種「幸運」的歷史認識，能得到草根民眾共鳴嗎？台灣知識分子群體中的人們，怎麼就不想從整體去客觀地正視歷史的傾向。謝介石、辜顯榮、林獻堂都是代表性的台灣人的歷史人物。不論他們的歷史評價是負還是正，無疑將會成為我們歷史中的一部分。在我們本世紀的歷史中，既有「台灣籍民」的狼籍聲名及半山的惡業，也不乏投身於國民革命及中共革命而壯烈犧牲的台灣前輩們。對此，在本書的第三章已有所敘述。

由此，人們不能畫分這一百年、或前半個世紀、或後半個世紀的50年，而予以否定、詛咒或者讚美。不，即使是這樣做，既解決不了問題，也是毫無意義的。如何正確地、實事求是地去正確認識，充塞著台灣全體居民「生存」於今日的一個世紀的歷史事實，才是我們的至上命題。對「台灣知性村」的村人們之所做所為，我感到無奈及痛心。

（三）生命共同體及「新台灣人」往何處去？

今日的台灣，正流行著「命運共同體」和「生命共同體」的兩種說法。前者是民進黨的主張。後者則是李登輝所率國民黨主流派的主張。

「共同體」這個詞容易懂，是一句令人陶醉的語言。在《廣辭苑》這本日本字典中，對這個辭有如下解釋：「以血緣、地緣或者是以感情聯繫為基礎的人類共同生活的樣式。由於是共同的，因而是相互扶助和相互制約的。與那些為達到特定目的而結成的組織是有區別的。」

民進黨的一部分人所提倡的命運共同體，筆者有兩點感到不周全。命運二字即日本語所稱的「運命」。我認為：第一，談到命運，就令人感到有些古老，甚至浮現出一種宿命論的味道。它與自衛和防衛的消極義涵纏繞在一起。第二，令人強烈地感到，它籠罩著台獨運動的福佬沙文主義的「陰影」。

另外，「生命共同體」由於冠以「生命」二字，是向前看的。由於它內含著「生的哲學」，頗令人感到是容易親近。特別是它在某些地方觸動了試圖將人類之「生」從歷史角度加以認識的、筆者的心弦。

雖然這麼說，但在關於如何強化解釋生命共同體的內容問題上的認真的議論則太少了一些，甚至令人感到完全被忽視了。這是令人擔心的。

究明台灣的認同危機及其困擾時，僅以所謂的本省人即台灣人為對象，是不夠的。而只有把外省人的認同問題也包括進去，才能表現出「台灣」一詞之全面性。由於篇幅關係，關於外省人的問題，我只能割愛了。這是很遺憾的。當今台灣，政治性的狂熱逐步地鎮靜了下來，人們變得理性一點了，並且開始出現了如何正視今日台灣社會結構和展望的新趨勢。這個該是值得歡迎的情況。

筆者曾與傾向台獨的友人談過構築台灣民族論的困難和難有成果的問題時，特舉了美國和蘇聯為例。USA（United States of America）正是美國聯邦之稱，而USSR（Union Soviet Socialist Republics）譯成日語也是蘇聯邦。

美國人的概念是存在的，但不能把它說成美國民族。同樣，雖然有蘇聯人的概念，但也並不用蘇聯民族的一種說法。美國人這種概念有活力，包括移民過去的幾乎所有的美國居民，對於成為美國人，人人都能接受。理由很簡單。首先可以舉出的是，20世紀的美國所體現的世界史規模的物質文明。另外，是否恰當則另當別論，美國的概念中含有進步的時代精神，讓人們都認為每個人在美國都比其原鄉要有發展的機會。

蘇聯邦也是將社會主義所高舉的共產主義理想社會作為一個夢想，早期很多人寄託於這個夢想。蘇聯人的這一概念因而能夠繼續存在下去。然而，在其虛構突顯之後、國家暴力機構失效之時，蘇聯邦就解體了。與此同時，蘇聯人這個稱呼也隨之消失了。

台灣民族是不存在的，但台灣人這一概念是有發展餘地的。我這樣對我的台獨派友人說過。為了其前瞻性，閩南系台灣人一定要從內部克服福佬沙文主義情結。另外，為了對台灣人這一概念注入活力，只是提出「台灣優先」，或者是「台灣人優秀」一類論調，是無濟於事的。問題在於，台灣人所體現的，或者所想體現的「時代精神」的內容如何。這內容不僅僅是台灣全體居民能接受，而且還必須是對岸大陸的平民百姓也能接受的，富於魅力的內容，否則是沒有生命力的。換言之，就是不可能持久的。蘇聯邦的例子，雖然是他山之石，也是頗值得參考的。想要將「虛構」的東西用暴力裝置來保持是不能持久的，終究是會崩潰的。

因此，使生命共同體完善，以及構築新台灣人的認同，成了台灣民主化至高無上的命題。從這個意義講，在統合之前，有必要確認各別「族群」的社會、文化特性和屬性。但此時任何一個族群，都必須揚棄其自認為是的優越性，否則，生命共同體將成為妄想共同體而化為泡沫而消失的。

1996年春天的台灣，在複數政黨競爭的形勢下，根據直接選舉，選出了總統及副總統，即將實現法律形式層面的民主主義。

被直選的總統，根據台灣居民的民意，獲得了相對多數的選票。新總統以既已成形的生命共同體為基礎，率領了形式上相應統合了的新台灣人，而其所指向的目標是什麼呢？應該是將諸多政治性言論中過剩的修辭語言剔除，並且經過與之對決以克服各種的虛偽意識，並認真地與對岸大陸研究有關共同生存的路子，創造出一個既和諧又協調（polyphonic）的共同體，也就是「中華共同體」。艱難的這個世紀性挑戰正在等待著我們。在這個脈絡上，筆者認為，重新探討和定位美日兩國的「現代」對我台灣，甚至於全中國的本質性關係並克服它，將是難以規避的重要課題。

第五章　試論〈出埃及記〉及台灣民主化

第一節　司馬與李對談中的〈出埃及記〉

在考慮「生」與「自由」，即台灣民主化的主要課題時，最方便的引子是司馬遼太郎與李登輝總統的對談。

對談是以「場域的悲哀」為題，最初刊登於《朝日週刊》（1994年5月6日至13日號）。現則選錄於司馬遼太郎自著《台灣紀行——漫步街道》[1]之中。

「場域的悲哀」公開出版後，馬上在日本引起回響。在台灣被譯成中文出版後，其影響由台灣島內擴充到中國大陸，進而無限度地向外擴及到國外的華人、華僑社會。

讀了直言不諱的贊成與反對的兩種議論之後，筆者發現了問題。這些議論幾乎都是政治性濃厚的解讀。其中多數有僅僅停留於表面的、膚淺的看法。對此，筆者深感遺憾。

李登輝當然是以中華民國第一個台灣人總統的身分參加對談的。被擬為政治好奇心的對象，其發言被剖析成政治性解讀，或

1 司馬遼太郎，《台湾紀行——街道をゆく四十》（東京：朝日新聞社，1994年11月）。

被做為政治性的理解，可說是理所當然的。

充當日本政界追隨者的當今台灣政界人士，容易犯「自我喪失」的毛病。即使是吹捧，也還稱不上已經走到高層次的政治運作軌道。據聞，日本和台灣的政治，都早已變成了低層次的交易場所了。

一、日本人印象中的李登輝

在日台雙方的這種現狀下，李登輝的發言博得了眾多日本文化人的共鳴，也使他們受到感動。在日本，文化人、學者的主流均與政界劃清明確界線，自鳴孤高。而且他們一般都在搞自己的一套知識方面的營生。另外，日本是議員內閣制，因而欲進入中央政界，其前提條件是通過選舉當選議員。因為忙於參加婚葬祭禮以及為個人選舉區做奉獻而繁忙不堪的議員諸公，是沒有時間去讀書和從事研究的。

回想起來，李自就任總統（1988年1月13日）以來所會見的日本人，估計已經上千人之多了。多數日本人對他的日語造詣之深湛，以及其具有自西田哲學以至歐美、日本文化為背景的教養，頗為感動。對他豐富的學歷，即舊制台北高等學校畢業，京都帝國大學肄業以及美國康乃爾大學博士學位，也頗表讚賞。但深入了解李的成長過程經歷和其文化背景的人則不多。關於他在學問方面的業績，可以斷言，讀過他著書的日本人，除了以農業經濟學為首的、學界有關人員之外，也不出十個人。然而不難想像，李被蔣經國從學界選拔出來而進入政界（1972年）之後，他是初次作為政治家，部分地參與了國府台灣的國政。在此期間，李登輝經常試著將思考和經驗統合起來為了搞活台灣的現實政治，肯定是進行了惡戰苦鬥的。他為了連任總統一職，於1996年3月23日，首次參加了總統直選。

李仍然是現任（1996年時）政治家，因而對有關他的思想及政績進行評價，該是為時過早一些。

二、對李登輝「饒舌」的批評和辯護

有一些人批評李「多嘴多舌」，在邏輯上他經常又有跳躍的傾向。令人感到興趣的是，這種批評多來自李的支持者之口。從中國傳統的政治文化方面分析，「多嘴多舌」是禁忌的。日本也有「沉默是金」的格言。而對那些「多嘴多舌」的人，有「言多必失」之比喻。李則提出反對的論調。他說民主時代的領袖，應該是積極地發言，不能害怕犯錯誤，有了錯誤改了就行。我們能理解，他是試圖以政府（包括領袖）與國民之間進行熱絡的溝通，來糾正蔣家獨裁體制的黑暗政治的。但願我的理解不是錯誤。李的外省系統支持者宋楚瑜就任台灣省省長之後，對筆者說過這樣的話：「李總統的言論往往是飛躍式的，一般人不大容易明白，因而較容易被誤解。」云云。此外還有一個人，就是在理論方面有特色的外省系統支持者王作榮教授。他以「李登輝總統的兩個特性」為題寫下如下的文章：

我與李總統相識於1959、60年，很有共事的可能，受阻於當時農復會的主管長官。在七十年至七十年代上半期有相當密切的來往，也無話不談。以後他的官愈做愈大，工作太忙，而我個性內向，足不出户，來往遂疏。然而仍時相存問，偶有聚會時仍親切一如往昔，稱我「王公」，友誼長在。因此，我頗知道他的一些個性，其中有兩個特性對他今日受到誤解與攻擊頗有影響，簡述於下——

第一個特性是李總統有相當程度的敏感的感受立即反應到臉上、言辭上，甚至行動上。這種敏感有時是他對對方的誤解，經過溝通與交換意見後本可冰釋。或是經過一段時間後，李總統很可能自己會覺悟到，而以間接的方式表示出歉意或改正。這正顯示出李總統是一個忠厚誠實的人，不善掩飾虛僞。

但就對方而言，特別是對外省人而言，爲時已晚，誤會、隔閡、懷恨、反對等情緒已經形成。外省人籍大老長期在威權統治的壓抑與官場歷經之下，情感內斂，言辭行爲謹慎、含蓄、委婉，喜怒不動聲色，輕描淡寫一句話就表達了贊成、反對、命令、服從等用意，不習慣於李總統的這種學者式特性。

茲舉經國先生的兩個很有意思的例子，來說明外省人官場的含蓄：

一、經國先生有一次對我說：「你向我寫報告，我會看。」他的眞正意思是叫我不要亂寫文章批評財經政策，得罪了那些大員，他不好用我。其實經國先生那有什麼時間與興趣看我的報告，再說我也不能隨便向他寫報告。我知道他的用心，由於我情面軟，禁不起余紀忠先生一再要我寫，我就繼續寫，我做官的前途也就完了。不過，文章千古事，我寫了很多傳誦一時的文章，所以並不後悔。

二、經國先生主政的晚期，社會情況很亂，經常有街頭暴力運動。經國先生曾說過一句話：「我也是台灣人。」我當時很不以爲然，怎麼可以出賣祖籍，這在中國人是很不榮譽的事。但事後想想他有很多含意：(1)希望台灣人不要排斥外省人，(2)告訴外省人落地生根，融入台灣社會，不要做回大陸的美夢，(3)告訴外省人將來是台灣人主導政權，(4)因此而可以維護外省人的安全。但是這些話都不能明說，只好用「我也是台灣人」表達，眞是用心良苦。

李總統第二個特性是在言辭表達上，常落在思想之後。李總統思想很快，也很有系統，但用言辭表達卻較慢。常是一個思想未表達完，第二個思想已經來了，於是急於表達第二個思想。結果媒體常說他的思想是跳躍式的，其實是言詞表達因跟不上思想而跳躍，思想則是一貫的，因爲如此，言辭表達時常少了些界定辭與前提條件，引起聽者的重大誤解，如再加曲解，便離原意更遠了。外省籍大老講話或是唸講稿，或是二、三個字一句慢慢講，就是爲了怕講錯，駟不及舌。[2]

可以說，王教授的分析和解釋是得當的。以上述諸例為基礎，來解讀「場域的悲哀」為題的文章中的李登輝的發言，就容易理解了。首先，讓我們從下述對談中與〈出埃及記〉有關章節

2 王作榮，《王作榮談李登輝》（台北：稻田，1995年10月），頁23～25。

的轉載開始吧。

三、李登輝發言的再錄

李：我跟內人談到，與司馬先生談話時以什麼題目為好時，她說：就以「生為台灣人的悲哀」為題。這樣，我們兩人就談了舊約《聖經》中的〈出埃及記〉的話題。

司馬：出生的場域是神所決定的嘛。今天，我想和總統談談有關以「場域的悲哀」為題的話題。例如，現在生活在波斯尼亞就糟糕了。可是，出生於波斯尼亞就會努力使這地方變好，這才有做人的莊嚴勁頭啊。

李：可是，也有對波斯尼亞無能為力的痛苦啊。我曾有過生為台灣人，不能為台灣幹任何事的悲哀。（中略）

〈出埃及記〉和台灣人的命運

李：一支槍也沒有，握起的拳頭也不硬，在國民黨中也沒有自己的派系。即使是這樣，我能堅持到今天，是因為心中有人民的聲音。台灣的人們期待著我，我一直認為不幹點事是不行的。

司馬：政治學的學者們如能以李登輝先生作為論題來研究就好了。也就是說，像李登輝先生所說的，既沒有派閥，也沒有錢，也沒有欲望（野心），只有一個李登輝博士。政治學者們說，搞政治以書生論政是不行的，政治比想像的更為骯髒。（中略）但是，（李登輝這個人）仍然是一個珍貴的存在。

編輯部：開始談話時，出現了〈出埃及記〉的話題，這是不是說台灣是已經向著新的時代的起步呢？

李：是的，起步了。從現在起，摩西和人民都會面臨很大的困難。但總算是起步了。對，想到許多台灣人作出犧牲的二二八事件時，〈出埃及記〉就是個結論！[3]

（以上是一個章節的全文。另外，對談的最後一節的標題，正如所引的，是「出埃及記和台灣人的命運」）

第二節　從電影《十誡》與《出埃及》想起的

這裡說的《十誡》，當然是指美國派拉蒙電影公司的電影*The Ten Commandments*（1956年出品，1958年在日本初次公演）。

另外，《出埃及》則是指奧托・萊民傑（Otto Preminger，一譯奧圖・普里明傑），即聯美電影公司的（United Artists Picture）的《出埃及》（*Exodus*, 1960年出品，1961年在日本初次公演），上述兩部電影均屬美國電影的傑作。

電影也與新聞、雜誌同樣，可以成為研究社會科學或者人文科學的素材。特別是電影，作為製造形象的手段是很有效的。請允許我在下文中混插著個人經驗的論述。

我記得那是1958年的初夏時刻。那時我從台灣到日本留學已進入第三年了，近乎能夠適應在日本的日常生活的境界，並決定設法完成碩士論文，再升學博士班課程。博士課程是五年制，它

3 同註1書，頁488～502。

鼓足了我的幹勁，認定今後可以沉潛著仔細地讀一些書。處於戒嚴狀態的白色恐怖已成為日常生活的台灣，一般書籍都被列入管制的禁書名單，可讀暨想讀的書的確很少。回憶起來，作為社會科學部門的研究生所必須讀的教養書，身在台灣時代的筆者，幾乎都沒能讀到。處在戒嚴下的台灣，如果是《聖經》，應該是可以伸手深讀的，但我卻沒讀過。雖然筆者不是基督教徒，不可能把它作為信仰的書去讀《聖經》，但總可以把《聖經》當成歷史書、文學書來讀的吧，但我卻沒有這樣的機會，更沒有任何一位老師或前輩來指導我去碰觸它。

總之，在我出生街道的教會的主日學，我的周圍沒有一個人去參加。今天回憶起來，也感覺很奇怪。在我的回憶裡，甚至感覺到人們對基督教敬而遠之，對基督教徒抱有蔑視。道理何在，迄今也弄不清楚。

可是，後來我也開始讀起研究包括馬克思的和馬克斯・韋伯在內的專書了。當時的我跟人家一樣想從《新教的倫理和資本主義的精神》這本書入門。但是，從開頭就在新教問題上栽了跟斗。我雖對韋伯以宗教意識為依據的歷史解釋，有一種抗拒感。我痛苦地感覺到我完全缺乏韋伯所縱橫展開的、比較宗教社會學研究的宏大背景中所存在的，世界代表性大宗教的認知和教養。僅停在痛罵歐美列強的東進和對亞洲的侵略，是解決不了問題的。而問題在於，何以沒有在大中華帝國即早期清朝體內，自發地產生資本主義生產方式？換言之，為從根源上去研究「西歐的近代」之誕生，就必須深入地研究《聖經》的世界。它深深地讓我認識，不了解《聖經》，要想知道和問津西歐世界的歷史或文明是不可能的。

就在此時，與某友人一起看了電影《十誡》。

一、《十誡》所要傳達的訊息

《十誡》沒有《聖經》至上特有的那種說教的味道，又是電影史上初次彩色影像，而且是電影史上最大的豪華巨片。加之，又是獲得1956年度的美國奧斯卡金像獎及特殊效果獎的片子，具有強大的魅力。因我不知《十誡》之故事為何？如今想起，仍令人出一身冷汗。但是，我敬愛的友人的目的還在其他方面，即他邀我去看這一部電影，是想糾正我對宗教所抱持的無故的厭惡，並善意地促使我去接觸舊約《聖經》。

總之，賽西斯・B・德米爾（Cecil B. DeMille）導演，意圖透過電影《十誡》告訴我們的究竟是什麼呢？影片主要的訊息是，他想強有力地呼籲：「只用暴力是不可能統治人類的。左右人類命運而且最終能夠統治人的，只有上帝。」德米爾相當忠實地將舊約《聖經》的〈出埃及記〉，以非常豪華的畫卷式傳奇故事拍了出來。其關鍵想法可以整理出以下四個重點。

二、摩西的誕生及自我覺醒

摩西從誕生起就是個殊奇的人，摩西是做為淪落為埃及國家奴隸的希伯來人的兒子而誕生的，希伯來人是一批做為外來的寄居者而移居於埃及的人們。其中的一部分人逃離埃及之後，形成了以色列民族。摩西誕生當時，正值埃及下令凡是希伯來人新誕生的男孩，必須統統殺死。摩西的母親為了避免兒子被殺害，將他裝入蒲草編製的筐籃裡，擱在尼羅河邊。這是摩西誕生後三個月的事。法老（埃及王）的公主不知裝在筐籃裡的小男孩是希伯來人的兒子，而把他撿起，當做王子加以養育。法老將他視同親生兒子拉梅斯（電影裡的拉梅斯是由極爾・普林納〔Yul Brynner，一譯尤伯連納〕扮演），愛護有加。

某一日，長成大人的摩西（由查爾頓・赫斯頓〔Charlton Heston〕扮演）知道了自己出生的祕密。當他知道自己是被虐待的奴隸的兒子之後，他拋棄了（離開了）國王、戀人以及養育之母（國王的女兒），投身於奴隸的同胞之中。用今天的慣用語言說，他為了奪回自己出生的尊嚴，他絕決地放棄了一切榮華和機會，選擇了一條充滿荊棘之路。這可以說是一種自我覺醒，確立自我認同的強力表現。

只要摩西做為個人的生存方式，停留於自我覺醒的境地，則故事就不能更向前展開。繼續活在於今日歐美人士的精神世界之中的摩西形象，也不必然存在了。

三、摩西和以色列民族的形成

確認了出生的「血緣」而覺醒了的摩西，被一種要與同胞共生死，為他們做奉獻的熱情燃燒著。然而，一個人的能量是有限的，單憑一個青年的血氣是無能為力的。即使是20世紀末的今天，也無疑是同樣的。這是世之常情。不久，埃及對摩西迫害加

《摩西故事》英譯本附日文註腳的書影，1991年

強了。他害怕埃及及其（乾）兄（拉梅斯王子）的追究而逃亡。在電影裡，德米爾導演修改了舊約《聖經》的記述，美化了摩西，描述他是被流放到沙漠的叛逆者。眾所周知，德米爾是一位善於巧妙地將藝術和生意經分界並調和的好萊塢式藝術巨匠。他可能認為，如果不編成美麗的故事就不能叫座，否則就失去製作電影原旨。

摩西遠遠地逃到阿拉伯半島西北方向的米甸的荒野。在那裡，他與猶太教祭司的女兒結了婚。一邊牧羊一邊生活，還生了孩子。不久，他在何烈山（西奈山）聽到了神的聲音，命令他回埃及救出同胞。這是神的令旨。這是摩西被神選為僕人的故事。然而，摩西並不是沒有躊躇和苦惱。第一，他有被迫害，被處死的恐怖。第二，他可能考慮，自己現已進入壯年，又有妻子，已不再是血氣方剛的年輕小伙子了。第三，不難想像，他會認為，這一使命之重大，絕非自己能力所能肩負的。然而，神懇切地鼓勵並賜教與他。有時，甚至到發怒的程度。作為富於人性且自我覺醒的摩西，終於下了決心，攜帶家屬返回了同胞被囚為奴隸的埃及。

摩西向那位不相信神的新國王拉梅斯乞求說：「容我的同胞

百姓離開埃及吧」，並進行了交涉。那種你來我往的交涉場面，確是電影裡最精采的影景場面。一忽兒將神杖變成毒蛇，一忽兒使尼羅河的水變成血水，一忽兒又降下了火雨等等故事影片畫面，宛如身臨其境，使觀眾充分享受了眼福。然而，交涉不易進展，反而更加觸怒了國王，以致使同胞們所受苦役進一步加重。同胞們的反對和譴責聲指向了摩西。最後，國王允許了希伯來人奴隸離開埃及而出走。神通過摩西行使神術，使他曾經愛過的公主聶芙列特梨與新王拉梅斯之間所生的長子致死。

暫且不談電影問題。舊約《聖經》的〈出埃及記〉中所描寫摩西的逃亡期間，可以理解為摩西的準備期和作為個人（自我）而成長的時期。令人遺憾的是，《聖經》上沒有記載摩西逃亡之前在埃及所受的教育記述。眾所周知，3,300年前的古代埃及，是屬於世界上最先進的國家。電影裡所看到的巍然的宮殿和金字塔等建築本身，足以顯示出古代埃及在天文、建築等學問方面的水準之高超。摩西與這些教養，不會是完全沒有關係的。

拐杖變成蛇，水變成血，突然下冰雹，大群蝗蟲鋪天蓋地地飛來，家畜流行傳染病，國王長子的死亡。這一連串的事件，在舊約《聖經》上也有記載。根據今天的情況來分析，可當作埃及當時的自然災害和傳染病來看待。然而，《聖經》的後來記述者們，卻把它變了形來形容並撰述。從他們的信仰出發，這可能也是確有其需要吧。為了顯示其超自然性，特別強調了國王長子之死，也不是沒有理由的。從古今東西看，這種例子是很多的。起決定性的重要問題是，對走投無路的希伯來人來說，使他們相信上述事件的每一件事都是神的幫助，都是通過摩西而彰顯的神的事功。這就促使聲望集中於摩西一身，逐漸使他卡里斯馬（即Charisma，領袖魅力）神化，也就形成了馬克斯・韋伯所說的「卡里斯馬」式統率者抑或統治者之雛形。

既然被允許走出埃及，必須要有一個目的地。摩西有必要設定一個神所賜予的地方，即約定之地。神讓摩西應諾給希伯來人一個「寬闊而自由之地，流淌著奶與蜜之地」。因而希伯來民眾願意拋棄奴隸的生活。雖然在埃及可以嚐到奴隸所能擁有的殘羹剩菜——欠缺身分尊嚴但可擺脫了飢餓的奴隸屬性遭遇，希伯來人終於離開了埃及。

但是，通向所約定之地的道路是險惡的，是充滿曲折的。電影裡描寫他們越過了險惡的路程時，是以一場民族大移動來描寫的。

我想用社會科學的觀點，以微觀的觀點重新省察此問題，即以希伯來人在大移動的同時，以色列民族逐漸形成的觀點來分析出〈出埃及記〉中的出埃及過程。

摩西為後世留下了做為深具領袖魅力的領導者形象，多因他在紅海發生的奇蹟。正當一大群希伯來人被氣勢洶洶的埃及大軍追趕而陷入一籌莫展的絕境時，摩西向天舉起雙手，頓時，狂濤洶湧的紅海分成兩半，從海底出現了一條路。為了挽救希伯來人，神又通過摩西行使事功。當希伯來人安全渡過紅海後，從後面追趕過來的埃及大軍卻被海濤吞沒而全軍覆滅。一大群脫離了埃及的希伯來人頌揚著神及其庇護，對摩西寄予更大的信任及依賴。應該說，這是一部劇情優越的作品。

四、做為精神支柱的《十誡》

走出埃及的民眾，不久終於到達了西奈山。當摩西站在西奈山的山頂時，神的手指便變成了火焰印刷機，在石板上刻出了十誡相關的章句。神耶和華通過摩西，將神與希伯來人的關係，以締結西奈契約（十誡）的方式，為形成以色列民族打下了基礎。摩西把刻有十誡的石板，擲向那些仍然會憶起有殘羹剩菜、不會挨餓的埃及奴隸生活，卻忍耐不住荒野的考驗而反對摩西的人們，並且燒掉了所有的一切的電影畫面，確實是壯觀的。如以現

圖1 〈出埃及記〉路線圖

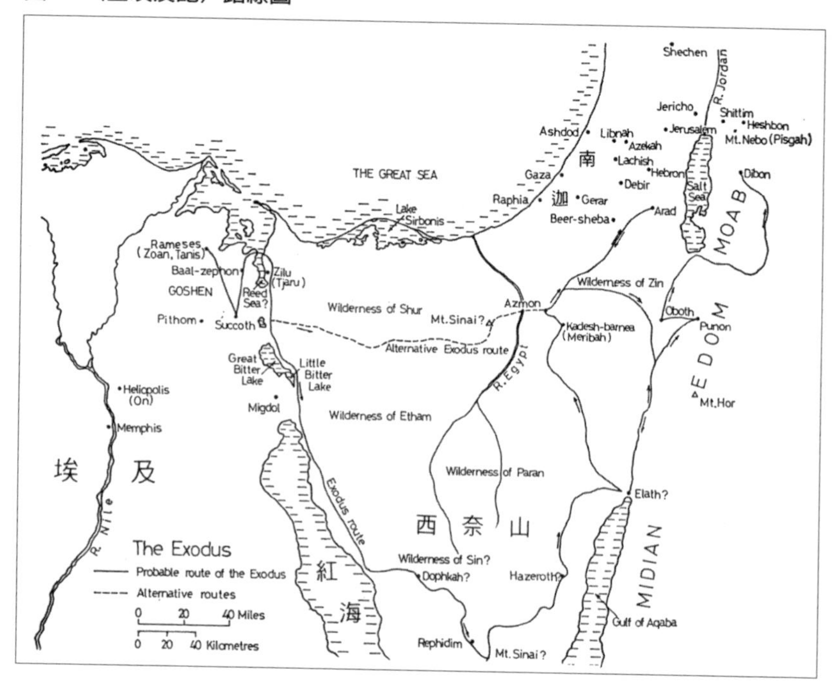

代的說法來形容，那即是神對叛逆者的一種肅清吧。

經過締結西奈條約，成立並凝聚了以色列民族。通過摩西所授予的十誡，做為有權威性的律法，至今仍在以色列民族的精神世界中起著鮮活的作用。

這應該是使十誡定位於以色列民族的精神支柱的原因吧。

以下是十誡的主要內容：

前文：「我是耶和華你的上帝，曾將你從埃及地爲奴隸之家領出來。」

第一誡：「除了我以外，你不可有別的神。」

第二誡：「不可爲自己雕刻偶像，也不可作甚麼形象，彷彿上天下地和地底下水中的百物，不可跪拜那些像，也不可事奉他，因爲我耶和華你的上帝是忌邪的上帝，恨我的，我必追討他的罪，自父及子，直到三、四代；愛我守我誡命的，我必向他們發慈愛，直到千代。」

第三誡：「不可妄稱耶和華你上帝的名，因爲妄稱耶和華名的，耶和華不以他爲無罪。」

第四誡：「當記念安息日，守爲聖日。六日要勞碌作你一切的工，但第七日是向耶和華你上帝當守的安息日，這一日你和你的兒女、僕婢、牲畜，並你城裡寄居的客旅，無論何工都不可作，因爲六日之內，耶和華造天、地、海和其中的萬物，第七日便安息，所以耶和華賜福與安息日，定爲聖日。」

第五誡：「當孝敬你父母，使你的日子在耶和華你上帝所賜你的地上，得以長久。」

第六誡：「不可殺人。」

第七誡：「不可姦淫。」

第八誡：「不可偷盜。」

第九誡：「不可作假見證陷害人。」

第十誡：「不可貪戀人的房屋，也不貪戀人的妻子、僕婢、牛驢，並他一切所有的。」[4]

摩西作為西奈契約的傳達人，確立了他一生的地位。至今，十誡一直都被認定是摩西的律法。

一讀十誡之後即可以明白，從大的方面劃分，前半部分是關於神的訓誡，後半部分是關於人的訓誡。但必須確認的大前提是神的存在。有神才有人類的存在，這種思想是一貫的。換言之，在以色列民族當中，斷然不存在沒有神、沒有神的恩寵，這種無所根據的道德律法。

由於以色列人一直抱有對唯一神的堅定信仰，而且繼承著始終遵守十誡這一律法的精神而集其大成，猶太人才能在遭受兩千餘年「離散」的悲慘境遇下，留下了使自己持續生存下來的，令人驚奇的歷史。不僅如此，猶太人今天仍然以不變的姿態，繼續譜寫著自己的歷史。可以說，正由於十誡對人生的訓導是有效的，所以時至今日，猶太人對它依然遵循不怠。

4 借用本田獻一，《旧約聖書の概說》（東京：リトン，1995年5月），頁15～16。

五、「應許之地」是什麼？

讓我們再一次回憶，摩西以刻有十誡字樣石板向那些逆反者投去，而使石板把他們燒得精光的情景吧。

那些違逆的人們也都是一些樸素的民眾。他們顯露出來的，是人類的懦弱性和脆弱性。他們具有被物欲所擺布，貪戀在埃及相對穩定的物質生活等想法。同時又有想塑造偶像的軟弱，以及妄稱神的名字等，表現出塵世凡人的軟弱性格。上述對違逆者的懲罰行為，是為了不使人的軟弱再次使他們隸屬於惡勢力（受埃及國王統治及被囚為奴隸的境遇），神始通過摩西以誡命之拳投擲石板加以懲罰的。這一誡命是為了通過神的事功所施予。或得來的解放的喜悅，亦即為了保全自由，繼續追求自由的誡命。

對十誡，猶太人的理解似乎是熟知人性的神，為了讓以色列的民眾得以提防自己的軟弱而設置的防波堤。順便也可以這樣認識：告誡猶太人不要塑造偶像，不要妄稱神的名字，是想讓他們認知人有順從己意去塑造偶像，依自己的私欲操縱神、和藉用神的名義的弱點，而這些誡命正是設立在對人的這些軟弱的理解上的；並且暗示，只有遵循十誡行事，始能嘗到解放的喜悅、保持自由之身，到達那應許之地。

逃出埃及之後，以色列民族所不斷謀求的「應許之地」，即「流淌奶與蜜」的迦南之地的具體情況究竟又是如何的呢？

在3,300年之後，以電影的形式再現的，即是電影《出埃及》。

電影的原著名是*Exodus*（《出埃及》），是拿掉了〈出埃及記〉The Exodus的定冠詞，因而，自然可以理解為〈出埃及記〉的假託。在日本公演時所取的名字有些不對頭。不，這可能是考慮到對舊約《聖經》的〈出埃及記〉極不熟悉的日本人觀眾而有所改取的吧。「脫出」（逃出）是無疑的，但那是「奔向榮光」的逃脫。

第三節　與一位熱血友人談話後想起的

電影《出埃及》的原名為*Exodus*。Exodus源之於希臘語翻譯的舊約《聖經》摩西五經的第二卷所冠的書名。摩西五經的第二卷，記述了摩西率領以色列人逃出埃及的情節，即「出埃及記」。exodus，一般的英語動詞則為going out，即「移居者」的離開、出國、離鄉、移居等之意。

該電影是根據1958年出版、立即成為世界超級暢銷書的利昂・尤里斯（Leon Uris）所寫小說*Exodus*（《出埃及》）[5]加以電影化的。

我的回憶是從與一位熱血友人惜別會餐開始的。那是1972年的初春季節。我用匿名R代表這位友人，而在下述對談中出現的D，則是筆者戴國煇的略稱。

5 Leon Uris *Exodus*,（Bantam Book, New York, Oct, 1959），日語譯本為犬養道子所譯。譯書名為「エクソダス（出埃及）」2冊（東京：河出書房新社，1961年5月）。

一、與R先生的交談

與辜寬敏立場相近的R先生突然打來電話，說要見面。

對於R先生的台灣獨立理念、主張，以及他盡可能快速地把獨立付諸實施的理論，戴不能贊成，但喜歡他的人格特質，現在還是喜歡。從局外看，台獨派裡頭有的只是爲了製造滯留日本的理由而參加運動，被看成只是爲了賺錢的也有、一心一意製造政治交易「資本」的等，也就是說動機未必純粹的成員好像也有。與此相比，R先生是用自己的錢，把親子之間的「情絲」切斷，而且謝絕當時得之不易的大學專任職位，志願當職業革命家。

「在你們目前的主張或理論的框架內，無論你們再怎麼努力，台灣獨立運動也不會變成革命。」戴辛辣地加以批判。又表明：「你們的『台灣民族論』是民族不存在的民族論。我認爲台灣人是實際存在的，但台灣民族是實際不存在」的意見。並對R先生所謂應趁中國大陸的原子彈、氫彈還未製造出來之前搞獨立，不然就絕望等類的台灣盡可能快速獨立論，也曾這樣反駁過他：如果獨立有其大義名分，又居住在台灣的居民中大多數人眞的渴望台灣獨立，主動追求，那麼原子彈、氫彈也不是問題。對於台灣海峽太狹窄，從地質學上來說，中國大陸的壓力即使台灣獨立了也無法頂撞回去的一般看法，R先生陳述了與當時的邱永漢大致相同的理論。美國的國家利益最終是與台灣人的利益一致，所以可得到美國的支援與保護，R先生如此主張。正經的獨立仰仗外力是無法達成的，戴強調了這一點後並給予忠告：「美國要的是台灣這個島而不是台灣人，希望不要忘記這一點。對台灣人施予仁慈的『救世主』之類的，在國際政治的權力決鬥場上是絕對不會出現的。對美國而言，台灣只是一顆『棋子』而已。因此，應該切忌對其抱有幻想。」那是1960年代的前半，美國還未開始對北越轟炸之前，當然也是文革還未有徵兆之前的事。

經過三年或四年之後再見面時，R略顯憔悴，但身軀經過鍛鍊，雖已是人到中年但肚子尚未鼓出，還保持著結實的身材。

我請他到上班地方附近的中國料理店，叫了一瓶啤酒與麵。

乾杯後他以有些落寞卻認眞的表情告訴我，他已脫離了台獨組織，以及辜寬敏歸台一事。然後以淚聲加了一句：「戴桑你比較聰明。」他沒有半句埋怨的話。他淚流滿面地說，自己已盡其所能，但最終還是不行。

R氏的眼淚所訴爲何

因爲太突然，而且是始料未及的R先生的「眼淚」，讓戴感到無限困惑與痛心，等他鎭靜下來才開口：

「原來如此，你的雙親與妹妹都還好吧？可是，你剛才說，我比較聰明⋯⋯，意思如果是說，我對相關台灣情勢分析正確，目前發展正如我所預見的在變動的話，那麼我接納你的發言；如果不是我就不能接受。世上有不負責任的風評，說我巧於鑽營，好像有人這樣評論我，我相信你不會這樣看我。和你相識15年了，我一次也沒有改變我的想法與生活信念，這個你比誰都清楚吧！變的不是我而是政治情勢。」

R君點頭表示同意，然後大口地歎氣，咬牙懊悔道：「啊！這十年間，我一直不斷地追求著試圖透過自己的手實現《出埃及》（*Exodus*，以以色列建國的艱辛軌跡爲中心思想的電影）那最高潮的夢想。見鬼！完蛋了！」

他的「淚」讓戴感到膽怯吧，戴避不再談猶太人與台灣人之差異。

想起了與戴同樣對R之人品抱有好感的——好像現在也未改變——妻子對R君的評語：「R桑是台灣的唐・吉訶德（Don Quixote）。台灣留學生界與台灣人華僑界社會的桑丘・潘沙（Sancho Panza）之類人物太多，他是珍稀的存在，我們應該私下善待他。」這是某日夫妻間的對話。

戴在思考。如果不是浪漫主義者就不會志願當職業革命家吧。不，話雖如此，爲何R君會如此這般地喜歡玩弄形式理論呢？說不定是不自覺的也未可知。由於被疏遠、不被理睬，爲了安全而透過歸屬於自閉排他的集團可以少受批評，用同夥的語言在壁上畫餅充飢吧。應該不至於如此，但讀了他們的議論，讓我禁不住有這種想像。

對於我的台灣共和國建國不可能論，R君提出猶太人的以色列建國事例加以反駁：「他們離散二千年之後終於實現了夢想，不是嗎？我們不必自己充當敗者！」

讓頭腦冷靜一下再做比較也好。

台灣人與猶太人不同

原來紀元前10世紀以前就有以色列王國的建立。我們的「台灣國」又在歷史上的哪一頁可以尋找出來呢？人們可能會把在甲午戰爭戰敗後，因爲反對「割讓」台灣，在台的官紳爲了引起國際干涉與清朝一部分勢力的救援而宣告獨立，但夭折的台灣民主共和國牽引出來也說不定。

唯一的史例是頗欠缺實體的共和國，雖然其存在不到16天，根本不值得一提，可是台獨派以「具有強烈的民族主義而成立的」共和國等來強調其在台灣史上的意義，並將之設定爲台獨運動的原點而極力宣傳。試想以永清（清朝永存之意）爲國號，擁立清朝最後的台灣巡撫（最高行政長官）唐景崧爲大總統的這種獨立宣言，再怎麼讓步也不能認爲當時已有獨自的、具有強烈的（台灣）民族主義的實體之存在……。

「戴桑，史例沒有建國之例就不能造新國的規定，在『國際法』上當然不會有吧，所以我們在努力。」數年前我們看到的R君顯得意氣軒昂，令人記憶猶新。記得當時R君一時深深地傾向於精神主義中。

查一下關於猶太人建國主體確立的具體過程應該是會有幫助的，一時想給他建議，但是不知不覺間又感受到他有可能認爲我是在擺老資格的氛圍，而把已經快說出口的話給壓下來了。

猶太復國主義、以色列建國的熱烈氣氛，每每看到在一連串的中東戰爭中以色列或海外猶太人的能量顯現之時，我們不得不回想有史以來對猶太人在人種、民族、宗教迫害的堆積之「厚」。

戴有些傲慢地將此作爲動與反動的精采辯證法美學的一個表現來看。

結合猶太人的紐帶，第一是長久的迫害與歧視的歷史，第二是作爲猶太教徒末裔的意識。讓猶太人意識自覺與持續的要因，與其說由猶太人之「內」，不如說從圍繞猶太人之外面的社會可以看出更多。沙特（J. P. Sartre）說得妙：「因爲被別人認爲是猶太人，所以就變成了猶太人。」

讓我們回過頭來思考一下我們台灣人吧。

台灣人是一塊磐石嗎？不！本來台灣人作爲一個概念而形成是最近二、三十年的事，要達到成熟的境地還需要相當長的時間[6]。

雖然顯得稍微長了一些，我把數年前的拙文再次刊載如上。傳聞，R先生仍然健在。也風聞他於幾年前也可回台灣了。可能由於我寫的與他會餐時情況的文章發表了，自那時他便斷絕了與我的來往。我認為，在考察圍繞著台灣今日的狀況時，上文的內容依然有效。我自認，為了理解本書主題的需要，尚有參考價值，故再刊如上。

儘管如此，拙著在以〈出埃及記〉為始的文章中，暴露出本人對有關古典、古代文化素養的匱乏，而在相關以色列民族「內部規範意識」的認識上，又暴露出洞察力不足的缺點。這是我深為汗顏的。

二、在電影exodus＝《出埃及》裡看到的

由保羅・紐曼（Paul Newman）主演的群眾性大場面、越獄

6 戴國煇，《台湾と台湾人》（東京：研文出版，1979年），頁25～30。〔參見《全集1・台灣與台灣人》〕

作戰及戰鬥場景以及動作，與高度緊張感及濃厚的密度，加上戀愛鏡頭的喃喃細語，對年輕時代的筆者來說，確實感到是一部傑作電影。

奧圖・普里明傑（Otto Preminger）也曾導演過諸如《桃色血案》、《大江東去》、《羅蘭祕記》等名作。作為社會派導演巨頭而知名的他，是出生於奧地利的猶太人。他懷著以猶太民族建國為中心的宏誓大願，在把這一巨大的戲劇性歷史小說電影化的過程中所表現出來的熱情，充分洋溢在畫面之上。

不論是小說還是電影，都是以實際發生的輪船Exodus號事件為題材的。正因為是這樣，全片才能充滿了逼真的現實之感。附帶說明，該事件恰恰爆發在以色列建國（1948年5月）的前一年，即1947年。

奧圖・普萊辛傑導演讓保羅・紐曼扮演的主人公阿里（原英軍軍官，猶太人地下運動的穩健派領導人），在與非猶太人系的美國人護士凱蒂（由艾娃・瑪利・賽因德〔Eva Marie Saint〕扮演）談戀愛的場面中說：「3,200年前，猶太人就住在這裡。這裡就是猶太人的我的國家。」可以認為，這充分地流露出猶太人奧圖・普萊辛傑的心情。

不只是在一眼即可眺望麥基德廢墟的丘陵上的，那種熱烈的戀愛場面所留給我的感受和印象，是極其強烈的。奧圖・普萊辛傑——導演還讓凱蒂回答說：「哪一個國家的人不都是一樣嗎？人都是一樣的。」然通過熱烈的接吻鏡頭，使二人結合了起來。這是一齣極其高明的演出。在看到一個猶太人強調自我主張之後與異教徒「和解」的場面，而感到一種被救贖的心情的，恐怕不

電影《出埃及》所取材的小說原著書影

只是筆者一個人吧。

夢想台灣獨立建國的R先生，無疑地會對片中阿里的對白產生共鳴，對於表現了面向被虐待而長期處於妻離子散境遇的猶太人的高揚的民族意識的電影《出埃及》，深受感動。筆者也是被這部電影所感動的一人。然而，當年傾心於圍繞探求台灣人的認同課題的我的目標，卻與R先生的視野存在著微妙的差異。

我是台灣客家的出身，一種原罪意識一直纏繞著我，至今依然如此。我的祖先從大陸的「原鄉」（廣東省梅縣）出來，為了討生活，侵略了台灣的「原住民」。猶太人懷有一種以巴勒斯坦為猶太祖先之地，自三千餘年前其祖先希伯來人即定居於此地的

「歷史性原住意識」。正是在這個意識上，他們蜂湧投入以色列建國運動，其氣魄是值得重視的。然而，像我們這樣的漢族系台灣人在日留學生和台灣人系「華僑」，並沒有像猶太人那種類似民族使命感的使命感意識。不加思慮地將以色列人建國所寄予的熱烈的夙願，原封不動地與依靠外力的台獨建國運動聯繫起來的那種過於簡單且武斷的理論，我是難以苟同的。我一直把這種「樂觀的獨立建國願望」，視為無非是一種幻想和夢想而一直在冷靜地加以注視。這是筆者一貫所採取的務實態度。

第四節　研究華僑・華人所獲得的啓示

1966年4月1日，筆者以日本亞洲經濟研究所（日本）的正式所員進入該所，最初承擔台灣經濟綜合研究及台灣農業研究項目，隨後，在研究東南亞「華僑」（包括華人、華僑）的事務局主持研究計畫。1969年秋，為了所裡的調查研究準備工作，到過東南亞各國及地區旅行。斯時的馬來西亞，仍然遺留著「五一三事件」（1969年5月13日，發生了馬來人對「華僑」的種族暴動事件）的後遺症，充滿了緊張感。夜晚還處於戒嚴狀態。在這四年前的1965年，印尼發生過「九三〇事件」。與該事件相關聯，印尼土著及相關當局迫害「華僑」的事件頻頻發生。

所有的社會科學研究，通常是將出發點置於先行研究的批判，我的「華僑」研究也不例外。而且研究的視野從對在日本的朝鮮及韓國人的有關問題，在海外的日僑（特別是以在美國的日裔美國人為中心）問題，猶太人問題，進而是美國的黑人問題，逐漸地擴大了當為研究工作者的比較考察之射程。

一、朝鮮人的抗日運動與〈出埃及記〉

對朝鮮半島的抗日運動，基督教人士奉獻力量之大，令人瞠目不已。當我得知在朝鮮半島的教會裡，由於期待著從日本帝國主義的隸屬的狀態中爭取解放，而盛行閱讀〈出埃及記〉一事時，令我吃驚。[7]這使我重新認識了自光復後一直到現在，韓國教會有關人士的那種堅韌不拔的反體制運動的社會基礎和歷史背景。

二、日裔美國人麥克‧正岡被崇敬為摩西

當探索在美國的日僑相關問題時，我研究到麥克‧正岡（Mike Masaoka）的事蹟。後來，他的傳記以《他們叫我摩西‧正岡》*They call me Moses Massaoka*（by Mike Masaoka with Bill Hosokawa, William Morrow and Company, New York, 1987）的書名出版時，才知道在美國的日本人社會裡也存在著摩西式的人物的形象。與以色列人或者是猶太民族社會同樣，在美國的日裔美國人社會裡，麥克‧正岡被當做凝聚民族的統合或者群體認同的領

7 鹽野和夫，《解放の出来事─出エジプト記を学ぶ─》（東京：新教出版社，1991年），頁14。另外，關於朝鮮基督教徒的反日運動，參照柳東植著，《韓国のキリスト教》（東京大學出版會，1987年），以及姜信范等著，《三一独立運動と提岩里事件》（東京：日本基督教團出版局，1989年）。

導人。我終於明白了摩西＝麥克・正岡做為領導日裔美國人克服所處逆境，率領解放運動的偉大人格高尚者而廣受尊敬[8]。

三、解放神學及〈出埃及記〉

我用心搜集有關摩西相關文獻，隨而開始精讀。當然，〈出埃及記〉也是必讀文獻之一。在這個過程中，我發現了美國普林斯頓大學的政治學教授米歇・渥爾查（Michael Walzer）所著 *Exodus and Revolution*（《出埃及（出走）和革命》[9]）。引起我讀這本書的直接性動機，是載於1985年4月19日《朝日新聞》（夕刊）的加藤周一所寫評論文章之〈夕陽妄語〉。

加藤周一寫道：

> 摩西率六十萬以色列人，從埃及出走邁向荒野，意味著從奴隸狀態的解放。這種解放，並不僅僅由奴隸狀態及其苦難而產生，而只有在摩西和神的對話中設置了一個對稱的，即給於處在奴隸狀態者以「流淌著乳和蜜的應許之地」時才成立的。這是從一個體制向著另一個體制，明確地意識到目的之後的行動。因而，確實可以視爲一種政治性革命的原型（前引書，*Exodus and Revolution*。引用者補註）。

8 參照鹽谷紘譯，《モーゼと呼ばれた男マイク・正岡》（TBSブリタニカ，1988年）。

9 Michael Walzer, *Exodus and Revolution*,（Basic Books, A Division of Harper Collins, Publishers, New York, 1985）。日本語譯本有：荒井章三譯，《出エジプトと解放の政治学》（東京：新教出版社，1987年）。

嗣後便出現在荒野的四十年，在解放即革命的過程中，物質條件很可能是比處在奴隸狀態時還要嚴酷，因而產生了想要返回到埃及去的欲望，也導致群眾對摩西的不信任。一部分人崇拜了「黃金的牛犢」偶像（意指反革命）之後，摩西不得不展開了肅清了三千人的殺戒。而且到達「應許之地」迦南時，發現了那遠遠不是流淌著乳和蜜的佳美之地。而爲了使這裡成爲流淌乳和蜜的地方，就必須重新努力奮鬥（進行革命後的建設）。[10]

四、「長征」和出埃及

讀到這裡，我想起了研究馬克斯・韋伯的專家住谷一彥教授的論文。那是文革發生後不久，住谷在日文《展望》雜誌上發表的〈長征和出埃及——「毛澤東思想」和使命預言的現代意義〉[11]。該文是筆者將他1966年7月在日內瓦召開「世界基督教徒學生同盟」（World Students of Christian Federation）中國研究會上所做報告的原稿加以修改而成的。整篇文章都充滿了文革初期「全球規模」的關心焦點義涵。我的目的，並不是想在這裡談論其內容的正確與否，而想在這裡介紹的是專門研究歐洲政治思想史的內外學者，以各自的手法，把出埃及記硬往革命事件的解釋上套的廣泛性手法。

10 加藤周一，《夕陽妄語》（東京：朝日新聞社，1987年），頁61～62。

11 住谷一彥，〈長征と出エジプト——「毛沢東思想」と使命予言の現代的意義——〉（東京：展望雜誌，1967年6月號，頁33～61）。

上述渥爾查的書告訴我們：非猶太基督教文明圈的知識界必須牢記，猶太基督教文明圈的知識界，一方面將「從壓迫中解救出來」及「奔向應許之地」的圖式比喻為「革命及解放」，一方面熟讀《聖經》中的〈出埃及記〉及有關摩西傳記的這種歷史事實。而且，中南美的「解放神學」及黑人解放運動家（包括民權運動）的人們所喜愛閱讀，並試圖運用《聖經》的章節，也同樣是〈出埃及記〉。至今仍然如此。對這一世界史的意義，我們絕不能予以輕視。

受壓迫、被虐待的人民，在不同的民族、人種間，都嚮往著「從隸屬地位解放出來」，渴望得到解放的喜悅，即渴望得到自由這一宏偉的主題，這是普遍的，也是超時代的。有關〈出埃及記〉這一雄偉事業的發生，歷史上只有一次。然而，不僅僅是猶太人，在地球上許多被虐待的人，都將自己所處境遇與以色列民族的解放事業的歷史結合起來，熟讀〈出埃及記〉，使〈出埃及記〉終於化為民間的傳承，繼續日常性地加以傳揚，目的在追求自身的解放。

五、日本人作詞・作曲的大型清唱劇《逃脫》

本書特別想在這裡介紹的，是一位有心的日本文化人所寫的大型清唱劇（*cantata*）《逃脫》。該作品是為了紀念1978年召開的東京勤勞者音樂協議會（簡稱「東京勞音」）創立25周年而作。作詞者是詩人木島始，作曲者是林光。作品的題材取自劉連仁的體驗之談。劉是第二次世界大戰即將結束時，從中國大陸被強擄來日本的中國農民中的一人。連仁從強制勞動的現場逃走，在北海道的原野隱藏了14年的經驗確實令人感到心痛不已。林光將木島所寫18章的敘事詩，譜成歷時70分鐘的合唱曲，就是上述大型清唱劇《逃脫》。

在第四次公演（1995年10月20日）之前，作詞的木島感慨無量地說：「我應該抱著把自己從製造奴隸的情境中解脫出來的思想感情來寫。我希望聽眾以純真的心情來聽這一段發生過的史實。」大型清唱劇的作曲家，擔任公演指揮的林光也說：「在歌唱悲慘的事實時，希望能通過這位中國人為生存而鬥爭的經歷，成為能夠使聽眾獲得勇氣和鼓舞的一類演出。」[12]從這大型清唱劇《逃脫》可以看到「出埃及」的影子。

第五節　司馬與李對談的影響和解讀的嘗試

司馬遼太郎與李登輝的對談成了與台灣相關的日本人士中的話題，但我也聽說一般日本人對這個對談不大明白。這可能是由

12 參照東京：《読売新聞》都內（地區信息）欄（1995年10月14日朝刊所載）。

・關於引用舊約聖書事，為避免繁瑣，沒有加註。在有關舊約《聖經》方面，特別請教了下列二位前輩，立教大學名譽教授高橋秀及立教大學教授木田獻一，在此衷心表示感謝。

・另外，重新鑑賞了《十戒》（CIC・Victor Video株式會社發賣のVideo Library）及《栄光への脱出》（ワーナー・Home・Video發賣のレーザーデイスク版）。對於電影評論，除兩部電影錄像的附錄外，還參照了《アメリカ映画作品全集》（キネマ旬報增刊4月3日號，1972年）以及猪俣勝人の《栄光への脱出》之評論，載於同人著，《世界映画名作全史（戦後篇）》（東京：社會思想社，1983年12月出版，頁369～370）。對此表示感謝。

於台灣的存在過於渺小，總是被大陸的影子所掩蓋，或者由於被大陸掩蓋而處於信息不靈通的狀態吧。

雖說這種狀態現在多少有些好轉，但日本人或者說日本輿論無視台灣和輕視台灣的狀況幾乎沒有什麼變化。這就令人不能不認為「台灣盲腸論」（即「對日本來說，小小的台灣有與沒有都無關緊要」的論調）依然潛在於時潮的暗流底層。

總之，上述對談被台灣的報紙及雜誌翻譯刊出後，台灣海峽兩岸三地（台灣、中國大陸、香港、澳門）以及海外華人、華僑社會都出現了直言不諱的議論，已見上文所述。但實際情況是，其後遺症依然殘存，餘韻至今不絕。

台灣獨立派及年過花甲之後的老人們說，李總統代我們說的甚為明確，他談到〈出埃及記〉那一段，正是寓意走上台獨建國之路，云云。外省人特別是一直反對李登輝的人們，以及強烈主張統一的台灣人集團，都與台獨派持有不同意見而持反對態度，對李進行激烈的批評。奇妙的事情是，其作為理論根據的卻是一致的。也就是說，他們認為李是假託〈出埃及記〉，搞台獨或「獨台」（即主張促使「中華民國在台灣」固定化，亦即維持現狀，實現兩個中國論）。

我很早就一直對舊約《聖經》的〈出埃及記〉、〈摩西〉以及十誡，與歐洲式思維中的契約關係的問題抱持研究上的關心。其經緯的一部分已見於前述。對李發言持贊同與不贊同態度的雙方論者，孰是孰非，另當別論，而我只是一直等待著回到舊約《聖經》的世界為討論框架的本質性議論。可能是筆者的孤陋寡聞，時至今日，我尚未看見任何有關本質性的議論。因此只有我自己來嘗試解讀了。

一、解讀的嘗試

眾所周知，在雜誌上的對談，由於對談時的氣氛，對談者或者提問者所設定的問題，以及所提供的話題情節等，往往會使談話的內容受到某一種程度的限制。因而將對談的紀錄作為分析研究的素材加以利用時，必須有慎重的考量。

暫且不談這個問題，而李登輝以〈出埃及記〉為樣板來談論台灣政局，這是值得注意的。

李是基督教信徒，李登輝自台北舊制高等學校畢業又兼有日美教育為背景的這一發言，中國人社會的有識之士，是否能站在舊約《聖經》的世界去認真而仔細地加以推敲呢？我不能不抱以懷疑的態度。從贊成與不贊成的雙方的表現看，其共同之處是，都屬於追隨現狀的現實主義的反應一類。總之，在亞洲基督教徒所占比率，只有總人口的5％。在台灣，即使將各基督教宗派加進去統計，信徒共約為50萬人。台灣的民間信仰占居主流的是佛教、道教及媽祖和城隍爺等。而且，在中國社會很少人視儒教為宗教。一般都把儒教當作人際關係之學。因而，在這種情況下，即使李總統假託〈出埃及記〉來談論台灣政治的現狀，從人口數字看，能理解其真意的人，無疑是極少數的。

二、台灣的摩西為誰？

反對者批評李登輝將自己比作摩西，筆者認為，這種批評有欠公平，不夠允當。李具有摩西式使命的覺悟，這是台灣多數居民早已知道的。熟知李登輝性格的友人們說，也不能認為他自己本身即有自負為摩西的心理。李說：「是的，我們已經出發了。從今以後，摩西和人民都會遭到千辛萬苦。」李的這一發言中所說的摩西，是指誰而說的呢？恕我放膽試著解讀吧。依我的看法，這兒所說的摩西是複數，不分本省人和外省人，指的是要從蔣介石父子的獨裁體制下解放出來，決心「逃脫」獨裁的領導階層。也許我們可以認為他所說的摩西，指的是願與李一起為確實奔向「應許之地」，即「民主、自由、均富」的境地而跟台灣住民一起打拚的領導者們。

三、授予律法的神在哪裡？

界定了摩西之後，下一個問題就是：作為召命摩西的主體——神，那唯一的神在什麼地方呢？自孔子時代以來，中國人的觀念世界裡是不存在「神」的。儒家所談者為活人的人際關係，主要是以「五倫」為主，這是歷史事實。而對神與人之間締結類似契約一類的設想，在中國人的思維中，絕對是沒有存在過的。

那麼台灣的「出埃及」的過程，即從舊的既有秩序向新秩序轉型的過程的法律秩序，會經過什麼樣的手續被創造出來的呢？

在這裡，授予十誡，即授予律法的神，不外是受台灣居民的同意所支撐的，整個台灣居民的民意的總體。李總統所常說的「存在」是一切事物前提之論，如果進一步引伸，可能意謂經由探問「存在」的根源而使人的自覺深化，從而逐漸接近於民意的形成。我認為，我們必須探索的是，我們自身該如何掌握台灣民眾人性上的脆弱性，而對我們本身的弱點，應該修築一個什麼樣的防波堤去進行防範的問題。十誡在台灣顯現，會以何種形式出現？對此，我有以下的想法。

四、創立台灣的「新十誡」

正如前文所述，十誡是人類弱點的防波堤。民眾因利己主義而來的人欲橫行，是一般的常態。人類還具有一種要恣意妄為的弱點，如果對這些弱點放置不管，就會再次淪為奴隸之境地。而好不容易得來的解放的喜悅、自由及尊嚴，又將重新陷溺於窠臼，喪失解放、尊嚴與自由。因而，經由授予民眾以十誡，設立神與民眾間的契約，使民眾的欲望即弱點從心靈上加以限制就有其必要。也可以說即是為了防止民眾重新墮落，將出埃及的最終目的——即到達應許之地的目標，設法使民眾與神一起來完成。這個契約，即是創立一種愛和信任的關係，共同奔向約定之目的地。眾所周知，處於秩序轉換期的台灣，充滿了活力，所有的人類的欲望，恰似河流奔騰，激烈的衝突到處可見，直如家常便飯那麼普遍。

再仔細研究十誡中，有關信仰的戒律及有關倫理戒律的關係，正如大家所知道的前四誡是關於信仰的戒律，而後六誡則是關於倫理的戒律。基督教徒說信仰是倫理生活的根源，又說，倫理生活產生於信仰，沒有信仰根源的倫理，是乏力的。從傳統文化來看，中國人在傳統上以無信仰的倫理實踐為理由。其倫理的培養，一直依靠儒家道德觀的教育。既然人的「內在的規範意識」涵養不易實踐時，只有依靠制定及實施現代法律來加以彌補。難怪台灣急忙要基於民意而修改《憲法》及其他法律。

自辛亥革命以來，中國人民一直以謀求建設民族國家和實現法治國家而奮鬥。海內外的中國知識分子，對台灣及大陸現在仍推行的人治（基於個人的想法恣意地推行政治）政治，而不力於實行法治（依據法律的政治），莫不予以批評。

不熟悉法律和政治的筆者，幾年以來一直有素樸的懷疑，中國人很早以前就制訂了自己的法律體系（唐之律令制度是為例），並以之營運著社會生活。進入現代社會以來，中國人也不斷地引進歐美的各種近代法律，未曾怠慢。問題可能就在於，中國人的法律意識和法治觀念。法治是「立法、執法（執行法律）、守法（遵守法律）」三者形成一個整體，順利運行，才能形成法治的社會機能而轉動。

然而，向來中國的立法者並不是由人民通過公正的選舉而產生，能代表民意的人們、掌握政治權力者幾乎都是恣意地將自己的意見，或者自己所率領的政黨的黨意擬作民意而立法。最糟糕的是，立法者一開始就把法律的執行對象或該當守法的多數平民百姓視為「群愚」加以對待。更有甚者，一開頭就將百姓視為「刁民」，制定嚴厲法律，自上而下地加以強制。擔任「執法」

的一層官僚，既沒有得當的身分地位保障，也沒有足夠的生活保障。這種狀況成了孕育官僚的腐敗和貪污的結構性根源，使惡劣官僚飛揚跋扈的作風司空見慣。這種狀況在歷史上一直持續了下來，成為迄今難以割斷貪污的政治文化傳統。因此，拉關係、賄賂、族閥行政一個勁兒地蔓延滋長。在大陸，由於共產黨的絕對權力，似乎一時得到了糾正。然而，據說推行改革和開放政策，惡劣習性又開始以猛烈的勢頭在復發。這樣一來，秉公執法成了一場夢話。

如果是立法嚴格而執行起來馬馬虎虎，要期待一般人民去遵法，那是難以做到的。因此，不論創制了多少法律和制度，亂法枉法是必然的結果。這就難以期望「立法、執法、守法」三者之間的順利運行，而這三者之間的關係，恰似兒童捏手背的玩耍一般，永遠也得不到解決。

有趣的是，台灣和大陸都一樣，對解決糾紛的思考順序，至今依然維持著舊態，繼續著「情、理、法」的順序，卻很少有人提出異議。而且，幾乎沒聽說過以現代社會常識的、法律優先的「法、理、情」來替代「情、理、法」的議論。而常常聽到的是內容空洞無味的口水屬性「沒有法治，只有人治」的非科學批評，實在是可嘆已極。

因此，要在台灣顯現「十誡」之路，不是對欲望加以抑制，而只能是期待欲望之花滿開，之後根據現代法來整頓秩序。有了秩序，始能出現理性，而不是相反。這是必須謹記於心的規律，該放在眾人心中。

李登輝希望通過直接選舉來凝聚和統合民意，正是創立與台灣現狀相適應的新十誡，即新的律法。從善意來解讀，他傾其精力意圖搞司法改革和教育改革的目的，也是一目瞭然的。請允許我不怕招致誤解的大膽發言，我想，李之所圖，恐怕就是筆者先前所說，要創造一個「立法、執法、守法」的一套體系，並順暢地加以營運。

第六節　民主化就是奔向「應許之地」的道路

一、〈出埃及記〉和《出埃及》的差異

如果以上所述的解讀可以被接受的話，那麼就不能說李登輝在（與司馬的）對談中圍繞〈出埃及記〉發言的話語是正確的。李的本意，既使指的是台灣既存政治狀況的「逃脫埃及」，也不會是對舊約《聖經》的〈出埃及記〉的假託吧。

如果李是寄寓意於〈出埃及記〉，那麼就等於說他率領漢族系台灣人到李的故鄉去復國或者搞建國運動。李的原鄉是福建省永定縣，如果從包括閩南系和客家系兩者廣泛意義的原鄉來看，那就是台灣海峽對岸的福建和廣東兩省了。這種說法對搞台獨建國運動者來說，應該是不利且不能接受的。而且，如果是這樣的話，大陸中國當局應該是大大地歡迎，而絕不會去批評李為獨台主張者。

而從形式邏輯類推，〈出埃及記〉裡的紅海即可比擬為台灣海峽。但是，台灣本島並不是台灣建國運動家所設想的，作為建國主體的、台灣人的故鄉。也就是說，不能與以色列的應許之地

迦南相比擬。從狹義解釋，他們所說的台灣人，是指本省籍閩南系漢人。從廣義解釋，也包括客家系和原住民系人，但這一點，迄今並未達到一致的共識。而且台灣人的祖先，並非是作為奴隸移居台灣的。他們進入台灣的原本目的，是對台灣原住民的侵略和原住民疆土的「開拓」。在台灣本身，歷來未有過國家的存在，當然也未曾有過國王。但歷史事實即閩南系台灣人的祖先，大多數是與明末鄭成功統治台灣時一起入台的。不管怎麼說，也不能把鄭成功父子視為明末清初的摩西吧。如果真接受鄭成功即等於摩西，那麼把蔣介石父子同樣視為摩西也並不奇怪了。不難想像，做台獨建國夢的人們的共同幻想，是將李登輝的發言無限度地納入個人的主觀願望，而在沾沾自喜。

正像渥爾查教授恰當地在其著書《出埃及和革命》中明白指出，「出埃及記」是一次性的歷史事實，但出走埃及就不同了。也就是說，可以引申理解為頻繁要求反覆的革命或改革運動的原模。而且更進一步它還具備了與人類解放思想運動，尤其是第三世界的民族主義運動相結合的普遍原理的屬性。

這樣一來，成為課題的是，作為出埃及的原模，即從受壓迫的環境中「逃亡」（出走）→「奔向荒野的使命」→「奔向應許之地的艱苦奮鬥的旅程」這種模式的台灣版要怎樣加以概括？

1.從蔣家獨裁的政治壓迫下脫離出來。詳情將在後頁議論「外來政權」時加以敘述。2.「奔向荒野的使命」在台灣的表現，可以這樣設想：如何使蔣經國死後的社會混亂局面（發生本省人對抗外省人的衝擊）鎮靜下來？可以認為，這是以台灣人領導者為中心的摩西的使命。3. 應許之地並不指謂具體地點。可以設想，這是一邊維持台灣經濟的持續發展，一邊追求和整備鋪設民主憲政的軌道的環境條件。其目的在構築一個台灣全體居民新的「生」之自我燃燒，保障應有的、平等享受「自由」條件的社會體制為目標。

我們認為，為了達到這一目標，台灣的摩西也好，台灣的居民也好，都會被迫進行相當艱苦的奮鬥。的確，反對（包括批評，下同）台獨絕不是反對台灣。而反國民黨也不能領會為反中華民國或反「中華民國在台灣」。進一步說，反中共或反中華人民共和國的政治不能算是反中國大陸，也不能說是反中國。我堅決相信，這個理論是應該可以成立的。

二、出埃及即是台灣民主化

李登輝時代的台灣民主化，到1996年1月的現在，已經逐步地進入最後的一個階段。

李登輝自1995年春初，即密集地陳述自己的政治哲學。其口號從「經營大台灣、建立新中原」開始，直到最近的「經營大台灣、復興新中國」（1995年的雙十「國慶」節演說），又有所展開。他在與司馬遼太郎對談時表明態度說：「是的，我們已經出發了。摩西也好，人民也好，從現在開始，就要接受很大考驗了。總之，總算是出發了。」如果把這段話與原先我所做的一系列解讀聯繫起來考慮，台灣政局的現狀認識，以及對今後的展望，也許會出現某種程度的透明化。我期待能對讀者諸賢提供一定的參考。然而，李所設想的所謂最後的應許之地在何處，他所指的是什麼？筆者預期，這一點在1996年的夏季之前將會更加清楚起來。這種看法不知是否得當？有待觀察。

三、詳讀〈出埃及記〉和〈摩西〉之必要

舊約《聖經》，特別是關於摩西五經，現今仍然被人們所愛讀。但我們不能將〈出埃及記〉和〈摩西〉關閉在《聖經》這一狹窄的世界之中去理解。

〈出埃及記〉是西歐思想中改革與革命的原模性書籍。長期以來，摩西被比擬為理想的革命家之「鼻祖」。

在台灣的反體制運動以及民主化運動中那種「悲情的狀態」，以及悒積起來的憤怒的爆發時期，正在逐步過去。在所有的領域裡，我們在反覆地進行踏踏實實的、豐富多彩的實踐。與此相對應，在理論方面創造卓有成效的立足點，已成為我們當前的緊急性課題。我企望能確認此一現實，並作為自覺的原動力。再者，本書所指出的問題及所提示的新思維典範（paradigm）能提供給社會諸賢，作為正面性刺激劑加以靈活運用，是筆者所熱烈期待的。

第六章　「寧靜的革命」在前進

第一節　地方首長統一選舉所顯示的

台灣的民主化過程，即寧靜的改革——或被稱「寧靜的革命」，已經進入近於完成的階段，而當前正處於「熱騰騰的政治季節」之中。自1995年末到1996年春季，在台灣進行了中央民意代表（立法委員、國民代表）的選舉和總統的直接選舉。而且，將能在1997年7月1日看到香港「回歸」中國的實現。

最近，日本大眾傳播機構對台灣的報導，玉石混雜的事例頗多，令人擔心。追趕時髦對新聞界展開批評及進行評論，並非我的本意。在日本有關台灣的信息量一貫不足的情況下，對增加的信息報導只能表示感謝，而哪好意思隨興加以非難。

然而「海峽兩岸三地關係」的展開，對於日本的走向，以及亞洲的和平問題將繼續發生深刻的關係，因而希望有關報導能持平、客觀而正確。「海峽兩岸三地關係」是指相隔海峽的台灣、大陸和港、澳三者間有機性各種關係。

一、淺薄的日本台灣報導

1987年7月15日，保持全世界時間最長紀錄的台灣戒嚴令終於解除。在野黨的組織、言論自由的保障、政治犯的釋放等，也是在解嚴的前後發生。伴隨著自由化，一切欲望都洋溢於街頭巷尾，蔣家威權政權秩序破裂開來了。隨著威權政權體制的解體，繼而人們各種欲望如噴泉湧出。這可能是戒嚴令長期繼續下來所引發的反動。而且參加政治社會活動的欲望，較之其他欲望以更加突出的形式展現出來。

總地來看，台灣的選舉有些熱過了頭，鬧哄哄地一片。台灣的市民很會做買賣，又特別愛看「戲」。而十分熱衷參加政治社會活動的欲望，與一般庶民擅長生意經與戲迷的那種愛「起哄」的秉性結合在一起，選舉的投票前後，就產生了異乎尋常社會的熱呼的氛圍。

日本記者和學者在現場體會了這股熱勁，看見了最大在野黨民進黨得票率竟上升到41.3％（1993年的縣長、市長選舉）為有力在野政黨已然成形而興奮不已。言論的自由有了保障，批評和打倒國民黨的文章已不再被禁止，報章刊物中充滿了批評政府的內容。逃亡美國和日本等地的反體制運動者——其中也有搞台灣獨立運動的有關人員回到台灣、或在台灣開始定居的。他們衣錦還鄉，巡迴演說，好不熱鬧。

然而，歡迎他們的那種激情，卻不知為何維持不了多久，只是曇花一現。老一代的台獨運動家多數善於使用日本語，由於與日本的記者和研究者沒有語言障礙，因而日本有關人士容易與他們接近。

記得是1994年12月2日正午左右，東京的電視公司打來了電話，說要我於翌日上午十時去電視公司，出席關於台灣地方首長統一選舉的「特別節目」。12月3日是投票日，雖說是當天開箱點票，但與日本有一個小時的時差，上午十時就等於是當地時間的九時，是開始投票的一個小時之後。我發出質問說：「既然知道當選的趨勢是日本時間的下午八時以後，在上午的『特別節目』中談什麼呢？……」對方說：「我們已經拍攝了台灣選舉活動的錄像帶。」我說：「錄像帶是可以有畫面的。但選舉結果沒出來，做『特別節目』是沒有意義的。希望你們重新商量一下再與我聯繫。明晚八點以後我在家裡等待你們的聯繫。」說完，我掛斷了電話。正如所料，因為選舉並沒有發生什麼大事，我也就沒接到電視公司的第二次聯繫電話。

日本人記者也許觀察了選舉時的激情（台灣式中國話的「政治秀」，即政治表演）和選舉運動的情況，就興奮起來了。他們也可能是感覺到那一邊的民進黨候選人陳定南（已落選）所宣傳的「變天」（變革政治體制，即台灣獨立建國）很有可能，因而想做「搶先報導」，意圖特意安排了一次「特別節目」的吧。但，不論對「政治秀」演出的實情，還是部分實質情況，我都沒見到日本人有真正的背景分析報導。

二、陳水扁的高招

12月4日晨，我買了（日本）全國性報紙，將有關台灣選舉的報導統統瀏覽了一遍。除了《讀賣新聞》登載「台北第一次出現了在野黨的市長」的報導之外，各報都耀眼地登載了「台灣獨立派當選了台北市長」的大標題。原先的日本新聞報導界，除選舉報導之外，很少登載台灣有關消息。此類標題很可能迷惑讀者，實在夠糟的事。

當選為台北市長的陳水扁，是民進黨黨員，但並不是該黨的中央常務委員。民進黨的綱領確實有「台灣獨立」的一項，但不能說民進黨即是台獨黨，陳市長還不算是堅定的台獨基本教義派。民進黨內派系很多，也存在意識形態方面的差異及不同主張。他們只是一夥反國民黨和反體制的、鬆散的集團。有趣的是，他們雖然喊著反國民黨、反體制，但作為國民黨的主席而又是總統的李登輝，卻又不包括在他們反對的對象之內。台灣的報導界很久以來即稱此類感情為「李登輝情結」。「情結」二字是精神分析用語complex的譯語。因此，所謂李登輝情結應該是指對李登輝抱著「不便下手」的心情吧。但這通常在觀念上是正面意思為多。而即便我們不能期待日本記者能夠分析這種複雜的、台灣本省庶民的感情和群體心性，至少也很希望他們能做些一般性的報導。

在選舉運動期間，陳水扁遭到國民黨黃大洲候選人（現職市長），以及1993年8月10日在國民黨分裂出來而創立「新黨」的趙少康候選人夾攻，被迫對台獨問題表態。陳先生一邊在「統獨爭論」之間巧妙地躲閃，一邊將因遭交通事故致殘而坐輪椅的夫人吳淑珍推到前台，以「實現快樂和希望的市政」為訴求而當選。最後的結果是，陳獲61萬票，趙獲42萬票，黃獲36萬票。

從這些數字可以看出，民進黨並不占據絕對性優勢。可以認為，由於國民黨的分裂，阿扁占了漁翁得利的地位。至今不曾看過日本人把這一情況介紹或分析的報導。

陳新市長上台後所做的，大刀闊斧地改變相關幹部的人事任命，較其選舉運動時的新鮮勁頭還要令民進黨有關人員驚奇。第一副市長（負責政務）為外省人的陳師孟，是台灣大學經濟系教授；祕書長為客家人的廖正井（選前時便是現任台北市財政局長，國民黨的菁英，也是新任總統府祕書長吳伯雄直系人物）；擔任第二副市長職位，負責總務的，是白秀雄（現職的內政部社會局長，也是國民黨的菁英）等，他推行了不拘泥於黨派、省籍的唯材錄用。對陳市長的實用主義人事拔擢措施，即使是民進黨也很少有人提出異議。從日本文化人的感覺來看，是一種難以想像的台灣式實用主義手法。

筆者自1994年末至新年休假期間回到了台灣。我拜訪了老友Y先生，暢談了有關政局問題。Y是湖南省出身的老練記者。由於他是自由主義者，在朝野的上層人物交遊頗廣，又是一位可以廣泛討論內外形勢的資深記者之一。Y說：

> 戴先生是專攻近現代史的，很不容易啊！中國的近現代史充滿了啞謎，只追究表層事物是無法理解的。例如，對宋慶齡三姐妹和宋子文與國共雙方關係，可有眞正了解的人嗎？前些日子《TIME》登載說喬石是陳布雷姪女的丈夫。也就是說，現在台北市的副市長陳師孟就應該稱喬石爲姑丈……。

陳布雷已故去，是蔣介石的親信。喬石是現任中國全國人民代表大會常務委員長（1994年時），人稱其是後鄧小平的一匹黑馬。

三、渡過了冰河期

台灣形勢在動盪。寧靜的改革也在紮紮實實地，一步一步地向前邁進。多多少少的風波曲折是不可避免的。表面上出現的政治情景是複雜的，而政客的發言也常常帶有「模稜兩可」的部分。然而，這種風貌將經由調整並與「地底下的能量」結合、即以集體心性為基礎的居民感情凝聚在一起型塑民意主流，再產生出新的政治風貌來。

日本的新聞記者和研究者對什麼是這「地底下的能量」應該做深入的考察。他們應該充分地抓住歷史的脈動，掌握其動態，而後再下筆寫報導和文章。那種單憑印象的報導，僅僅想當然、或者信心百倍地認為自己是在支持正義的那種投入感情的報導和小文章，還是免了好些。

生於日本統治下的台灣，今年就要迎來旅居日本第40年的筆者，不知不覺地變成了能通兩國語言和兩國文化一類的人士。與日本大眾傳播界的讀者和作者，接受訊息的人士和發出訊息的人士，雙方都有過交往，此種交誼自然也有40年的累積了。然而，我與台灣新聞報導界的交往，卻只有10年。理由很簡單，由於言論的自由受限制，台灣的大眾傳播界不能為筆者提供所渴望需求的新聞，而且筆者在日本出版的書籍，直至1985年幾乎都被列為禁書。因此，作為筆者和發稿人的我，在台灣沒有發表文章的舞台。

1985年以後，台灣當局需要應付1970年代中期以來相繼發生的政治事件，以及與此相連鎖而興起的一系列反體制運動。不管是願意還是不願意，國民黨不得不緩和對政治的高壓政策。而促進台灣「政治冰河期」的解凍和社會形勢的變化，有兩大因素：一是國際環境的激變；另一是台灣經濟的高速成長和中產階級的大幅度增厚。

眾所周知，以1971年的乒乓外交（美國乒乓球隊訪問中國大陸）為契機，中美（大陸與美國，下同）關係走向好轉。同年7月9日，美國總統助理國務卿季辛吉祕密訪問中國，同月15日公開發表美總統尼克森決定訪問中國的消息，世界為之震驚。10月25日中華人民共和國進入聯合國，國民政府台灣退出聯合國。翌年1972年2月21日尼克森訪問中國，同月27日在上海發表《上海公報》。同年9月29日中日建立邦交，而國府台灣則以對日斷交回應。這些變化的結果，成為台灣國際形勢機制的大框架，一直持續到今日。

四、躍進的表與裡

被迫而陷於孤立的國府台灣當局，直接遭到了中央遷入台灣避難以來未曾有過的危機。蔣介石於1972年3月21日當選為第五任總統，決心繼續執政。蔣將其子蔣經國任命為行政院院長，並且進行了大幅度提拔本省籍年輕人才，作了嶄新的政、官界人事安排。這是為了進一步補強並鞏固蔣家治台體制而所作的。人們記得，現在的李登輝總統從學術界被提拔出來而跨入政界（行政院政務委員，相當於日本的無任所大臣），就是在這個時候。

一躍而出現在表面政治舞台的蔣經國，繼選拔台灣年輕的優秀人才之後，又大肆宣傳自1973年會計年度到1978年會計年度所實施的、總額高達50億美元的「十大建設計畫」。

直至近幾年，以個性耿介的經濟學家而聞名的王作榮教授（湖北省出身。自50年代即參與策劃制定經濟政策的台灣大學教授、《工商時報》總主筆，現考試院考選部長）曾在回顧時說，十大建設計畫等並不是一開始就存在的。為了大肆宣傳蔣經國內閣的成立，國民黨把正在實施的諸計畫與策劃中的計畫加在一起，正好是十個項目。他們認為這正好是個宣傳的良機，便敲鑼打鼓地把聲勢炒熱了應景。

對國民政府一直抱著不信任感的台灣住民，目擊實施南北貫通的高速公路和桃園國際機場的大規模新建設之後，才有了蔣經國不會選擇「逃亡」國外之路，而會留在台灣繼續奮鬥的實感。在此之前，一般人尤其是本省人，都謠傳從蔣家官邸有一條地道通向松山機場，甚至還傳說，一旦有事，蔣家全家肯定會從地道去趕飛機逃亡外國。

十大建設計畫暨其實施，真正是政治經濟學和社會經濟學合為一，實實在在的展現。十大建設的實施及實現的嘗試，對過渡時期台灣社會特有的不穩定，發揮了鎮痛安定劑的效果。

五、「國王的新衣」被解體

進入1985年的暑假，拙著在台灣逐漸被解除禁令，我雖然多少感到些許的危懼，但已經能夠與台灣之間進行來往了。有一天晚上，應台灣的大報《聯合報》的資深記者朋友們邀請，共席而坐，閒聊了起來。有一位說，他們當中的多數人將中國大陸進入聯合國、美中接近和中日建立邦交等的變化，看成中華民國或者台灣遭到美、日的遺棄而有一種受害者的感觸。

筆者卻強調了不同的看法。我說如果光從表面觀察，自1971年到1973年圍繞著台灣的國際形勢變化，似乎可以看到國府台灣被美、日為首的舊友好國家出賣了。理所當然，一般知識分子無疑，亦會被受害者意識所困擾。

然而，如果稍微轉變觀察的角度一下，也許能有另一種不同的看法。即，抓住自己是代表包括大陸在內的全中國唯一政權這一虛構而不肯放的國府台灣，只不過是一個「沒穿衣服的皇帝」（國王的新衣）而已。乘著來自國際關係競爭場域上的「外力」，情勢的變化把國府台灣的虛構代為解體了。

若要以自己的力量來揭穿自己，進行自我解體，這對一個獨裁政權來說，是很不容易的。不，甚至可以說是不可能的。現在想起來，既然當個自欺的不穿衣服的皇帝不可能繼續生存下去，那麼在傷勢不重的情況下使那虛構解體，這對國府台灣來說，反而是一件好事啊！因為從結果看，不管願不願意，國府台灣都會被迫及早抓住這個「新生」的契機。如果說試圖抓住這個「新生」的契機，展開新政策的，正是這個蔣經國內閣，當非過言。

從美、日當局方面的角度所見又如何呢？1949年新中國誕生，第二年的6月，即爆發了朝鮮戰爭。以此為契機，世界規模性冷戰結構在東亞，開始了新的發展，並日益走向固定化的道路。美國從開展遠東政策的需要上考慮，支持國府台灣的政策明確化了。而美國為了保護，打著代表全中國唯一政權為中華民國這塊招牌的「國王的新衣」，在軍事方面，派遣第七艦隊巡弋於台灣海峽。美國可能認為這種措施尚不夠充分，遂於1951年9月8日簽署了《舊金山和約》及《美日安保條約》（於翌年4月28日生效）。與此相配套，又迫使日本簽署《中日和平條約》。《舊金山和約》與《美日安保條約》的生效日期，恰好與《中日和平條約》簽署之日為同一日，即1952年4月28日。這絕不是偶然的一致。不可否認，這是日本當局受GHQ（盟軍總司令部，General Head Quarters）控制而又忙於戰爭災難重建的情況下，急急忙忙做出選擇的結果。

六、與中國大陸建交的競賽

如果這樣看，就可以明白田中角榮為何趕搭美國對中國和解的巴士車，急於和中國建立邦交。日本人當然不是由於喜歡中國共產黨和毛澤東而接近中國的。應該看到他們是為了延長自己政權及資本主義的壽命，為了日本國的前途，要從《中日和平條約》的大框架中擺脫出來，才與中國建立邦交的。已經成為經濟大國的日本，為了自主地謀求進一步的「獨立」，無論如何也必須與中國建立邦交，並藉此為槓桿而加以運用巨大的大陸市場。

1972年9月29日在北京簽署了建交公報之後，隨田中訪問中國代表團的大平正芳外相發表聲明說：「《中日和平條約》已失掉繼續存在的意義而結束了。」不難想像，當時國府的台灣有關人員肯定是怒火攻心，感到無限悲痛的。然而，如果加以冷靜地觀察，日本當局是站在與台灣居民完全不同的感受和立場上考慮和處理問題的。換句話來說，大平正芳的發言無非是說明，日本已經不再想繼續去當「國王的新衣」這一齣戲的配角了。

扮演主角的美國的意圖就更加清楚了。要打中國牌就得揭穿「國王的新衣」。運用這張中國牌，美國可以堂而皇之地從越南戰爭中撤退，可以挽回對蘇談判中所處的劣勢地位而轉為均勢乃至優勢。這就是美國的主要企圖。而且美國也在推測，當前受日本和西德的兩國經濟之擠壓，美元不穩，為恢復嚴重空洞化的本國經濟，如果順利，則可以利用中國大陸巨大的市場。

總之，為了揭穿「國王的新衣」，美國使出了「國王的新衣」的「絕招」。隨著日中交流和美中交流的日益興盛，另一套「國王的新衣」的存在明顯化了，那就是大陸中國。由於毛澤東的逝世以及四人幫的被捕，中華人民共和國雖然未曾解體，但其真正的面貌終於顯露了出來。台灣海峽將會更加平靜。從結果來看，對台灣經濟的發展卻起了正面推動的作用。

七、反映台灣現狀的一面鏡子

1994年的地方首長統一選舉的結果，使得一直朦朧不透明的部分情況變得清楚了。

1. 事實證明，即使像競選台灣省長那種大選舉區，外省人候選人從人口比例看雖是少數派也有可能當選。國民黨地道的外省人菁英宋楚瑜以150萬票的巨大差距，戰勝了民進黨的本省籍候選人陳定南，即為一例。

2. 台獨建國觀念型態的口號已經失效了。具體例子之一是，作為本省人的民進黨省長候選人落了選。這位候選人，雖然大聲呼喊「變天」、「台灣四百年來第一戰」，卻終於吃了大敗仗。另外一位本省人民進黨籍台北市市長候選人陳水扁，閉口不談「台獨」反而當選了。

3. 隨著民主化的進展，選民們變得成熟多了。他們對李登輝的國民黨和蔣介石父子的國民黨，即使是打著同樣的招牌，也能辨認其中微妙的不同點。本省系的選民也逐漸能夠判斷出，李總統系統的外省人以及支持李的外省人，與舊擁蔣家獨裁專政的外省人有所不同。或者已認識到，外省人士中又有採取與既往不同的政治行動的人士在。

4. 「新黨」此次打出獨自的招牌進行初選。雖然在首長選舉中失敗，但在地方議員選舉中獲得省議會兩席，台北市議會11席，高雄市議會兩席，總得票率6.9％，占據了在野黨的一角，出現了近乎三黨鼎立的新局面。

5. 民進黨的得票率從上次選舉（1993年的縣長、市長選舉）的41.03％降到35.55％。民進黨內部出現了要求修正《台獨黨綱》的議論。可以認為，這是台灣人實用主義走向的一種表現。

6. 國民黨保持了台灣省長和高雄市長的席位。特別是外省人的宋得以當選為省長，是意義重大的。在相當一個時期內可以避免國民黨再次遭受分裂的危機，因而李總統的領導地位可能更鞏固。

7. 以「如果想搞台灣獨立等而得意忘形，中國就要在1995年打進來了！」為主題的書《一九九五年閏八月》，極為暢銷。然而，據消息人士判斷，此書在推進民主化路線上不僅不會起消極負面作用，反而會起推動作用。總之，人們會通過此書開始能夠對自己的生活者意識也就是「生活的意向」和「穩定志向」作出自我確認了。

八、沒有結果的二元論

李登輝總統於1994年底，乘勢呼籲國民黨進行自我改革，同時表明了「反共不反華」、「反獨不反台」（反共不等於反中國，反台獨不意味著反台灣）的見解。1995年1月提出了「經營大台灣、建立新中原」的新概念。「大台灣」包括金門、馬祖，從居民的角度看，暗示著超越台灣人（一般僅指閩南系人），而包容客家人、原住民、外省人等四大族群的新台灣人。「中原」本是中華文化的發祥地。所以將台灣建設成「新中原」的呼籲，可以理解為李登輝提出了把台灣建設得更加出色，以便帶領全中國。或者藉以給中國新的刺激，使全中國有一個前進的大方向。

李總統於2月3日提出，對江澤民中國國家主席的八點建議須予以重視，並指示要進行研究。同月28日出席了「二二八（事件）紀念碑」落成紀念典禮，對當年當局所犯的過錯公開道歉，同時強調了台灣內部民族和睦的重要性，還強烈地訴求共同攜手向未來邁進。

如上所述，一向只能看到民進黨對國民黨，本省人對外省人這種雙元對立的構圖，已經是難以解釋和體會台灣政局的潛在性動力了。我期待凡有心的日本人，能夠冷靜地，把考察對象的台灣拉開一定的距離，客觀地正視台灣正在進行著的這一場寧靜悄悄的改革。

第二節　二二八紀念碑的落成和謝罪演說

一、紀念碑的建立

以1987年7月15日零時為期，台灣解除了戒嚴令。此一戒嚴令，由於是世界上期限最長的戒嚴令而惡名昭著。戒嚴令是始於1949年5月20日，比國府中央避難台灣的1949年12月底還要早半年。

雖說戒嚴令已經解除了，但人們仍然心有餘悸，謹慎地觀望著情況。因為當時超強人大特務頭子蔣經國雖在臥病，但還健在。情治機關因做了一些蠢事而喪失了威信，士氣大為低落。

從火燒島即綠島的流放地歸來的原政治犯們判斷，老闆（蔣經國）死了，但新的老闆（李登輝）上了台。儘管如此，公司則是依然如故，還是以小心相對為妙，相互之間仍然是壓低聲量小心地會話[1]。

在此之前二二八事件一直被視為禁忌。在台灣內部，如果要把二二八事件作為話題或研究對象，不冒坐牢之險，是不可能的。由於李登輝就任了總統，言論的自由有了進展。不久，圍繞二二八事件的話題和集會沸騰起來了。坦率地說，在台灣，真心誠意地關心二二八事件歷史事實的人並不多。最多只有被害者的遺族和一小部分研究人員熱心地追究事件的真相。

另外，在台灣能開始自由而全面地參加政治活動的時日尚淺。因此，參與反體制運動者以及將來想要在政界發展的政客「新星」們，有必要製造話題，提高自己的知名度。而二二八事件越是禁忌，就越能成為有效的政治話題以及集會的好題材。

於是，在選舉中獲勝的在野黨的民進黨黨員，或者是在野黨色彩濃厚的無黨派地方首腦，在各地競相舉行二二八事件的紀念集會或紀念相關工作。因為以二二八為話題時，人們就會聚集了起來。二二八的禁忌刺激了人們的好奇心，人們要求有一個發洩長年被壓抑怨恨的機會。反體制方面人士並沒有放棄這種機會。在紀念工作中，他們提出了建立紀念碑和紀念館等的活動。在台灣中部著名的北迴歸線通過的嘉義市建立了第一座二二八紀念碑，是1989年8月19日的事[2]。

自從1955年秋季到日本之後，筆者就一直搜集二二八事件有

1 1980年代初，暗殺事件連接不斷。一般人認為下手的人可能是與情報機關有關的人士。或者是由那些人士們牽線所幹的惡行。參照前舉拙著《台湾》（日文版），頁183。

2 參照二二八和平促進會編，《走出二二八的陰影——二二八和平日促進運動實錄（1987～1990）》（台北：二二八和平日促進會，1991年2月）。

關的文獻和資料。本書第三章的第一節已述。我因為不忍目睹有關二二八事件的激情氾濫之弊，遂在《中國時報》寫了一篇文章，披露了個人批評性的意見[3]。我不敢隨俗害理，單槍匹馬向那些世俗的政治現實主義者提出了質疑。我以長年的研究工作經驗指出值得展出的有關文物是很不容易找到的。因而我寫道：開設「二二八紀念館」既是一種浪費，也無太多的意義。我亦認為，建立紀念碑是有意義的，但並不需要到處建。紀念碑是現代的一種圖騰，如果到處都建碑，就等於沒有建，意義就會沖淡，也只徒然增加社會成本而已。我尖銳地指出這完全是一種「社會性浪費」。不知是否由於我的小文，開設紀念館及建立紀念碑的熱潮已見降溫許多。

政治本來就是一種「祭典」。以國家規模舉行的「國家禮典」（national pageant），不論是現代以後的或者是以前的時代，其本質幾乎沒有什麼變化。不同的只是電視機等的出現，使國家級別禮典可以通過電子媒體影響深遠，速度快捷，規模無以倫比。

如前所述，「二二八事件」是台灣戰後史的一種悲劇性的政治事件。台灣的反體制運動，尤其是台獨運動，利用這一事件開始加強了勢頭。圍繞著統獨爭論，二二八事件愈來愈被沸沸揚揚地提到政治舞台上。因此，在謀求台灣政治的新出發點和如何飛躍等課題時，要求對二二八進行一定的政治解決和恢復有關人士

3 拙文，日後題為「建碑風尚的光彩與陷阱」（〈圍繞建立紀念碑的流行之光與陰〉）一文，選錄於本人與葉芸芸共著的《愛憎二二八》一書之中（台北：遠流，1992年2月），頁369～379。〔參見《全集》3〕

的名譽，作為消除怨恨和悲情等後遺症，是無可非議的。

在台北，位於總統府旁邊的台北新公園，耗時兩年，投下新台幣7,000萬元，於1995年2月28日豎立了高達24公尺的宏大紀念碑。

二、圍繞著二二八的國家禮典

在台灣，關於對「二二八事件」這一悲劇的記憶，可分為「社會的記憶」和「社會性記憶」兩種來分析。潛在於二二八事件深層的本質性的東西，是以光復為中心的回歸「手續」，即在面向回歸祖國的「起始禮典」（initiation），過程發生了摩擦，發展成為暴動。暴動必然招致鎮壓，而回歸祖國的起始禮典便全面受挫。這挫折使台灣人，特別使事件的主要被害者的中、上階層的人們生出怨恨。繼二二八事件之後，由於所推行的「白色恐怖」政策和長期戒嚴令的壓抑，人們失去了言論自由。直到經濟成長、政策步入軌道，人們除了忍氣吞聲之外，別無他途。憤恨成了怨念長期持續下來的悒結，進一步加深了怨念。在社會性記憶中，又加上了臆測和疑心，於是對國府和外省人的不信任感，被無數倍地增幅並誇大化，另有一部分則由怨念成為憎恨而淤滯於社會的底層。

按道理，被扭曲的社會性記憶是可以通過屬於社會的記憶（有關資料及報導）的公開，以及學術研究的擴大及深化，並經過學術性自由討論而得到糾正的。被誇大的虛構，隨著時間的推移，就會像多餘的東西那樣被排掉沖洗的，這是通常社會的一般情況。然而，台灣的戰後史卻沒有按照這種規律發展。這是因為蔣家政權的軍事獨裁統治已長達40年，怨恨不僅沒能昇華，甚至還出現了固定化傾向。

如何解決二二八事件？成為李登輝新出發政權的緊急性政治課題。

二二八的禁忌，相應於民主化的步調而破解。開放二二八事件的社會記憶，在行政院正式成立（1991年1月18日）「二二八事件特別小組」及「二二八事件研究小組」。

在行政院成立兩種並行的小組的政治手法是富有象徵性的。更有趣的是，該小組是在郝柏村軍人內閣（1990年6月1日）產生半年後成立的，其意義絕不能忽視。究明二二八事件真相的初步大前提，是將軍方、情治機關當局所控制的相關「資料」予以公開。由於軍方實力人物郝柏村的組閣，總算是越過了第一個障礙。雖然還會有別的一些虛虛實實的討價還價，但從形式上看，以研究為前提的條件總算是有了。在小組成立之際，行政院答應要在1992年2月18日之前公布研究報告。同時，新聞局長邵玉銘代表郝柏村行政院長發表談話：「政府會直接處理二二八事件，絕不迴避（解釋真相的責任）」。

保持認真而冷靜態度的政局觀察家及有識之士，看了兩個小組的成員名單而莫不苦笑。他們發現，當局的意圖是，把這一切當作穩定政局之方策的一環，以尋求政治解決為第一優先，所以期待研究小組解明「真相」是強人所難了[4]。但這又對解除當時

4 報告按預定發表後，又正式出版。二二八事件研究小組著，《二二八事件研究報告》（台北：時報文化，1994年2月）。

僵硬的政治氣氛，是能有一定影響的。那就放它一馬，不予深責吧。曾幾何時，社會上出現了類似這樣的一致看法。我對台灣打的這種實用主義者的功利主義算盤，只能表示欽佩但並非心服。這也是，我把本節作為「寧靜革命」的一環編入本書的理由之一。

1995年2月28日上午9時55分，在嚴肅的氣氛中，二二八紀念碑揭幕式開始。國府的首腦們全員參加。剛剛當選為台北市長的民進黨籍陳水扁也被邀到場。面對包括200名因事變遭難的有關人員遺族代表約三百名與會者，李總統進行謝罪演說。當然，電視節目現場轉播了整個過程，形成了圍繞二二八（事件）的國家禮典的高潮。

台灣人總統對「二二八事件」如何進行總結呢？李登輝總統想怎樣從內部來探索一條創造台灣新政治的道路、即怎樣構築主體性呢？在談及這一課題時，就必須介紹並解讀李總統的謝罪講話了，以下則是筆者所試行的解讀。

三、李登輝總統對二二八事件的謝罪講話

李總統的講話一開始就說：

各位家屬、各位貴賓、各位女士、各位先生：

朝野期盼的二二八紀念碑在今天落成了，登輝內心的感受難以言宣。將近半個世紀以來，深印在國人心中的那道傷痕與烙印，終於得以平撫，實在值得欣慰。這座匯聚民間和政府眾多

善良心靈而成的紀念碑，激發我們面對歷史的勇氣，啓示我們面對歷史的智慧，提醒我們不再重蹈歷史的錯誤，同時也象徵著我們告別歷史悲情的堅定決心。

接著他即以二二八事件經驗者的個人立場吐露了內心的感情。說：

登輝曾經親身經歷二二八事件，多年以來，始終爲這件可以不發生卻終於發生、可以免於擴大而終於不免擴大的歷史悲劇，感到萬分哀痛。

李總統的知己而又是同一代人都知道，當年如果李登輝走錯了一步，也可以被供奉在被害者祭壇上的整個經緯。正因為如此，他們對李登輝這一段個人心情的表露，有廣泛的共鳴，同感心疼。

接著，李登輝以國家元首的公的立場表達謝罪。他說：

這件不幸事件斲喪了許多社會的菁英，蹂躪許多生命的尊嚴，阻隔人民與政府的親和，壓抑人民對國事的關懷，延緩社會的進步，國家的整體損失難以估計。今天，罹難者家屬和子孫能親眼看到這座彰顯歷史公義，啓示族群融合的二二八紀念碑矗立在寶島的土地上，親耳聽到登輝以國家公僕的身分，承擔政府所犯的過錯，並道出深摯的歉意，相信各位必能秉持寬恕的胸懷，化戾爲祥和，溫潤全國人民的心靈。只可惜部分受難家屬，已離開人世，沒來得及看到這座紀念碑的完成，令人深感遺憾。

李總統作為國府台灣的最高領導者，這樣表明了公開方式的謝罪立場。

四、國家禮典展示的義涵

不難想像，在表明謝罪時，李登輝的思緒充滿了複雜而苦澀感情。如果說這是命運跟他開的玩笑，那確實是太巧了。本來應該是處於二二八事件的被害者、或者說應該站在被害者立場的一人，轉而不得不站在加害者立場來賠禮道歉。擔任後繼總統之後，又一次經大選上台的李登輝，目前已經坐上了繼承國府在台灣的政權的巔峰。李在謝罪之後，理所當然應該做的是展示謝罪後的處理方針。因為既然這是國家禮典之一，為了推進新的住民統合與和解的政治目的，等待他的課題是如何積極地動員一般參加統合工作。

李的講話在繼續進行。他如下表達了他的問題意識：

政府是爲人民而存在的，要爲人民創造可以安居樂業的環境，提供人民得以發揮長才的機會，以達到老者能安，壯者能用，少者能懷的境界。目前，我們國家在民主化、自由化的轉型中，正朝著理想的境界一步步前進。然而，不容諱言，我們也有歷史殘留的包袱，等待朝野共同發揮智慧，合理疏解。登輝認爲，一個負責的政治人物，必須坦然面對歷史事實，勇於承擔歷史責任。

今天這些紀念碑的落成，正顯示我們面對歷史的誠實態度，也顯示我們有勇氣、有信心，攜手走出陰霾的過去，迎向光明的未來。但是，我們也不能只以建造這座紀念碑爲滿足，歷史眞相的公開、受難者的國家補償、紀念日的設立，以及國人心靈的重建和人格尊嚴教育的推動，都有待我們在近期內一一展開，逐步實現。此外，若尚有考慮不周之處，也盼各界賢達不吝賜教。

五、克服過去以及對於重新起步的建議

在講話的總結中，李總統以紀念碑的落成為契機，宣言要從歷史的悲情中超脫出來。然而，脫離了歷史的悲情之後還能做些什麼呢？人們應該立於何種座標軸（場域）做些什麼呢？對此，李氏要重新與全島居民共同研究，也提出了建議。他說：

這座紀念碑不但是歷史悲情的終結，國人心靈淨化與人格尊嚴的提升，也是我們國家步入嶄新階段的里程碑。今後我們還有更艱鉅的任務：我們要更加發揚鄉土文化，激發國人對這塊土地的認同與熱愛；我們要投注更多的心力推動司法與教育改革，使法治精神與民主政治緊密結合，建設人盡其才的現代化社會；我們也要倍加珍惜我們的家園，保護我們的生活環境，成爲人間淨土；我們更要透過各項學術研究與文化活動的推

展，促進族群融合，凝聚同舟共一命的共識。這些工作對我們社會未來的發展，影響深遠，登輝懇請社會各界共同參與，一起爲後世子孫營造美麗的遠景。

今天，二二八紀念碑昂然矗立在深具歷史意義的台北新公園，沒有怨恨，沒有悲情，像一座歷史的警鐘，時時提醒我們走出歷史的悲劇，時時告誡我們要不分族群，彼此疼惜，相互祝福，以開放的胸懷，穩健的腳步，共同經營大台灣，摶聚休戚與共的生命共同體。

從今天起，歷史的悲情與苦難的記憶，不再是籠罩國人心頭的陰霾，而是激勵國人開創美好前景的動力。二二八紀念碑正是象徵我國政治民主、社會自由和民生幸福的燈塔，溫煦的燈光將永遠照亮人心，指引我們奔向充滿希望的未來！謝謝大家。

正如李所說的，台北新公園是一個有深邃歷史性意義的「場域」。讓我們一瞥新公園周圍的情況吧。台北新公園位於總統府（舊日帝時期台灣總督官邸）前方的左側。隔壁有台北賓館（舊日帝總督官邸）。由台北賓館一直向仁愛路走去，就是中國國民黨的中央黨部所在地*。在總統府正對面聳立著的巨大建設物，就是紀念蔣介石的中正紀念堂，其台階是模仿南京的中山陵的台階而蓋成。

作為台灣戰後史的象徵的、禮典中心的台北，不，台灣的

---

* 國民黨中央黨部已於2006年6月遷至八德大樓，現址為張榮發基金會‧長榮海事博物館。

「政治性場域」，曾幾何時就已經形成了。

有關二二八事件的台灣人李總統主持的國家禮典，總算告一段落了。寧靜革命中的一個節日也拉下幃幕。近來，一般人認為，對圍繞戰後史爭執點之一的總結也算完成了。下一個政治祭典是，1995年12月2日舉行的第三屆立法委員選舉和1996年3月23日的首次總統直選。台灣政治的熱潮季節，正向著最後階段快步前進。

第三節　激情的退潮和大和解的苗頭

任何一個社會、民族、地區和國家，都具有各自推動政治的方法，以及其政治文化和傳統。台灣的情況顯示了戰後史既特殊又錯綜複雜的發展。因此，對台灣政局的理解並不甚容易。國府之有效控制的版圖，只不過是相當於日本九州那麼大的一塊面積。然而，從其居民構成的複雜性和所使用語言種類之多來說，是超過一般日本人所能想像的。

一般說來，試圖研究一個外國時，最好是能通曉該當國的標準語和一般平民所使用的語言。就台灣而言，要達到這種理想的要求，是不容易的。除了作為交流手段的語言之外，還要進行社會科學分析，去理解「政治性的語言」也是必不可缺少的。但實際情況是，用一般辦法解決不了台灣的政治性語言，從而使人們感到困惑而可能放棄這種研究。因此，研究人員能將台灣平民中的生活者和生產者雙方的感受和意識，均衡地納入研究的可能性是很小的。令人吃驚的是，台灣內部的研究人員對這樣的問題，並不曾給予注意。研究台灣近現代史，確實是一件苦差事。

不知是幸還是不幸，在台灣，能用日本語會話解決日常問題的情況是不少的。如果是單純的溝通，對日本人來說，既具有其條件而又有不少方便。然而，如果要對台灣的政局進行冷靜而客觀考察的話，有利的條件反而可能引發來負面的結果。語言上的優勢可能反而成為研究者的陷阱。遺憾的是，幾乎沒有一個日本人認識到這一點。

我的祖父是個反日分子。但他承認日本人的優點，也尊敬他們的優點。他曾說日本人具有一種經常進行自我反省而糾正自己錯誤的精神，教戒我們子女要學習這種精神。他曾感嘆說，中國人一定要克服利己主義才行。過去的日本人是純樸的，經常持有一種純真的「自覺自己的無知」的態度，從而力圖向他人學習。在近代以前，日本人以「中原中國」和朝鮮半島為楷模，明治維新之後，則以歐美為學習的楷模。

成為經濟大國之後的日本人，以各種形式與台灣往來。這樣，日本人就與善於操日本語會話的、台灣的巧言令色之輩相遇。因為，對日本人來說，他們不是令人討厭的共事人，反而既方便又悅耳，與他們的交往即更加深了。於是那些台灣人便對自己的巧言令色的語言自我陶醉起來。「媚日」台人，「吃台」日人，相互亦步亦趨。台灣的知日派友人對近來的這種動向感到憂傷而擔心。他們說，長此下去決無法建立起真正的台日友好關係。

一、台灣建國的口號何在？

1995年秋，我利用秋假到台灣考察第三屆立法委員的選舉活動。我的同鄉知己，又是拙著《台灣》（岩波書店出版的新書）中文版的翻譯魏廷朝君，要以民進黨候選人而參加競選。為了到他參選的前線慰問，我訪問了他設在故鄉中壢的選舉辦事處。對我所提供的小額競選捐款，魏夫人張慶惠（國民大會代表）一邊道謝，一邊追述往事說：「我們家這個人是不適合搞政治的。我們自己也很明白這一點。但他想擔任一屆立法委員，也好有一個頭銜。由於長期的監獄生活，他連一個頭銜都沒有。什麼也沒有。對於一個年屆花甲的『男人』來說，頭銜是需要的，我們也想要這個東西。」云云。這是令人寒心的話語。

我跟魏先生說：

「今天早晨，我坐了每站都停的長途汽車，走過40年來不曾走過的南北縱貫公路（日據時代建造的唯一一條縱貫南北的幹線公路，現已成了舊路），回到了中壢。」

魏：「為什麼沒利用高速公路呢？那要快多了。」

我說：「說實在的，我是想慢慢地看看沿路上懸掛的選擇活動旗幟和到處張貼的競選海報。又因為是慢行公共汽車，上下車的乘客換來換去，話題也隨著變換，這就成了我的一次學習的機會，也挺愉快的。然而，一路上一次都沒發現寫有台獨的口號，這使我大吃一驚。這是為什麼？」

魏說：「經過1994年12月3日的地方首長統一選舉（詳情請參考本章第一節），已經有了經驗了。台獨建國的主張和口號，從選舉之前就早已不起作用了，而且逐漸在失效。對這一點，我們民進黨的有關人士是知悉的。直感敏銳的陳水扁甚至早就斷定台獨的口號不僅無效反而有害。正當台北市長選舉運動酣戰之際，國民黨及新黨兩陣營強迫陳表態他的台獨立場。他不僅沒有回應，反而巧妙地搪塞了過去。陳一邊推著殘疾夫人的輪椅，一邊呼籲實現快樂和希望的市政，因而當選了。」

我說：「說來，吾兄對自己當選與落選怎麼估計？」

魏說：「被逼上一場苦戰了。政治性的爭點在逐漸淡化，意識形態的因素在減弱。換來的是義理人情、親戚關係因素，這類的選票可能將左右此次選舉的關鍵。」

旁邊的張夫人插話說：「你們戴家的票相當多。戴先生，請您多關照啊。」

我們的故鄉中壢是一個新興的小規模工業城市。原民進黨主席許信良也是當地出身的。許在桃園縣長選舉時，因政府做了不正當行為，憤怒的群眾於1977年發動了中壢事件（11月19日）。這是二二八事變後第一次由民間發動的較大規模騷擾事件，甚至出現了火攻警車等場面。可能是由於顧忌廣大群眾的氣勢，警察及軍隊都沒有下手進行鎮壓。可以說，中壢的反體制運動的根柢是很深的。

我以中壢和台北為中心到處走訪，研究這次的選舉。我發現了由於李登輝政權所倡導的民主化、即政治的本土化，使鬱積於台灣社會的怨念，迅速地在鬆散，抑或在昇華。可能是由於二二八紀念碑的落成典禮和謝罪講話奏了效，即使是候選人提起二二八的話題，他們都只說事情已經了結，變為歷史了。這對很早就期待著將二二八事件思想化的筆者來說，既是衝擊又是欣慰之事。對政治的激情衰退了，曾經將政治的坐牢體驗視為動章一般的看法開始逐步消失。台灣社會所喜好的，與其說是理性（logos），倒不如說是感性（pathos）。而選舉則一直被這種情念所左右。

整個70年代到80年代，選民對政治犯或者坐過牢的有關人士及其夫人們採取了同情態度，大量地把在野黨方面的候選人推上寶座。這是令人記憶猶新的。1991年的國大代表選舉時，魏廷朝夫人張慶惠女士之所以能獲勝當選，也是由於這一潮流。推測魏廷朝在選舉活動中，這種氣氛已經發生了急劇的變化。社會上依然殘留著偏好情念的傾向。然而，所謂情念已不傾向於對政治犯的同情，似乎在後退快速地被親戚關係為基礎的傳統的義理人情所替代。人們甚至感到推動著民進黨這隻船的「順風」已經開始停滯了。

大家有目共睹，魏廷朝是不適合在這種泥濘的政治界活動的人物。他為人認真而又嘴拙。他是一位不會阿諛奉承的老實學者型人物。這種性格又和他那種反抗權勢的骨氣奇異地搭配在一起，成了國府情治機關的俘囚，被關進牢獄計近20年之久。但他從來沒有轉變自己的意志及信念。人們尊敬他，說他是意志高尚的善人，但不認為他是一位好政治家，尤其不是一般選民和政客所最喜歡的候選人。這就是政治的現實，也是政治的冷酷性。對待既往在監獄內外戰鬥過的勇士，民進黨政客們的目光是冷漠的。他的知己們都這樣為他嘆息。

二、基本教義派台獨人士的落選

第三屆立法委員選舉1995年12月2日投票和開票。選舉的結果頗為有趣。日本的大眾傳播大舉來台採訪。但他們不知何以只報導了開票結果的數字，而對數字深處所蘊藏的情況則未加以分析。不，這可能是因為日本媒體感覺到不稱心吧。對一般日本人來說並不需要知道台灣選舉的細節問題，儘管如此，日本讀者總會想知道大體上的趨勢及背景的吧。

在開票翌日的日本各早的報導上，以大幅的標題報導了民進黨前主席江鵬堅和姚嘉文兩人雙雙落選的消息。江是第一代主席，姚是他的後任。暫且不談江的事，姚則具有長期坐牢及鬥爭的經歷。而他作為人權律師，也頗為著名。其夫人周清玉女士，於1985年的彰化縣縣長選舉時獲勝當選，當了一屆縣長。但據說實際上幕後的縣長則是其夫姚君所擔任。此次則不僅其夫人未能連任，姚君本身也落選。變化多端的台灣選舉文化，是很值得研究的。

更令人注目的是，民進黨候選人台獨聯盟原主席張燦鍙和許世楷兩人均告落選。張是以美國為中心，在長達30年的時間裡領導台獨運動的鬥士。許則為日本前津田塾大學教授，是以日本為據點從事台獨運動的重要人物。他是台中選舉區中頗富名望之家的後人，兩位都是台獨派著名人士。現任民進黨立委蔡同榮是上述兩人的同一輩人。聽說，他幾乎是在同一個時期在美國開始從事台獨運動，擔任過主席任務的。上一次選舉（1993年）時，他組織了呼籲讓台灣根據公民投票重新加入聯合國的運動，掀起了一股狂熱，從而當選。那時的得票數是58,145票。但這次的得票數，雖然比上一次還多703票，獲得了58,848票，但卻吃了敗仗。他的競選對手是國民黨的菁英人物，擔當大陸問題的部長級人物蕭萬長（大陸委員會主任委員）。

開票前，很多有人心所寄予關心的，是陳婉真女士。甚至於可稱之為「Gewalt・Tan」（德語Gewalt，意為力量、暴力及全力以赴，Tan是陳姓的閩南語讀音。）的女勇士，是台灣政界少見的女鬥士。不論在選舉運動中還是在上一次當選後的議會活動中，她以不停地挺身抗爭而出了名，但在問政及理論上卻乏善可陳。在基本教義派台獨中被視為激進派的代表人物的陳婉真，不幸落選。她的得票數竟從上一次選舉時的67,000餘票約減半為37,715票。這可以說是一種慘敗。基本教義台獨派的一些人中還有其他的落選者，就不在這裡一一舉名。如果從派別來看當選者，穩健派的美麗島系占壓倒多數。在今後的議會活動中大體上，民進黨必將顯現與既往有些差異的姿態，是可以預料的。

使熟悉情況的人們驚訝的，是「新黨」的躍進。所謂「新黨」，即是1993年8月脫離國民黨而新結成的黨。追根溯源它的母體則是國民黨非主流派的「新國民黨連線」，多為高學歷、能說善辯的年輕一代外省籍立法委員集團，受到城市的知識分子、薪水階層及大學、專科學校學生們的歡迎。打出新黨招牌的第一次選戰，是1994年底的地方首長、議員統一選舉。新黨在首長選舉中沒能成功，但在台北市長選舉中的善戰卻使人們驚奇不已。但，有一部分人認為，新黨基本上是外省人的黨，有其固有的局限性，難有大的發展，而不予重視。

然而，這次的選舉竟因而發生了相當於總統直接選舉前哨戰的激烈抗爭。國民黨黨員而又是該黨副主席的林洋港與郝柏村搭配，出馬參加總統競選，向李登輝總統和連戰行政院長的主流派總統、副總統候選人挑戰。

林、郝兩人在立法委員選舉期間，自身雖屬於國民黨黨籍，但卻不顧黨紀，為新黨候選人站台演說，從而被國民黨開除黨籍。然而，兩人卻若無其事地繼續反對李登輝國民黨的活動，成為總統、副總統直接選舉中的黑馬，繼續在台灣政局掀起風波。此事暫且按下不述。且說國民黨反主流派的年輕政客組成新黨後，在此次立法委員選舉中，從過去的7席增至21席，增長了三倍。得票率則從1994年統一地方首長、議員選舉（作為新黨，是他們首次參加選舉）的6.96%，倍增為12.95%。在這之前，一般都認為新黨的勢力過不了濁水溪，理由是南部台灣的反外省人情緒強烈。但選舉的結果表明，這不過是民間的一般性傳說，並不很可靠。從投票數字分布的統計分析，很明顯，支持新黨的基礎群眾並不限於外省人。事實上，在濁水溪以南掀起新黨旋風的朱高正，就是本省人。在新黨的幹部中也有本省人。在對國民黨持批判態度的，擁有高學歷的台灣人中，也有一些人對保留台獨黨綱的民進黨並不認同，更不欣賞，他們從而加入新黨而從事其政治活動。這是很值得注意的方向。

總之，反主流派脫黨之後，國民黨反而是乾淨俐落了。一般認為，國民黨黨內的臥底新黨人士是不少的，這也是眾所口傳之事。在虛虛實實、討價還價的過程中，終於醞釀出三黨鼎立的形式，啟開了台灣的三黨競爭的時代。

此次，國民黨僅獲得多兩個席位的過半數85席，走鋼索的危險形勢在等待著它。而此次增加了四議席的民進黨，則可說是獲得了一個小小的勝利。剛剛於1995年迎來建黨百年紀念的中國國民黨，本應成熟為一個以黨機關為中心的「現代化民主政黨」，但實際情況與真正內涵並非如此。一般說來，擁有國民黨籍的立法委員出席會議的比率不高。據新聞媒體報導，有些不好惹的傢伙，不僅不服從黨機關的決定，反而企圖向黨敲詐勒索，不惜與他黨搞交易，因而使得黨中央心驚膽戰。

本年2月1日，新當選的立法委員在就任宣誓後上任，接著將行使院長及副院長的互選時，突發了首次糾紛。民進黨與新黨結成了互選的聯合戰線。以算術方式計算，兩黨的票數是54票加21票，共75票。他們盤算，如果以此票數為基礎，可以對無黨派及國民黨籍立委進行一個拉一個，各個擊破的嘗試。此外，為防禦在野黨聯合中的「脫隊分子」，聯合戰線方面搞「亮票」，也就是，把選票投進票箱之前，將內容向眾人公開的方式對付。而執政的國民黨，無論如何也不能採取同樣的亮票方式，因為關於亮票的違法性問題仍在爭論之中。而且，它關係到具有傳統性的執政國民黨的面子問題，因而通過了一個最大的黨，理應堂堂正正進行競爭的主張，進行了投票。

使國民黨憂慮的事，終竟成為現實而出現。在第一次投票時，在野黨聯合推薦的民進黨主席施明德獲得了80票，與執政黨推薦的現任院長劉松藩所獲票數相同。由於不分勝負，而不得不重新投票。從得票數推測，顯然，是國民黨內部出現了「背叛票」（包括投入無效票）。因此，國民黨方面採取了「去華求實」的態度。在第二次投票時，前面的投票者將票給後面的投票者看的所謂「亮票」簡化方式，從而集中了票數。結果執政黨勉強以一票之差，即82票對81票獲勝。乘此勝利之勢，副院長王金平候選人以84票對78票，擊敗了在野黨聯合推薦的蔡中涵候選人。

有趣的是，蔡君是原住民選出的立委，國民黨籍。他是原住民第一位自東京大學取得博士學位的。他亦是專攻國際關係的青年研究者。他違背了黨，做為在野黨聯合的副院長候選人，參加選舉。在參加選舉之前，他發表了〈太陽的子、在大地上重新站起！〉這一堂堂非凡的聲明文章：

> 我們原住民，在這半個世紀之間，一直是耐心地忍受著充當國民黨投票奴隸這個身分。（國民黨有關人員）一直將原住民的這種隱忍自重和謙虛小看成懦弱的表現，一直在踐踏和蹂躪原住民。面臨這一時代的巨大轉折期，現在掌握著決定性票數的我們原住民，應該是發揮我們所擁有的、決定性力量的時候了。我們與關心原住民的新黨、民進黨聯合合作，藉由國會內的民主手續和政黨政治的運作方式，去改善台灣，向未來邁進。（大意）

對於蔡的舉動，我們能否依據他聲明的字面來百分之百相信？有沒有桌子下面的政治交易？甚多人有所懷疑。儘管如此，在原住民的政治家中出現了像蔡這種類型的人物，顯示出台灣已經清脆地響起了走向變化的腳步聲。而持有這種看法的人，絕非筆者一個人。

三、大和解與大聯合論的產生及走向

二二八紀念碑的的落成和政府代表的謝罪講話後，剩下的善後對策則有關補償的問題了。立法院對「二二八事件處理及補償條例」的審議，雖然經過了一些曲折，但終於1995年3月23日獲得通過。

從此以後，二二八已不再是社會上的熱點話題，而且也從政局的爭論重點中逐漸消失。而與此相應地呈現出來的，是對「族群和諧」的呼籲。由於安居樂業的願望，容易被大眾接受，引起廣泛回響。所謂「族群和諧」是指居民的四大族群間的融洽和解。即概括本省人的閩南系、客家系、原住民系和全部外省人，超脫各自的出身及小我，而成就大我並取得大和解的意思。但重點始終是圍繞著本省和外省人的和解是不用說的。另一方面，與民主化的步調並行，政黨內部的抗爭，不論是執政黨還是在野黨，都已激化起來了。其中，焦點尤其集中在總統直接選舉上。圍繞著李登輝的出馬，萬劍互擊錚錚作響。在這一股潮流中跳出來的一匹黑馬，就是陳履安監察院長的出馬。陳的父親是原副總統陳誠，自己又曾任國防部長後再轉任監察院長，他是地道的外省系國民黨菁英。他皈依佛門，近幾年，日常埋頭於坐禪，又由於領導監察工作的性質，社會對他產生一種清新的印象逐漸固定了下來。監察院是採取五院制的國府中央的一個院，是與行政院同格的最高監察機關。

陳說，他對社會秩序的紊亂，國民黨內權力鬥爭的激化，選舉的暴力化和金錢勢力化傾向等，深感傷心。他強調，他之所以脫離國民黨出馬參加總統直接選舉，是為了整頓社會混亂，型塑人心一新的社會。作為這些舉措的一環，陳還呼籲台灣社會要來個大和解。

在立法院選舉投票前不久，民進黨的黨主席施明德在選舉運動的過程中，從另一個角度，大談特談與陳履安不盡相同的政黨間的大和解論。由於是保留著《台獨黨綱》的民進黨的黨主席和黨中央在大談特談大和解論，因而掀起了贊成與反對兩論的旋風。也有人認為，這與往常同樣是在搞「政治秀」。施曾經是政治犯，被關進監獄近三十年。有些人士稱他為「台灣曼德拉」。頗多有識人士卻認為，他是為了博得人們的喝采，而學南非曼德拉（N. R. Mandela）的黑白人和解的主張，打出了大和解的旗幟。他在美國演講時說：「沒有必要重新提出台灣獨立問題。因為自1949年末以來，台灣就是中華人民共和國主權之外的一個獨立國家。」對這一談話，台灣獨立運動中的基本教義派人士批評說，施明德黨主席糊塗了。回顧一下這種主張的根源，就可以追溯到1994年選舉後關於修正《台獨黨綱》的討論。台獨的口號，在選舉運動中已經很明顯失效。但是，如果這種既往的獨立論與李登輝總統的以本土化為中心的、民主化路線的界線曖昧不清的話，那麼民進黨固定的票，恐怕會大量而無限度地被李登輝國民黨所吞食。因而可以解釋，台獨派只是以苦肉計，使用「獨立主權」的詞句替換台獨主張而已。這也許是「政治語言」的一種巧妙不同運作的例子吧。

在大街小巷中也出現了圍繞施明德主席個人利害關係的一些議論。聽說，由於黨務忙，同選區中另有一位主席，即台灣獨立聯盟前主席張燦鍙，以競選對手，正在拚命地追趕上來。在政治上，選舉結果就是一切評價的最終基準。由於形勢所迫，為了要顯示和競選對手的區別，就有必要提出不同的訴求。有識之士有這樣一語道破的看法：做為抱著《台獨黨綱》的民進黨主席的施明德是不便批判台獨的。而僅為迂迴戰術，他想出了政黨間的大和解。利用間接的辦法，展露了他穩健的大人物風格，該是一石二鳥之妙計。總之，施得到兩倍於張的六萬餘票而當選，保持了黨主席的面子，延長了政治生命，他又重新活躍起來。

選舉的結果，顯示出各種新的發展方向，左右著台灣政局的未來走向。

1. 新黨有所進展，鞏固了它作為第三黨的地位。作為競爭新對手的新黨的突起，可能衍生出一些餘波。由於國民黨已不占絕對多數，如果第二、第三個少數黨聯合起來，就可以動搖國民黨的既得地位，這是很明顯的。由於第三黨的出現，也出現了李登輝國民黨與民進黨聯合的可能性。對國民黨來說，不可能與已在議事運作上發生過分裂，而剛剛又在選戰中批評李登輝的新黨謀求聯合。毋寧說，國民黨與有「李登輝情結」的民進黨，反而容易聯繫。國、民兩黨組織聯合內閣，或者民進黨黨員參加內閣閣員是可能的。然而，在對岸中共方面對李登輝的批評激烈之時，國民黨應不會馬上就與持有《台獨黨綱》的民進黨聯合。至少在總統直選結束之前，不可能公開地實現兩者的聯合才算是合乎邏輯的。

2. 從各政黨的得票率看（參照附表），很明顯，民進黨已近於頂點。而且台獨基本教義派人士一個一個地落選。而從立法委員的派系構成看，穩健派的美麗島系已占據了壓倒多數。主張大和解的民進黨中央正在打造基礎。民進黨中央有：以打出大和解的招牌來消除民進黨即台獨黨的印象，並趁著製造大和解話題，動搖國民黨，擴大自黨勢力的明顯意圖。

表4　台灣主要選舉政黨別得票率的變遷

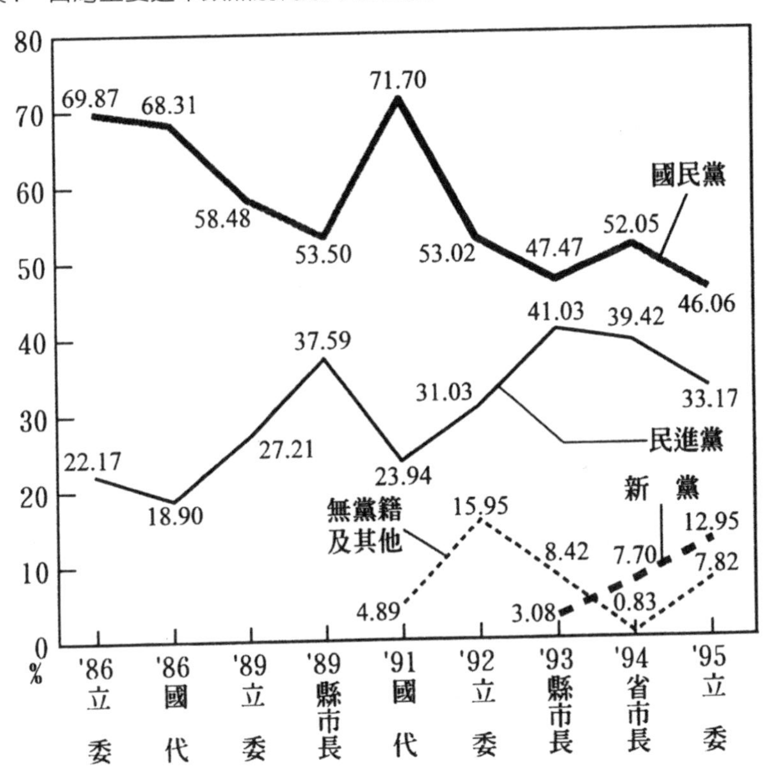

說明：立委爲立法委員選舉，國代爲國民代表選舉（依據《中國時報》1995年12月3日而製作）

3. 在選戰中躍進的新黨被認為是一個外省人黨而傾向與中國統一而形成擴大黨勢力的障礙。值得注意的是，新黨在其名稱上並沒有附加國家或地區的限定辭，他們在戰術上不叫台灣新黨，也不叫中國新黨或者中華民國新黨。為了生存，確實使出著巧妙的運作手段。他們可能估計到，選戰有所進展後，新黨亦有可能參加民進黨倡導的大和解局面的出現。另外，據消息靈通人士說，新黨是為了牽制國民黨的先發制人而接近民進黨，企圖在國民黨與民進黨之間搶先打進一個楔子。反應來得很快。新黨中央大膽地訪問了原本水火不相容的民進黨總部，為走向繼大和解之後的大聯合的道路，不斷地「疏通」相關關節。

對民進黨中央與新黨中央的急速接近而大為吃驚的國民黨中央，指斥這是兩黨間的野合，並斷定國民黨不可能與在野黨組成聯合政權，並竭力消除在野黨聯合的勢頭。

以在野黨和解為基礎的大聯合的雛型業已形成，他們的第一次戰鬥出現在立法院院長及副院長的選舉上。對只多出一票的險勝而勉強過關的國民黨中央來說，確是叫人萬分驚慌。對國民黨來說，這算是一大嚴峻的警告。國民黨本來擁有85席位，但在第二次決戰投票時，僅僅獲得82票。不必贅言，國民黨內部存在著「潛伏的新黨黨員」或「叛黨分子」，是毫無疑問的。

民進黨主導的在野黨聯合行動的背後，可能僅是單純的國會改革本身為目標。但是，新黨及國民黨中「潛伏著的新黨黨員」或者國民黨內「叛黨分子」的企圖則不能說是單純的。屬於個人的問題暫且不論。作為總統選舉前哨戰結尾的一環，對總統候選人李登輝反將一軍，如果還有機會，則策劃通過施明德院長和蔡中涵副院長來控制立法院，使李登輝的連任作戰進退維谷，僵在選舉戰場上。不難想像，形勢的背後是隱藏著這樣險惡的戰略陰謀的。

據傳，國民黨籍立委的選票流向在野黨聯合，是有總統選舉候選人林洋港和郝柏村的搭檔，以及陳履安和王清峰搭配在背後撐腰打氣的。肯定此類報導的有識之士真還不占少數。

政客經常是現實主義者，只要有需要、有其利益，他們也會跟「魔鬼」聯手。這是人盡皆知的說法及作法。

寧靜的改革，正在進入後期階段，議會民主主義政治就是多黨政治。既然是多黨政治，產生合縱連橫的事例便是自然現象。從此意義講，第三黨即新黨的躍進，即可與揭開新時代帷幕的說法相媲美吧。在大和解與大聯合之前，將會產生小和解和小聯合，並在這個基礎上逐漸累積。人們不能不關心，在野黨聯合在初次戰鬥中所獲意外的、實質性的象徵性「勝利」，將給台灣居民和台灣政局帶來些什麼影響？值得人人關注。

結語：第一次總統直選的啓示錄

一、選舉和導彈

一般人往往把選舉看成沒有槍砲和子彈的「戰爭」，但這始終只是一個理想而已。從人類的選舉歷史和東西各國的選戰看，現實的情況是完全不同的。圍繞著政治權力的鬥爭，從來也不是和平、公正、平等的競爭。與選舉相關的不正當的活動、恐怖行動，甚至暗殺行為，到處都在反覆不斷地發生。

意外的未被留意的是，台灣選舉文化的成熟化傾向。當然，在近幾年的台灣選舉中，也纏繞著暴力和賄買選票等等金錢方面的糾葛，但這只是相對而言的程度而已。

眾所周知，台灣的本省系居民自日本的殖民地時代以至包括蔣家威權體制在內的一百年間，一直是被疏離及壓迫的。台灣人民全面參與政治和社會，經常是受到阻礙的。言論和結社的自由，受到嚴格限制。可以想像，因而積累下來的不滿和能量是相當大的。然而直到最近，在台灣民主化的過程中，這麼多的，必然要「爆發」出來的怨氣和能量，卻意外地停留在微溫散發的狀態，這真是有趣的一件事。

作為開發獨裁（威權體制下經濟發展）的成功事例，台灣經濟的奇蹟，很久以來就一直被宣傳著。這經濟奇蹟的背後，是長年的戒嚴令。而由於二二八事件和白色恐怖，本省人在政治、社會方面的能量，一直被壓抑而難以散發。

然而，蔣介石、蔣經國父子並沒有想將所有的能源都貯積在這個名為台灣的煤氣筒裡。他們是不是意識到將這麼多的能量貯積在煤氣筒的危險性，不得而知。但從結果看，蔣家體制為了保持自己的政權，一方面對本省人的能量在政治、社會方面的組織化和流露始終保持了一定程度的警戒，採取極力壓制的政策，另一方面，在地方即縣以下的層次，只允許在國民黨所設的框框內散發能量（但禁止創設新政黨）。

另外，蔣介石父子也沒有疏忽了對疏通和誘導這些貯積的能量。將本省人的能量片面地誘進企業活動和教育活動就說明它的用心處。對政治敬而遠之的本省系人們的能量，曾幾何時大量流入經濟活動、企業經營及子女教育的活動之中。碰巧50年代末期以後，作為此種能量的承受體的美洲大陸起了作用。以美國為首的自由主義圈各國成為台灣能量的新拓之地，發揮了巨大的功能。

本省系人們的能量在經濟、教育領域有所發揮，並形成一股力量，而這不斷成熟的「力量」進入70年代後，則又試圖回流島內。以島內九年制國民義務教育為中心的教育投資，擴大了人才資源的社會規模。支撐及促進了經濟成長。不僅如此，隨著貿易「立島」的成型，整個台灣島資訊都社會化了。以高速公路為大動脈的台灣交通網的展開，使整個台灣島形成了有機的一體化。

隨著經濟發展而急速成長的中產階級和新生的一代，強烈要求參加政治和社會，戒嚴令不久即徒具形式而空洞化，不管當局願不願意日漸失效。

從社會底層強烈支持了台灣人總統李登輝時代之登場的，正是這些「草根」的能量的逐漸釋放。與揭開李登輝時代的序幕的同時，正常散發本省系人士能量的渠道，正在逐漸走上軌道。經過一百年間艱苦奮鬥的結果，台灣人終於找到了可以將自己的能量均衡而順利發揮的「場域」和「機會」。作為一個台灣人，能夠根據自己的力量，以自己的意志，決定將自己的能量投向何處的範圍大幅度地擴大。可以說，這就是有關近期選舉的台灣火熱形勢。

不可忽視的東西，卻往往容易被忽視的，那就是光復後加入台灣的新的能量，亦即台灣外省系人士的能量。

經受了二二八事件和白色恐怖的傷痕尚未痊癒的人們，只能把「外省人」看成為惡或者是負的化身。怨恨和痛苦的情感蒙蔽了社會科學分析的視野，即是一個典型例子。

總之，外省系人士的能量是客觀存在的。但是這能量本身是中性的，根據條件和情況，這能量既可能轉化為正的，也可能轉化為負的。凡能夠冷靜觀察事態的人，即可看出這不證自明之理；而容易激動的人們，卻看不到這個道理。

繼民主進步黨的成立（1986年9月28日）、戒嚴令的解除（1987年7月15日）、李登輝總統的繼任（1988年1月13日），李登輝總統的繼續當選（1990年5月20日）、台灣省長及台北、高雄兩市長的直接選舉（1994年12月3日），李登輝總統在台北新公園二二八紀念碑落成典禮上的謝罪演講（1995年2月28日）等，民主化和「寧靜革命」取得了進展。與這些充滿曲折的發展的同時，本省人對外省人的怨念也急速地減緩，並逐步消弭。

從國外回到台灣的台獨派的一些人，他們在和現實政治接觸的過程中，一方面開始認識到了自己身處時光隧道的景況，另一方面似乎也發現了自己唯心的書生論政與一般平民的認識之間存在有巨大差距。

由於先行的經濟成長，人們都忙於世俗的享樂。蔣經國正視了這個狀況，在他晚年，積極地想盡辦法消洩漲得滿滿的台灣瓦斯筒。為疏導本省系人士的能量，國府當局採取了對台灣人的綏靖政策和海外旅行自由化的辦法。

對外省系人的能量，以許可（1987年11月1日）他們去大陸探親作為發洩的排出口。

因此沒有誘發出大規模的「爆炸」。雖然沒發生大爆炸，這能量開始移轉方向、移動和徘徊，並再次試圖凝聚於名為台灣的這個政治空間。這巨大能量最終決定以政治、社會的自我實現為立足點，重新激烈地開始了胎動。

李登輝是蔣經國的後繼總統。正因為他是台灣人，掃除本省人向來對國民黨的怨念，促使本省人能量的昇華，就成了他本身的第一課題。

然而在這種新的形勢下，如何處理外省系人士的能量問題，便成了李登輝苦惱的根源。雖不能原封不動地繼承蔣家體制，但像台獨派所曾主張的那樣，完全排除蔣家體制也不可行更不可能立即解決問題。對李來說，只有一面重新組織外省系人士的能量，使與昇華之後的本省系人士的能量融合起來，爾後作為台灣居民的整體能量，重新加以整合，對身為一位現實政治家的李登輝來說，幾乎別無選擇的餘地。

總統直接選舉，不管競選搭配如何，出現什麼樣的結果，最後所象徵的意義是相同的。也就是說，台灣全體居民以自己的意願直接選出的是在中國的「台灣地區」、「在台灣的中華民國」或「繼續在台灣存活的中華民國」的最高領導人。從現象上看這麼一個有史以來的壯舉，是為台灣地區的全部居民（擁有投票權的成年男女）開闢全員參加政治的路子，給予台灣居民以表示自由意志的機會。當然，其中並不存在本省或外省出身如何的差別。凡在「台灣」擁有國籍及投票權的任何一個人，在法律上都享有平等待遇。通過直接選舉，行使了國民主權，在「台灣地區」這個範圍內最終實現了依據居民主權的、民主政治的制度。

不管在五千年中國歷史，或說四百年的台灣歷史上都堪稱之為壯舉的總統直接選舉活動中，中國大陸方面在台灣近海和台灣海峽施行了飛彈演習和實彈軍事演習。以與選舉連動的形式進行的飛彈及實彈軍事演習，從某種意義上講，這樣的兩岸關係，即使是從世界歷史上看，也是從未有過的。這也不能不說是20世紀末的一次「壯舉」吧。

二、現形的「第二者」和「第三者」

在台灣選舉的當事人當然是台灣居民。而我們在這裡假託一個第二人稱，把中國大陸方面置於台灣選舉中的「第二者」的位置，也應無不可。這樣一來，「第三者」的中心，無論如何也是美國了，其次，也可以把日本算上去。

3月5日，大陸「新華社」發表了〈從8日到15日在基隆海面進行發射飛彈的演習〉的報導。然而，台灣居民可能把這件事當做1995年夏季之後的「文攻武嚇」的一環，因而台灣島內顯得出人意外地平靜，只見有錢的人因股票下跌等財產縮水而惱火；也有不少人擔心社會不安定和金融不穩，四處奔波搶購美元或黃金而奔走。

另一方面，可能是受到包括「住專」（住宅金融專門會社）問題在內的日本金融不穩情勢的影響，台灣對日圓既不歡迎，也缺乏勁頭。聽說多數有錢人由於擁有美國、加拿大、澳大利亞的居留權（綠卡）和雙重國籍，因而都要購買美元。而實際情況是，將日本作為逃出台灣後的「流亡」地點的選擇，由於合法地在日本求定居很艱難，故日圓被敬而遠之。

我深深地感覺到，多數台灣居民都認為，不管是飛彈還是實彈演習，都是台灣的宿命，除了冷靜地注視之外，別無他途，像是看破了人世一般。總之，很少有人認為，對岸的飛彈和實彈軍事演習的目的是：中共為了要在台灣登陸，馬上發動戰爭。

然而，當美國的海軍向台灣海峽近海進行反常的移動一事被大肆報導後，台灣人不是放心了，而是不安之感一舉高漲了起來。由於「第三者」的介入，是否可能由於某種「形勢」而哄打起來呢？這樣的畏懼聲音在民間散布開來。

台灣海峽情況的緊急，使譴責和批評中共的國際輿論高漲起來。在台灣島內，反對的遊行和反抗的趨勢也一股腦兒地噴發出來。在選舉戰中拚命戰鬥的候選人們，為了有利於自己選票戰勝對手，將大陸的一系列演習作為靶子，大肆進行攻擊性宣傳。正像「燈塔下邊反而黑暗」的比喻那樣，在黑暗的燈塔下面是看不清問題的。那麼，讓我們跟台灣拉開距離，從「外部」來探索一下台灣海峽形勢緊迫的本質。

中共領導人的高齡化問題是眾所周知的。儘管如此，也不能忽視大陸革命的第一個半世代仍然健在，而仍有發言權的現狀。我不認為革命的第一個半世代和第二世代相結合的隊伍，事先沒有考量過飛彈演習和實彈軍事演習會帶來什麼影響和結果。況且大陸的上層領導，不可能不事先衡量其利弊得失就決定舉行飛彈演習的。

一般來說，「外交」和對外的意志表述的目的，是「內政」和內部情況的向外延伸。大陸的飛彈演習恐怕也不例外。暫且不提大陸方面的「內政」以及內部情況，在這裡準備集中考慮的是，中共當局在衡量利弊時已充分估計了演習得不償失的形勢。但中共又為什麼還硬要繼續進行這次軍事威脅的行動呢？

如後頁圖所示，3月8日到15日的飛彈發射演習，是以高雄港近海上和基隆港近海上為目標的。繼而同月12日到20日之間的空、海實彈演習，是在台灣海峽南部海域進行的。另外，「新華社」3月15日電稱：在同月18日到25日還將在台灣海峽北部海域進行新的陸、海、空軍聯合軍事演習。

必須注意的是，第三次聯合演習的日程，恰好是橫跨在總統選舉的投票日期期間，其目的在於向國內外造成一種印象，即中共當局的決心，絕非尋常。

圖2 1996年3月之中共軍事演習略圖

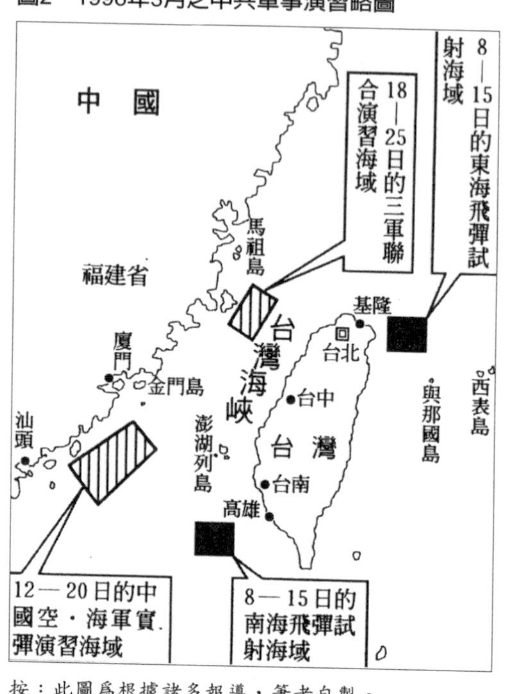

按：此圖爲根據諸多報導，筆者自製。

讓我們從戰術和戰略兩個側面來剖析大陸的意圖。

只要能詳細了解，海峽兩岸三地的連動能激發強有力的形勢發展的人們就會熟知，統一台灣並不是中共方面最優先的課題。因此，沒有必要將此次的「文攻武嚇」，即「武嚇」原封不動地解釋為旨在統一台灣所做的威脅。

海內外多數政治評論家認為，大陸方面把對李登輝總統所進行的「文攻」同軍事演習結合起來，是要拉李候選人下馬，或要減少其得票率的作戰。然而，筆者多少有一些不同的看法。我以為，大陸方面的有關人員對李登輝的評價，有「表面說詞」和「內中實意」的雙層結構。對李進行「文攻」的真正目的，似乎是讓李與民進黨、進而是李與民進黨的總統候選人彭明敏的同質性明朗化。對李進行威逼，迫使李在表現曖昧的地方透明化。中共當局就是為此而運用自己的戰術。

繼任總統以來，李登輝一直都平安無事地跨過了數次「障礙」。據說，李登輝經常對身邊的人自嘲自己是個「清道夫」（暗指蔣家政治舊體質殘留的清掃員）。一般認為李稍欠領袖魅力，究其原因可能由於他的能言多辯之故。

然而，堪稱「文攻武嚇」之高潮的大陸，此次一系列軍事演習，從結果看，卻是大大加強了李的權威性。不久，李將作為有民意為後盾的談判對手而與中共領導的第一把手會晤的可能性是很大的。到那時，李將更加具備以民意為基礎的領袖魅力了。如果說經過這一考驗，李將大大地補強作為當事者的能力當非過言。

料想大陸下一個戰略意圖，是向台灣提示並警告對台灣進行經濟封鎖的有效性。

當然，台灣手中掌握的一張強有力的牌，就是它的經濟力量。以這經濟力量做後盾，台灣在近幾年政治的民主化也作出了許多成績，以台灣的政治奇蹟而喧騰一時。

在1995年夏季的飛彈射擊演習時，台灣已經有過股票下跌的經驗。問題在於此次對高雄、基隆兩港近海的武力威脅，敲響了台灣經濟封鎖的有效性警鐘，其影響不容忽視。有錢的台灣人因而囤積美元和黃金等，只不過是小事而已，台灣因飛彈威脅而喪失「貿易立島」優越性的危機，才是值得充分體會和研究的問題。

說它是「野蠻」也好、「專橫」也罷，對中共軍在公海上進行的軍事演習，目前看不出任何有效制止的辦法和力量。挑明了這一問題焦點的，是台灣產業界的某有力人士。他說：就是我們台灣有忽視中共軍，喜歡以侮蔑口吻去刺激中共軍的魯莽的黃口小兒之輩，才是麻煩事。這位企業界人士還強調：一旦貿易活動因戰爭而停滯，一向積累起來的民主化業績等也會輕易被告吹。這位人士強調政治家應該懂得這個道理。

中共飛彈演習的第三個戰術，是要把民進黨趕降為第三黨，並促使其分裂。目前，台灣壓倒多數的居民都希望台灣維持現狀。聽說，由於大陸方面反對台獨的激烈表態，畢竟使人們重新認識到在台灣搞統獨對立的議論是損己且毫無意義的。有不少人預測，這樣一來，人們告別台獨基本教義派人士的趨勢會更為明顯。這回總統選舉，由於第二者和第三者的介入，居民投票的性質變得更加明顯了。投票的結果將會巧妙地表現出居民意向的歸趨，是不難預測的。

三、演習的戰略意圖及台灣的新起步

大陸方面打算通過此次軍事演習達到的戰略意圖是什麼？21世紀是亞洲・太平洋的世紀之說，現在這已是一種常識了。亞洲經濟發展以中國大陸市場為中心的所謂「中華經濟圈」的活性化和連鎖作用日見展開。亞洲經濟能否順利發展的外部條件或環境，終將取決於21世紀的亞洲・太平洋的「三極」，即中、美、日三者的關係；也根本性地取決於三國能否在和平條件下構築並維持一種平衡的、互惠平等的有機性關係。

從大陸方面來看中、美、日關係時，現在仍然有一根「刺」梗立喉頭，即是台灣問題。相反，從美、日方面看，「台灣」則是它們與中共打交道時用來討價還價的一張好牌。對大陸來說，台灣的這根「刺」，原本就具有兩重屬性。第一屬性是，台灣是中共必欲洗雪鴉片戰爭以來，所遭受的屈辱所惹發的強烈民族主義「夢想」至今不能實現的障礙。第二個屬性是，台灣是中共領導的革命未完成部分的一個「尾巴」。

眾所周知，韓戰的爆發以及在其後所展開的、以中、美關係為中心的東北亞國際關係形勢下，中華民國才得以作為「台灣地區」生存了下來。不但如此，至今台灣仍然以一個富裕的「政治實體」繼續存在著。

正是以這個政治實體為基礎，產生了台灣經濟的所謂奇蹟。於是台灣這根「刺」有了正面的屬性，它備有頗強的經濟力量。在中國大陸，由於推行「改革開放」政策，進而導入社會主義市場經濟機制，因而能積極靈活地運用這根「刺」的正面屬性，使這「刺」成為激發大陸經濟的「針灸」。台灣方面也巧妙地運用了這一點，使經濟成長持續了下來。這就是近十年來中、台關係的基調。

1971年10月，中華人民共和國進入了聯合國。中國終於與日美兩國在承認與確認「一個中國」原則的條件下，先後建交。一直到李登輝總統在1995年夏季訪美之前，台灣作為大陸負面的喉中之刺這樣一個政治屬性，並沒有完全顯露出來。中國大陸是巧妙地利用台灣這根刺的正面的屬性，設法闖了過來的。

當初大陸可能對李登輝的務實外交，及其謀求恢復聯合國席位的運動沒當成一回事。而當李登輝訪美實現並有所進展時，大陸就突然感到束手無策，難以應付了。這就是激烈的「文攻武嚇」的背景。在共和黨占優勢的美國國會，積極開始對台灣的支持行動。中共當局重新感受到嚴重的危機感。中共可能認為，在靈活運用台灣這根「刺」的經濟屬性時，不知不覺倒幫助了（台灣）政治實體的再整編與強化，反使自己轉化為負面屬性承擔者的結果。不難想像，中共判斷作為政治實體的島嶼中國，一旦在國際上被承認進一步擴大，就會成為自己的致命傷，甚至有可能導致中共體制崩潰的結果。

中共對台灣所施行的一系列軍事演習的側面，始終是戰術上的考量。其戰略目的，當然是針對美國的。中、美之間到底有何種協議和諒解，局外人無從明白，但自3月17日左右，台灣海峽的軍事緊張就急速緩和了下來。

直到3月18日投票的頭一天，筆者為選舉運動的觀察及調查而奔走。因熱烈的李登輝競選運動而感動、而吃驚的，並非筆者一人。大多數內外記者奉陪著年齡已經74歲，遠遠超過日本式法定老人（退休年齡）65歲的候選人李登輝，聽著他精力充沛的演講，跟著他連續幾天的選舉運動、東奔西跑，都累得東倒西歪了。我和一些人認為李登輝所追尋的並不只是「政治權力」而已。

李登輝在與司馬遼太郎對談時，曾嘆息著提到「生為台灣人的悲哀」，並批評「包括國府，統治台灣的一直是外來政權。」儘管他的語言表現有不夠充分的地方，但對他們的對談，有不少人大加譴責和批判。可是他並未因而膽怯，也沒有做過任何解釋。

回憶往事，李本人是經歷了二二八事件和白色恐怖的歷史考驗而倖存下來的人。在這一過程中，他的許多朋友和知己倒下，只留下他自己幸運地活了下來。但是，要真正地為倖存者的歷史而活，是不容易的。他能夠當上總統候選人，是千載一遇的機會。是從主客觀上超越克服「生為台灣人的悲哀」，並使之昇華的大好時機，也是倖存者為完成良心和歷史使命的好時機。應該說，李總統覺悟到這一點，並未花費多少時間，他可能也認識到，即使完成了「清道夫」的任務，如果不創建一個置「外來政權」於死地的制度，則仍然是要恢復舊觀的。他因而制訂了總統直接選舉制，也給自己本身注入了必須有的能量，並大膽地面向挑戰。若說這是他要「死而後已」，並非過言。這是一場能夠感覺到的一種「地熱」的一場選舉戰。

總統直選的第一次戰鬥平穩地結束了。李登輝以54％的得票率，獲得了光輝的榮譽。然而，獲勝並不意味著一切都結束。毋寧說，難題正要從此開始不斷地出現。

對此次中共的軍事演習，台灣已經領教過。如果今後不能制定與對岸和解的共存關係，就不可能有台灣的穩定發展。因此，島嶼中國能否早日找出並建立與大陸中國的共同生存之路，不能不說是個緊急課題。台灣內外的人們，大多都期待受過半數台灣居民信任的李登輝總統，能夠在這些問題上發揮他新領航能力。

選舉結束，台灣島恢復了平靜的3月26日，我再次從日本回到台北。深夜在山上的梅苑（筆者的書齋）遙望台北的夜景而陷於沉思。

5月20日，李登輝就任了第一任直接民選總統，也是中華民國第九代總統，任期四年。對於業已超過古稀年齡四歲的李來說，今後的四年將更是值得珍惜而寶貴的四年了。不，對台灣居民以及全中華民族來說，本世紀末的這四年，是值得珍重既是寶貴又是劃時代的四年。如果是有心人，都會有這一種期待。

3月23日晚上八時多一點，李站在選舉總部的陽台上，做了當選後的講話。他交叉著使用了國語（北京官話）、閩南語（台灣語）和英語。由於興奮，聲音不知不覺地高了一些。他說：

> 這一時刻，是在我們歷史上最值得珍貴的時刻。中華民國85年（1996年）3月23日，民主主義的門户大大開放，而台灣、澎湖島、金門、馬祖地區也終於完全開放了。兩千一百萬同胞成了（實現）民主主義的最偉大的見證人。登輝在這裡向各位民主主義的開拓者表示敬意。同時，我鄭重宣誓，我們要永遠遵守民主主義的大道。（中略）中華民國85年3月23日，我們共同寫下了光輝的歷史的一頁。（中略）我要向全國同胞表示感謝之意。大家今天通過投票，對台灣這塊土地表明了眞摯的愛惜；對中華民國表明了最懇切的誓約。一切榮譽應該歸功於兩千一百萬同胞。（後略）。云云。

我從略高而緊張的李的聲音的深處，彷彿聽見了從地殼下

二、三層傳來的聲音。那是近百年來在台灣受盡壓抑、流汗流血的人們的聲音。特別是彷彿聽到了在二二八事件和白色恐怖而倒下的人們從地下發出的「呻吟」，令人渾身顫抖。

近百年來，由於外來的力量，做為台灣人的中國人被外來勢力極其複雜地分割開來。在多層壓迫而喪失自己的認同的危機和糾葛面前，我們只能恐懼而呆立不動。我們的同胞們或者是「撫劍而起」，或者是為了生存而「苟活」下來，而有志之士一直在不斷地摸索求己必須真摯地「活著」下去的道路。我認為這一作為摸索成果的里程碑，就是此次總統選舉在台灣地區建立起來的。

我們正是在本世紀的末尾站在這個里程碑上的歷史見證人。第一任直接民選總統，也是第九代中華民國總統的李登輝，於5月20日就任儀式結束後，立即任命了行政院長，成立了新內閣。人們不只是在注意新的人事。人們最大的期待是李在就任演說要向海內外提出什麼樣的願景。

表5　總統選舉結果統計表

候選人	黨籍	統．獨立場	得票數（萬）	得票率
李登輝．連戰	國民黨	統一	581.37	54.00
彭明敏．謝長廷	民進黨	獨立	227.46	21.13
林洋港．郝柏村	無（被國民黨除籍）	統一	160.38	14.90
陳履安．王清峰	無（被國民黨除籍）	統一	107.40	9.98

這一次的選舉，另外呈現了全台住民對於台灣前途的看法。選舉的結果已如上表所示。對此，我們沒有必要急急忙忙進行同義或對立的解釋。由於我們被歐洲的近代，以及附在西歐驥尾的日本和美國的「近代」撕裂良久了。而被撕裂開了的我們，如今得以初次以自己的意志抓住了修復自己的機會。今後四年，我們必須擺脫因認同的紊亂而產生的無根草狀態或自我喪失狀態，進一步自我修復，回到自己所應堅持的原則上來，為謀求新的「生」和「自由」而戰鬥。

日文版後記

大約是近十年來的事吧。依我的記憶，那是伊藤雅昭總編輯，開始主編三省堂書店的《ぶっくれっと》叢書之後的事。每當中國發生什麼劃時代的大事件時，他就來約我寫些小文。〈難以揣度的我們同胞的生存方式〉（刊在《ぶっくれっと》28號，1980年9月）〔參見《全集》11〕、〈嚴殺盡兮棄原野〉（刊在『ぶっくれっと』82號，1989年9月）〔參見《全集》3〕便是在他約稿下的產品。前者寫四人幫被逮捕及文化大革命結束；後者則是圍繞第二次天安門事件悲劇的有感隨筆。以上兩文均重新刊載於東京研文出版的拙著：《華僑》（1980年）及《台灣往何處去?!》（1990年）二書中。

二文原題中的「生存樣態」（生きざま）並不是有意識的選詞。然而，兩小文都有了「生存樣態」四個字，在寫後記時發現了無意中的一致，使我感到驚愕。伊藤先生果然是一位觀察敏銳的編輯老手，他看透了筆者心中所思。我再一次地確認他的慧眼，實在令人欽佩。

寫本書的動機，並不是為了別的。可以說，這本書是經過與伊藤先生數次熱情洋溢的談話中醞釀成熟的結果。伊藤先生給予我的刺激和慫恿鼓勵，迄今仍記憶猶新。對台灣的戰後史和認同危機及認同困境（identity dilemma），時至今日，我是以切膚之痛窮追不捨的。我試圖從自己的內心，進而從出生於台灣的一個客家人、一個台灣人，也是作為一個中國人，打從「深層內部」進行分析和解釋。在進行這種分析的過程中，我的腦海中浮現出來的，是羅馬神話中的兩面神亞奴斯（Janus）既英明又聰慧、正背面的一雙面孔。

從現在到本世紀末的幾年，對台灣或台灣地區（指台灣、澎湖島及金門、馬祖島）和中國大陸地區來說，將成為非常重要的轉型期。台灣正背面都有一副面孔，恰似羅馬神話中的兩面神亞奴斯。那是一面孔凝視著過去，另一面孔凝視著未來的神。然而，作為凡人的我只正視「現在」。盱衡近來的台灣政局，也彷彿是一面孔朝向「獨立」，另一面孔朝向「統一」的正背面雙面神，經常是同時凝視對立的兩個方向：戰爭與和平、來到的人與離去的人、仇敵與同夥、生與死，或者是資本主義與社會主義等。

羅馬神話中的兩面神是天上的守門神。過年時候，新的一年的第一個月，是根據兩面神也就是門神Janus而來的January。也就是說，亞奴斯是一切事物起始的吉祥之神。據說，在古代羅馬有許多兩面神的神殿。戰爭時，神殿的門就打開；和平時，神殿的門就被關起來。我們所盼望的，當然是關閉著大門的兩面神神殿的重現。而台灣居民是想與台灣海峽兩岸三地、亞洲太平洋圈，進而與全世界的人們和平共處在一起，共同迎接光明的21世紀之肇始的。

我是假託兩面神而進行分析和解釋的，並以此描述自己和故

雙面神Janus，趙太順女士作品

鄉台灣，以及父祖之國即中國所應該有的，包括其未來的面貌。著者等待讀者諸賢不吝給予指正。

最後要說明的是，在搜集資料方面，承蒙立教大學的金安榮子、田中節子兩位女士的幫忙。在原稿整理和電腦打字方面得到研究所的胎中千鶴、松下洋巳、增田陶子、長野雅史各位同學的幫助。在裝幀上得到長野同學的令堂秀子女士用她敏銳的感性和新穎的畫筆幫了大忙。對上述各位一併致以謝意。

如果沒有三省堂一般書籍總編輯伊藤雅昭先生，和立教大學的同輩同事的慨助和精神方面的支持，本書出版是不可能的，特此表示感謝。對我旅居日本長達40年期間，給予我幫助的日本人老朋友們的深情厚意，我深深地銘刻在心，除感謝二字，再也找不出其他的語言。

另外，在執筆的過程中，有一部分文章提前發表過。發表的情況如下：

1.〈台湾——静かなる革命から政治の季節へ〉，《東京This is読売》，1995年5月號。

2.〈台湾の百年〉，《東京新聞（夕刊）》，1995年7月12日及13日。

3.〈ヤヌス——二つの顔を持つ台湾〉，《日本・歴史学研究》，1995年10月號。

本書收入上述論文，重新編成一書，特此聲明的同時，對有關雜誌報刊的各位編輯兄姊們，表示感謝。

戴國煇　謹誌於東京梅苑

1996年梅花之季

補論：回首李登輝12年
——剖析「變天」的深層結構

一、「變天」前夕的感觸

2000年1月24日，台灣總統大選選情正熱時，我受日本的通信社之邀，演講「台灣總統選情的現狀與展望」。當時我的判斷是「連戰已經出局、阿扁正在追趕，宋稍微超前」。日本朋友聽到我這樣的分析非常吃驚，他們似乎認為我自總統府退下，理應支持連戰才對。我特別聲明我的剖析是基於社會科學研究者批判分析的立場，與前任國家安全會議諮詢委員的個人身分無關。當時，我所以做這樣的分析，是有些觀察及研究的。

當時國民黨實際上已分裂，然重挫宋楚瑜的「興票案」已經發生，但是宋極力撇清，並且聲稱他還有「炸彈」，也就是另有「事實的真相」要拋出來，而這個真相若說出來，據宋的說法是，可能對李登輝總統不利，對中華民國也不好。宋的這種說法使他的聲望維持不墜，但也為當時的選情埋下變數。而阿扁呢，當時支持阿扁的國政顧問團還未成軍，他的聲勢持續升高，當時我問學生支持哪位候選人？有七成的學生支持阿扁，三成支持宋，支持連的居然一個都沒有。我問學生為什麼？學生回答，

「我們支持阿扁並不表示支持台獨，而是支持改革。對我們來說，阿扁及其團隊代表的是對舊秩序的改革與希望，而宋楚瑜雖然也代表革新，但他仍有包袱，這個包袱來自宋的國民黨及『大內』之出身，他過去與蔣經國及李登輝的關係太密切等。」因此學生認為，即使宋當選也不可能像阿扁能大刀闊斧地改革。而連戰，學生似乎都認為，連跟平民百姓的關係很疏離，「他是『貴族』，好像跟我們小老百姓沒什麼關係似的。」學生這樣形容。

連戰出局，早有徵兆

連戰為什麼會出局？我的看法是連戰當時已經犯了大忌，也就是他依然地等待「關愛的眼神」之發酵，想的是傳統方式，仍然可以利用「行政資源」來綁樁腳的選票。他或許認為，過去國民黨時代，選舉時只要能得到樁腳的支持就很穩當。但如今已是個「人人都有一票」的「國民國家」時代，類似的看法是有偏差的。更何況當時基層的許多樁腳都已經在支持宋楚瑜。而國民黨的歷次選舉，像里長、鄉長這樣的樁腳也不見得可靠。有的「黑吃黑」，表面一套、暗地一套，拿了錢卻窩裡反的所在多有，連戰是太相信國民黨對基層動員的力量了。連戰是個學者型的人，個性溫和但不民粹，很不懂得在民眾面前「表演」，他在基層靠的是李登輝的輔選，但是或許李登輝本身也沒有想到，李在基層的影響力已經式微。

一直到後來，李登輝似乎都很有自信，認為「我要誰做，誰就有希望」。但其實民主選舉人人一票，其結果那是在上位者能操縱。說起來這是李登輝的自我迷失，但連戰在選戰的過程卻老是猶疑去作出自我的主張，只在當乖乖牌地聽李的話。選舉是不用子彈的戰爭。你自己不去搶，哪有你的份？連的「無個性」行動模式也是敗因之一。

另外，連戰的世家背景，他的貴族氣息與小老百姓間的差距，不能說老百姓沒有知覺，大家心知肚明，全看在眼裡了。連戰的女兒連惠心的婚禮當天，傳說全台北市花店的花都被連家買走了，婚宴珠光寶氣、窮奢極侈不在話下，被稱為「世紀婚禮」。我認為連戰不是影視界明星、也非商界財團富賈，他是要選總統的政治人物。在這樣「人人一票」的民主時代，連戰得要爭取小老百姓的選票，但顯然他並未如此做，反倒迎合另一階層的少數人。另外，台灣的選舉文化會將候選人的祖宗八代全挖出來，連戰祖父連橫其著作《台灣通史》的貢獻曾被過度張揚，他的父親連震東是曾幫國民黨「壓制」過台灣人的「半山」，這在「穿過草鞋、一起打天下」的老一輩台灣人看來，很有些滋味在心頭。這部分過去連戰從未澄清，選舉時被有心人挑出來利用也是必然。大凡政治人物都難逃「肩膀隨便一拍都會拍出灰塵」的問題，亦即要完美無瑕很難。在台灣的選舉文化下，連戰家世「不光榮的過去」終究逃不掉對手的檢驗。

我覺得從這次選舉看來，台灣百姓的人心已經「不古」，已經能夠不遵從上意、不受人擺布、打壓，有自己的判斷了，這也是民主社會走向成熟的表徵。更重要的，未來台灣總統不競選則已，若要競選，在一人一票的框架下，如果不親民，不跟老百姓打成一片，就選不上。像連戰過去在省主席任內吃一個便當500

元，這樣的貴族氣若是未改善，仍然很容易遭致草根小老百姓（別忘記，他們才是多數）的反彈。

扁宋之拉鋸熱戰

誠然，國民黨連、宋的分裂使得「漁翁」阿扁得利當選，但是不可否認阿扁的確得到許多年輕人的支持，而相較於國民黨出身的幾位候選人，阿扁也的確包袱較少。勤跑基層的宋楚瑜因為能找到台籍人士的張昭雄來搭配，相對抵銷他過去來自國民黨和外省人的包袱，宋能找到張昭雄來搭配競選，的確是台灣社會新進程標誌之一。相較於上層（1996年）的總統直接民選，老國民黨系的另一組候選人林洋港最後只能找來軍人郝柏村搭配，這的確是不同的變化。郝柏村個人沒有什麼好不好的問題，而是郝柏村的軍人出身及強勢參謀總長之前歷叫人討厭。那時他依然象徵著該被打倒的老國民黨政權代表性的大人物。今日宋楚瑜找到的搭配張昭雄，既是台籍出身，又是醫生、長庚大學校長的學術背景，甚至張昭雄的岳父還是李登輝的家庭醫生，張的這些背景當然讓宋得了很多正分。

3月17日晚上投票日前夕，我在台北看了連、宋、扁的三場造勢大會，連的場面比較冷清，被動員來的群眾很多，我重新確認他的當選無望。宋、扁的場面都是人山人海，但是宋的支持者年齡屬於中上，阿扁的支持者較年輕。有意思的是18日投票日當天早上，投完票我就去台南成大上博士班的課，來接機的是國民黨黨員的某朋友，他接機時還信誓旦旦地說，連戰一定會贏。他的說法與許多國民黨員在選前的認知一樣，與事實有相當大的落差，我相信是國民黨員的主觀願望讓他們選擇自己認可的事實，作了美麗的誤解。

李登輝為何不出現？

18日晚上投票結果已經確定陳、呂出線，許多人跟我一樣，當天晚上都在等待李登輝出現在公開場合。一則以國民黨黨主席的身分為敗選向黨員道歉，一則以現任國家元首的身分向陳、呂兩位當選人祝賀。或許因為敗選的衝擊實在太大，或許是李登輝一貫高傲不認輸的性格使然，總之李登輝總統最後並未出現於電視畫面。

二、敗選責任之追究

3月18日深夜大勢已定後，曾相信國民黨不會倒台的民眾開始向中央黨部聚集，對敗選責任的責求開始轉變為抗議示威，只是李登輝身邊的人顯然並未正面應對，將這些抗議非常單純地解釋為外省人、老兵、新黨人士甚至於宋系人馬對李登輝國民黨的不滿。當時來採訪的日本媒體記者尚未散去，根據日本記者告訴我，當時南部有位台籍企業家說，包圍國民黨中央黨部的人群中有中共的特務，企圖把事情鬧大，正準備找一個藉口派兵鎮壓台灣。日本記者問我這樣的事情有無可能？我回答說示威的群眾分子頗雜，裡頭有中共的情報員並非不可能，但中共情報員是否會鼓勵民眾暴動，我認為當時的情勢來看，台灣亂對中共並無實質好處，因此不大可能。也有朋友打電話問我，情勢會不會一日壞過一日？我告訴他，1960年東京反《美日安保條約》的示威促成警方鎮壓，繼而演成變亂，最後犧牲了一位大學教授的女兒。但仔細分析起來，其實興奮的群眾很盲目，甚至整日高呼口號，高喊岸信介（日本首相）下台的民眾中，真正讀過《安保條約》條文者很少。我的意思是，對興奮的群眾來說，火燒起來容易，但要滅火很不容易，李登輝若能早些下台卸任黨主席的職位，不管對台灣的安定，或是對一位已經年邁的元首健康都很有幫助。

附帶一提，向國民黨中央黨部抗議示威的事件沒有坐大，民進黨主席林義雄扮演了重要角色。3月21日，原本有南部民進黨員及民眾準備發動到台北舉行反抗議示威，林義雄勸阻這個活動。根據媒體的報導，他說那是國民黨的家務事，我們沒有立場干預。如果沒有林義雄的冷靜判斷及適時對民進黨員等的勸阻，這個局面的發展真是未可逆料。

三、阿扁得票率所顯示的訊號

3月19日的早報，一張清楚的台灣選舉彩色地圖出現。宋楚瑜贏了全台15個縣市，北部除了宜蘭之外，其餘縣市都是宋楚瑜的天下。但彰化以南的高雄、台南縣市由於阿扁贏太多票，宋楚瑜鎩羽而歸。這個選舉的結果約略可以看出台灣南北的差距。過去北部民眾比較親美，南部民眾比較親日，但這是表相，實際上是北部比較國際化，南部雖有高雄加工出口區，但主要還是工廠、工人的集結處，而非像北部是貨品、訂單的集結處、金融貿易活動中心。這種農業、傳統製造業與流通、消費相關業的分歧，亦即資本主義發展所衍伸出來的差距，將來會不會演變成選民因利益不同，而形成南北對抗衝突，很值得觀察。地方主義的對抗在韓國很嚴重，台灣則是省籍矛盾及族群矛盾把南北因經濟發展所引發的落差與矛盾暫時遮掩而已。從選舉的結果來看，省籍及族群的矛盾已緩和化而呈現的卻是經濟利益的考量，南北「開發」差距已經表面化。以民眾的經濟能力及資本主義發展的成熟度來說，台灣北部都比南部高，阿扁的政見之一是平衡南北差距，他選上之後，能否進一步的開發南部，台灣北南經濟結構差距將如何調適，也很值得注意。

1994年陳水扁參加台北市長選舉時，同樣從國民黨分裂出來的外省籍政治人物趙少康，與現職台北市長的台南人，也是李登輝的愛將黃大洲一起瓜分國民黨支持者的票源。當時趙少康的聲勢高漲，盛傳他會勝選，也有人利用耳語說要棄（黃）保（扁），甚至後來陳水扁的當選，很多人都歸因於「棄保」效應。而這次總統選舉連下扁上，也有人解讀與「棄（連）保（扁）」的效應有關。

「棄保」效應該怎麼看？我認為從「李登輝神話」的形成及破解來看，可以有比較深入的觀察。

李登輝從1988年繼任蔣經國政權以來，在1996年第一次總統民選勝選後政權始見鞏固。1995年李登輝赴美在康乃爾大學演講前後三年是李登輝民間聲望最高的時候。當時李連體制的雛形初成，在國民黨內代表蔣經國傳承的黨祕書長李煥的勢力剛被拔掉，換了宋楚瑜上來。當時李登輝的運作是先讓李煥當行政院長，但不到一年又換上郝柏村。阿扁當時是立法委員，在立法院大聲疾呼「反對軍人干政」，但其實當年李登輝讓郝柏村任行政院長有其用心，當時的郝柏村，並非說他的人品不好，而是對當時政治意識高漲的人們來說，郝柏村代表過往國民黨的壓制力量，引起激烈抗爭是必然的。後來郝下連上，這幕後當然是複雜的，且有李登輝主導的、與民進黨在修憲上的交易，也就是後來體制外修憲的一連串發展。但不管如何，當時大家對李的看法是李登輝這人果然厲害，他居然在短短時間可以將黨掌控，軍事系統雖未完全收編，但卻將郝主掌參謀總長八年的軍權解體。這個過程可以看出李登輝專權的處心積慮。並推行了軍隊之國家化暨現代化。

蔣經國的晚年曾說，「我在台灣住了40年，我也是台灣人了。」蔣經國是有意識走本土化道路，但是速度不快，也不夠放手。李登輝後來繼承蔣經國所說的本土化，但路卻越走越窄，本土化近乎變成「福佬化」。

再談李登輝在政治上的深謀遠慮。李首先將宋楚瑜放到台灣省，繼承連戰成為省主席，演出「情同父子」、「正港的台灣人」的劇碼，事實上李讓連去行政院、宋任省主席外，還有一個大家未注意到的卻是曾任黨祕書長的台籍人士許水德。許是第一個台籍人士的駐日代表、不久又調回任國民黨中央黨部祕書長，也是台籍人士任此職的第一位。許多外省籍大老沒有太多的戒心，非常欣賞許水德善於打太極拳又兼有鄭板橋的「難得糊塗」一類的「誠懇篤實」式「水車哲學」（許之自稱）。李重用許水德加上連、宋的布局，可以看出李的「本土化」政策已經超過蔣經國，在質與量上都有長足的變化。「李登輝情結」、「李登輝神話」開始展現於「福佬沙文主義」為基礎的主流意識無遺，遂有台灣民粹主義的狂飆。

李登輝的布局還不僅於此。宋被官派省主席一年後，李登輝將原先大家覺得應該去選省長，本身也有意願選省長的客籍政治人物吳伯雄拉下來，讓宋去選省長，不能否認這是李有意識地要藉機緩和省籍矛盾。但同時期李登輝又對「二二八事件」，進行道歉及補償條例的擬定等一系列有關二二八的政治解決措施。改革進程下，宋楚瑜對李登輝全面性配合，真是五體投地，不管是在國民黨祕書長任內，或是省主席任內都全力以赴，因此獲得李的支持和輔選，才有第一屆省長選舉宋獲得四百七十多萬票，將民進黨省長候選人陳定南打下來的結果。不久李登輝發現宋很難駕馭，來個腦筋急轉彎，藉精省、廢省的冠冕堂皇名義企圖廢宋，宋並不願買單，決心選總統，五年之內跑遍了全省兩趟，在對地方基層的掌握上，沒人贏得了宋。

總統選舉有無「棄保」效應，李登輝一直否認，但後來連戰淡淡地說了一句：「我有受騙的感覺」，由此也可知他心中確有委屈。而陳水扁則一再地說，棄保效應與他無關。我觀察到的是，陳水扁這次只得39％選票，而民進黨向來35％的固定票源，如果「李登輝神話」持續發酵，何來扁僅有不到四成的票，他的票應該更多才對！其實不管棄保效應的真假如何，我認為從這次選舉看來，「李登輝神話」已然過去一半，這才是客觀的事實。

另外，陳水扁這次當選是名副其實的「漁翁得利」。筆者認

表6 台灣總統選舉統計表

	第九任（1996年）		第十任（2000年）	
總選舉人數	14,313,288		15,462,671	
投票人數	10,883.279		12,786,671	
投票率	76.04%		82.69%	
政黨	候選人	得票數（得票率）	候選人	得票數（得票率）
國民黨	李登輝・連戰	5,813,699（54.00%）	連戰・蕭萬長	2,925,513（23.10%）
民進黨	彭明敏・謝長廷	2,274,586（21.12%）	陳水扁・呂秀蓮	4,977,737（39.30%）
新黨	林洋港・郝柏村	1,603,790（14.90%）	李敖・馮滬祥	16,782（0.13%）
無黨派	陳履安・王清峰	1,074,044（9.98%）	宋楚瑜・張昭雄	4,664,932（36.84%）
無黨派			許信良・朱惠良	79,429（0.63%）

為，支持度從未超過四成的民進黨想主導修憲或直選總統成功，要「絕對多數」選民的支持恐怕並不容易，僅能靠「相對多數」來完成其戰略目標。過去民進黨主席許信良曾說，他預計民進黨21世紀可以掌權，主要是期望國民黨出亂子後，民進黨可以漁翁得利。這也是想藉助「相對多數」的利益，而這一天果然來臨，連民進黨高層也沒想到這樣的勝利結果會來得這麼快。事實上，他們原先預計的對決時間是2004年。

無論如何，陳水扁可以說是「幸運之子」，上回台北市長任內是因為國民黨的分裂而勝選，這次總統大選亦然。不要忘了總統選舉之前，陳水扁的台北市長還選輸了馬英九。陳水扁真可說鹹魚翻身，歷史弔詭莫過於此。

我認為「棄保效果」是自然形成的，是大家覺得連戰沒希望、國民黨沒有救，自動「棄連保宋」。連的票自動跑去宋營，以致阿扁得利，這樣才客觀。另外，從這次選舉結果看來，原住民及客家人的票近乎全跑到宋楚瑜那邊，這一方面可看出宋的基層功力。一方面也可看出過去本土化政策窄化成福佬化，引起其他族群的危機感。但更值得注意的是，從這次選票去向的結果看來，省籍因素並未對選舉的結果有關鍵性的影響，台灣各族群的省籍情結可以說逐漸地正在淡化中。

台灣的福佬人數約占70%，這次選舉看來，並未完全投給陳水扁。連的票有二成，顯然有50%的福佬票是連加扁，剩下的20%為宋取走。李登輝曾說宋可能會「賣台」——這種前監察院長王作榮最痛恨的、轉嫁給外省人的「原罪」的手法——顯然老百姓也未接受，特別是年輕人，已不受省籍或族群矛盾的挑撥與支配。反而是「誰挑起省籍情結，誰就是大家的共同敵人」，這樣的氣氛在台灣已經逐漸形成了。往後的阿扁切忌不可再繼承李登輝炒作或暗示省籍、族群情結使之發作，否則終究得不到老百姓的支持。

從整個選舉結果來看，民進黨以險勝的2.5%的相對多數贏了勝利，筆者認為，將來會不會從李（連）走上扁（李）體制很值得注意。誠然，李的修憲志業最後未竟其全功。按照國民大會後來蘇南成提延任案的發展，據傳李從政到最後，原先是希望能延而不就任（若延任成功，李不就任由連代理）的，但恐怕遭到各方特別是美國的反對，因此改採「垂簾聽政」的方式，希望從陣營下的人們可以繼續聽他的話，也就是李（連蕭）體制的建構，繼續完成其修憲大業（李所認為的民主憲政制度的完成）。但「人算不如天算」，眾人所知李並未如願。將來阿扁若還想利用李的剩餘價值，李也還是希望阿扁來服侍或護駕（包括繼承「李登輝路線」），扁（李）體制會如何醞釀，很值得注意。

將來國、民、親民三黨的未來將如何演變？我認為個性溫厚的連，要主導國民黨改造運動使其成功不易，李也不可能重新回去國民黨。宋楚瑜過去主要是靠省長任內的行政資源出來選，將來沒有了省長的資源，親民黨能否維持選舉運動期間的魅力及能量也很值得觀察。將來三黨的發展，看起來還是阿扁較優勢。但一旦國民黨及親民黨不被看好時，民進黨隨而將面臨內鬥抑或分裂是可以預測的。

阿扁的政府上台，媒體說是政黨輪替第一遭，我說這那是「政黨輪替」，充其量只有「政權輪替」，阿扁的新政府只是總統副總統的黨籍之改變而已，也沒有政黨聯合會議、阿扁號稱「全民政府」，但大多政策也非由民進黨中央而來。再說阿扁的新政府中，民進黨黨籍的人數有多少，國民黨籍的人又有多少？這些看來都與「政黨輪替」無關。阿扁內閣有好些人是做官第一，意識形態及政黨政策對大部分的政務官員意義其實不大。政務官鮮有政黨取向，或許是中國人的功利主義，另一方面來說也是當今世界的新趨勢。如今，已是意識形態退潮，經濟利益及私人功利優越於一切的年代。

阿扁某一部分若能參與民進黨的改造，民進黨將會有不同的發展。民進黨另一實力派人物謝長廷將接林義雄就任民進黨黨主席，民進黨的世代交替已然成形。當年美麗島事件的年輕辯護律師群，未坐過牢的民進黨員如今已成民進黨的主力部隊，民進黨的世代交替將逐漸完成。阿扁將來與他的年輕智囊團如何互動，擁有黨資源的謝長廷將來會不會意圖更進一步握有權力，跳出來向阿扁挑戰，這些都還有待觀察。

不管如何，如今三黨領導者（除了連戰）及其智囊團的共同點都是年輕化，也就是希望透過政策及世界新動向來說服老百姓，大規模的買票已經不可能。

國際媒體盛傳阿扁任命唐飛組閣是一個高招，但筆者總認為是不得不作的「怪招」。在國內外眾說紛紜，傳得沸沸揚揚，米已經下鍋了，只好看陳如何煮好上桌了。從媒體的消息看來，阿扁組閣過程並未與民進黨主席林義雄充分討論，似乎多一點請教李登輝，但也未與唐飛好好商量。也有人認為，陳水扁已經開始在走鋼索。

有人說陳水扁的內閣是「菜鳥內閣」，也有人說是「練習生內閣」。新人新政，陳的「菜鳥內閣」沒有經驗，但能創新、有個性，不一定是負面。年輕、沒有包袱的新內閣如今採取的是「沒有原則為原則」。以兩岸關係來說，這也是比較好的方式，中共如今是要你給面子，如果你不去刺激它，不給它添麻煩，它或許也不會先動手。而美國，還是企圖持續掌握世界憲兵的龍頭地位，美國顯然並不支持兩岸立即統一，也不喜歡台灣獨立。過去李登輝充分利用了這種「恐怖平衡」，大玩模糊策略，今日輪到弱勢的阿扁總統接手，由於他過去的台獨主張，反而阿扁將被逼對兩岸關係的表述非「說清楚、講明白」不可。陳水扁的新政府可塑性很大，筆者認為求「實利」的本身未必對台灣壞，而不講意識形態的新內閣對台灣未來的發展也比較好。

最近日本新興右翼民族主義重新抬頭，過去二年，李登輝的親日路線常與這些人親近，前一陣子，東京知事石原慎太郎對歧視亞洲人的發言，加上森首相「以天皇為中心」的神國論，已經遭受日本內外批評。唯一不吭聲、不抗議的是台灣。假使陳水扁對日的政策，照樣接受李登輝過去對日的路線，不僅在日本會處處碰壁，也會遭到美國及亞洲諸國的反彈。

今年五月間，北韓首腦金正日訪問北京，一方面肯定中共的改革開放政策，中共對美國打了招呼，但非常明確地把日本除外。南韓也一樣，與金正日訪北京的同時，日本首相森〔喜朗〕亦正在漢城，金大中卻沒有給他任何消息。另外，為朝鮮半島問題而召開的四國會議，北韓、中共一直拒絕日本參加，如果日本政府繼續對亞洲只用「錢」買通人心，而仍然作出無理的發言，森總理不僅在國際上將遭致反彈，在國內能否得民心、當好總理職位已叫多數日本人在質疑。而南北韓首腦金大中與金正日的首腦會談，對朝鮮半島的和解，與東北亞的安全與和平，及兩岸的問題將帶來什麼樣的影響，也很值得注意。

誠然，全世界為了建構新秩序在動盪。我們台灣的「寧靜革命」（亦是種和平演變）將邁進新階段。阿扁及其親信一概是年輕，無經驗，但可塑性頗高。小老百姓只能抱著既擔憂又期盼的複雜心情來觀望，但筆者深信我們的小市民永遠是樂觀的。並認為，台灣的前途是光明的，但道路難免是曲折的。

2000年6月18日，自日本返台時定稿

【附錄1】
江澤民：「爲促進祖國統一大業的完成而繼續奮鬥」

（中國共產黨總書記、國家主席江澤民在新春茶話會的講話〔簡稱江八點〕）

同志們，朋友們：

全國各族人民剛剛歡度了1995年元旦，又迎來了乙亥年春節。在這中華民族的傳統節日來臨之際，在京的台灣同胞和有關人士歡聚一堂，共話兩岸關係前景和祖國和平統一大業，是一件很有意義的事。藉此機會，我謹代表中共中央、國務院，向2,100萬台灣同胞祝賀新年，祝願台灣同胞新春快樂，萬事如意！

台灣是中國不可分割的一部分。一百年前，1895年4月17日，日本帝國主義以戰爭的手段，逼迫腐敗的清朝政策簽訂了喪權辱國的〈馬關條約〉，強行攫取了台灣與澎湖列島，使台灣人民在日本殖民統治下生活了半個世紀之久。中國人民永遠不會忘記這屈辱的一頁。50年前，中國人民同世界人民一道戰勝了日本帝國主義，1945年10月25日，台灣與澎湖列島重歸中國版圖，台灣同胞從此擺脫了殖民統治的枷鎖。但是，由於眾所周知的原因，1949年以後，台灣又與祖國大陸處於分離狀態。實現祖國的完全統一，促進中華民族的全面振興，仍然是所有中國人的神聖使命和崇高目標。

1979年1月，全國人民代表大會常務委員會發表〈告台灣同胞書〉以來，我們制定了「和平統一、一國兩制」的基本方針和一系列對台政策。鄧小平同志是中國改革開放的總設計師，也是「一個國家、兩種制度」偉大構想的創造者。鄧小平同志高瞻遠矚，實事求是，提出了一系列具有鮮明時代特色的解決台灣問題的重要論斷和思想，確立了實現祖國和平統一的指導方針。

鄧小平同志指出，問題的核心是祖國統一，凡是中華民族的子孫，都希望中國統一，分裂是違背民族意志的。只有一個中國，台灣是中國的一部分。不能允許有什麼「兩個中國」或「一中一台」，堅決反對「台灣獨立」。解決台灣問題無非有兩種方式，一種是和平的方式，一種是非和平的方式。用什麼方式解決台灣問題，完全是中國的內政，絕不允許外國干涉。我們堅持用和平的方式，通過談判實現和平統一；同時我們不能承諾根本不使用武力，如果承諾了這一點，只能使和平統一成為不可能，只能導致最終用武力解決問題。統一以後實行「一國兩制」，國家的主體堅持社會主義制度，台灣保持原有的制度。「不是我吃掉你，也不是你吃掉我」。統一後，台灣的社會經濟制度不變，生活方式不變，台灣同外國的民間關係不變，包括外國在台灣的投資及民間交往不變。台灣作為特別行政區有高度的自治權，擁有立法權和司法權（包括終審權），可以有自己的軍隊、黨、政、軍等系統都由自己管理。中央政府不派軍隊、行政人員駐台，而且在中央政府裡還要給台灣留出名額。

十幾年來，在「和平統一、一國兩制」基本方針指引下，經過海峽兩岸同胞、港澳同胞和海外僑胞的共同努力，兩岸人員往來以及科技、文化、學術、體育等各領域的交流蓬勃發展。兩岸經濟相互促進、互補互利的局面正初步形成。早日實現兩岸直接「三通」，不僅是廣大台胞、特別是台灣工商業者的強烈呼聲，而且成為台灣未來經濟發展的實際需要。兩岸事務性商談已取得進展，「汪辜會談」標誌著兩岸關係邁出了歷史性的重要一步。

但是，值得所有中國人警惕的是，近年來台灣島內分離傾向有所發展，「台獨」活動趨於猖獗。某些外國勢力進一步插手台灣問題，干涉中國內政。這些活動不僅阻礙著中國和平統一的進程，而且威脅著亞太地區的和平、穩定和發展。

當前國際形勢仍然複雜多變，但總的趨勢是走向緩和。世界各國都在制定面向未來的經濟戰略，把增強綜合國力作為首要任務，以求在下一世紀到來能在世界上占有自己的位置。我們感到高興的是，海峽兩岸的經濟都在向前發展。1997年、1999年，我國將相繼恢復對香港和澳門行使主權，這將是全國各族人民包括台灣同胞的一件大喜事。中華民族歷盡滄桑，飽經磨難，現在是完成祖國統一大業、實現全面振興的時候了。這對台灣是個機會，對整個中華民族也是個機會。在這裡，我願就現階段發展兩岸關係，推進祖國和平統一進程的若干重要問題提出如下看法和主張。

1. 堅持一個中國的原則，是實現和平統一的基礎和前提。中國的主權和領土絕不容許分割。任何製造「台灣獨立」的言論和行動，都應堅決反對；主張「分裂分治」、「階段性兩個中國」等等，違背一個中國的原則，也應堅決反對。

2. 對於台灣同外國發展民間性經濟文化關係，我們不持異議。在一個中國的原則下，並依據有關國際組織的章程，台灣已經以「中國台北」名義參加亞洲開發銀行、亞太經濟合作會議等經濟性國際組織。但是，我們反對台灣以搞「兩個中國」、「一中一台」為目的的所謂「擴大國際生存空間」的活動。一切愛國的台灣同胞和有識之士都會認識到：進行這類活動並不能解決問題，反而會使「台獨」勢力更加肆無忌憚地破壞和平統一的進程。只有實現和平統一後，台灣同胞才能與全國各族人民一道，真正充分地共享偉大祖國在國際上的尊嚴與榮譽。

3. 進行海峽兩岸和平統一談判，是我們的一貫主張。在和平統一談判的過程中，可以吸收兩岸各黨派、團體有代表性的人士參加。我在1992年10月中國共產黨第14次全國代表大會的報告中說：「在一個中國的前提下，什麼問題都可以談，包括就兩岸正式談判的方式同台灣方面進行討論，找到雙方都認為合適的辦法。」我們所說的「在一個中國的前提下，什麼問題都可以談」，當然也包括台灣當局關心的各種問題。我們曾經多次建議雙方就「正式結束兩岸敵對狀態、逐步實現和平統一」進行談判。在此，我再次鄭重建議舉行這項談判，並且提議作為第一步，雙方可先就「在一個中國的原則下，正式結束兩岸敵對狀態」進行談判，並達成協議。在此基礎上，共同承擔義務，維護中國的主權和領土完整，並對今後兩岸關係的發展進行規劃。至於政治談判的名義、地點、方式等問題，只要早日進行平等協商，總可找出雙方都可以接受的解決辦法。

4. 努力實現和平統一，中國人不打中國人。我們不承諾放棄使用武力，絕不是針對台灣同胞，而是針對外國勢力干涉中國統一和搞「台灣獨立」的陰謀的。我們完全相信台灣同胞、港澳同胞和海外僑胞理解我們的這一原則立場。

5. 面向21世紀世界經濟的發展，要大力發展兩岸經濟交流與合作，以利於兩岸經濟共同繁榮，造福整個中華民族。我們主張不以政治分歧去影響、干擾兩岸經濟合作。我們將繼續長期執行鼓勵台商投資的政策，貫徹「中華人民共和國台灣同胞投資保護法」，不論在什麼情況下，我們都將切實維護台商的一切正當權益。要繼續加強兩岸同胞的相互往來和交流，增進了解和互信。兩岸直接通郵、通航、通商，是兩岸經濟發展和各方面交往的客觀需要，也是兩岸同胞利益之所在，完全應當採取實際步驟加速實現直接「三通」。要促進兩岸事務性商談。我們贊成在互惠互利的基礎上，商談並且簽訂保護台商投資權益的民間性協議。

6. 中華各族兒女共同創造的五千年燦爛文化，始終是維繫全體中國人的精神紐帶，也是實現和平統一的一個重要基礎。兩岸同胞要共同繼承和發揚中華文化的優秀傳統。

7. 2,100萬台灣同胞，不論是台灣省籍還是其他省籍，都是中國人，都是骨肉同胞、手足兄弟，要充分尊重台灣同胞的生活方式和當家作主的願望，保護台灣同胞一切正當權益。我們黨和政府各有關部門，包括駐外機構，要加強與台灣同胞的聯繫，傾聽他們的意見和要求，關心、照顧他們的利益，盡可能幫助他們解決困難。我們希望台灣島內社會安定、經濟發展、生活富裕；也希望台灣各黨派以理性、前瞻和建設性的態度推動兩岸關係發展。我們歡迎台灣各黨派、各界人士，同我們交換有關兩岸與和平統一的意見，也歡迎他們前來參觀、訪問，凡是為中國統一作出貢獻的各方面人士，歷史將永遠銘記他們的功績。

8. 我們歡迎台灣當局的領導人以適當身分前來訪問；我們也願意接受台灣方面的邀請，前往台灣。可以共商國是，也可以先說某些問題交換意見，就是相互走走看看，也是有益的。中國人的事我們自己辦，不需要借助任何國際場合。海峽咫尺，殷殷相望，總要有來有往，不能「老死不相往來」。

港澳同胞、海外僑胞為促進兩岸關係、祖國統一和中華民族振興，作出了許多努力，功不可沒。我們希望廣大港澳同胞、海外僑胞進一步為發展兩岸關係、統一祖國和振興中華作出新的貢獻。

早日完成祖國統一，是中國各族人民的共同心願。無限期地拖延統一，是所有愛國同胞不願意看到的。中華民族偉大的革命先行者孫中山先生曾經說過：「統一是中國全體國民的希望，能夠統一，全國人民便享福，不能統一便要受害。」我們呼籲所有中國人團結起來，高舉愛國主義的偉大旗幟，堅持統一，反對分裂，全力推動兩岸關係的發展，促進祖國統一大業的完成，中華民族現代發展進程中這光輝燦爛的一天，一定會到來。（1995年1月30日）

按：由於是有關台灣海峽兩岸的「和平八項」江澤民建議，故一般略稱為「江八點」。（　）號為筆者的補註。資料來源：《人民日報》，1995年1月30日

【附錄2】

李登輝：「立足於現階段的形勢，樹立兩岸的正常關係」

（李登輝總統、國家統一委員會主任委員，在國家統一委員會改組後第一次會議上的談話全文〔簡稱李六條〕）

各位副主任委員、各位委員、各位研究委員：

今天是國家統一委員會改組後的第一次會議，我們聽取了行政院大陸委員會和國家安全局的報告，同時也進行了熱烈的討論。各位基於對國家統一問題的高度關注，所發表的意見非常重要，本人將請有關單位作進一步研究。非常感謝大家！

1990年5月20日，登輝在中華民國第八任總統宣誓就職典禮的致詞中，曾明確指出「當此全人類都在祈求和平、謀求和解的時刻，所有中國人也應共謀以和平與民主的方式，達成國家統一的共同目標」；為了「匯集國人的智慧，發揮我們的特長，以積極務實的作為，掌握民心的歸趨，主導兩岸關係的發展，早日達成國家統一的目標」，10月7日成立國家統一委員會。國家統一委員會於1991年2月23日通過《國家統一綱領》，具體說明了中華民國追求自由、民主、均富、統一的信念與進程。1991年4月30日，本人宣告終止動員戡亂時期，更實際展現了我們開創和平統一的誠意。

《國家統一綱領》中列舉了四項原則，第一、大陸與台灣均是中國的領土，促成國家的統一，應是中國人共同的責任。第二、中國的統一，應以全民的福祉為依歸，而不是黨派之爭。第三、中國的統一，應以發揚中華文化，維護人性尊嚴，保障基本人權，實踐民主法治為宗旨。這三項相信是全體中國人，包括兩岸有責任感的政黨所不能否定的。

然而由於四十多年來，海峽兩岸不同制度、不同條件形成的發展差距，我們為了對台、澎、金、馬的2,100萬同胞負責任，同時也為維護中國人在台灣所締造的可貴經驗，分潤全中華民族，所以，《國家統一綱領》又列舉了第四項原則：中國的統一，其時機與方式，首應尊重台灣地區人民的權益並維護其安全與福祉，在理性、和平、對等、互惠的原則下，分階段逐步達成。

近年來，海峽兩岸民間往來日益頻繁，各項交流不斷發展擴大，兩岸人民跨越長期的隔絕，逐漸增進彼此的了解；而辜汪會談及兩岸事務性商談，標誌著兩岸關係走入協商的時代。兩岸關係的發展開啟了全中華民族重新融合的新頁，是令人珍惜的歷史進程。但是，由於大陸當局未能正視中華民國政府已存在84年，並持續擁有對台澎金馬主權與治權的事實，處處否定、排擠我們在國際上應有的發展與地位，致使和平統一的步伐停滯不前。

不容諱言，兩岸分離對峙四十餘年，累積的敵意與誤解自難立即消弭。然而，面對新的情勢，兩岸都必須以新的體認，採取務實的作為，促成真正的和諧，才能塑造中國再統一的有利氣候與形勢。因此，針對現階段的情勢，為建立兩岸正常關係，我們提出以下的主張：

1. 在兩岸分治的現實上追求中國統一：1949年以來，台灣與大陸分別由兩個互不隸屬的政治實體治理，形成了海峽兩岸分裂分治的局面，也才有國家統一的問題。因此，要解決統一問題，就不能不實事求是，尊重歷史，在兩岸分治的現實上探尋國家統一的可行方式。只有客觀對待這個現實，兩岸才能對於「一個中國」的意涵，儘快獲得較多共識。

2. 以中華文化為基礎，加強兩岸交流：博大精深的中華文化，是全體中國人的共同驕傲和精神支柱。我們歷來以維護及發揚固有文化為職志，也主張以文化作為兩岸交流的基礎，提升共存共榮的民族情感，培養相互珍惜的兄弟情懷。在浩瀚的文化領域裡，兩岸應加強各項交流的廣度與深度，並進一步推動資訊、學術、科技、體育等各方面的交流與合作。

3. 增進兩岸經貿往來，發展互利互補關係：面對全球致力發展經濟的潮流，中國人必須互補互利，分享經驗。台灣的經濟發展要把大陸列為腹地，而大陸的經濟發展則應以台灣作為借鑑。我們願意提供技術與經驗，協助改善大陸農業，造福廣大農民；同時也要以既有的投資與貿易為基礎，繼續協助大陸繁榮經濟，提升生活水準。至於兩岸商務與航運往來，由於涉及的問題相當複雜，有關部門必須多方探討，預作規劃。在時機與條件成熟時，兩岸人士並可就此進行溝通，以便透徹了解問題和交換意見。

4. 兩岸平等參與國際組織，雙方領導人藉此自然見面：本人曾經多次表示，兩岸領導人在國際場合自然見面，可以緩和兩岸的政治對立，營造和諧的交往氣氛。目前，兩岸共同參與若干重要的國際經濟及體育組織，雙方領導人若能藉出席會議之便自然見面，必然有助於化解兩岸的敵意，培養彼此的互信，為未來的共商合作奠定基礎。我們相信，兩岸平等參與國際組織的情形愈多，愈有利於雙方關係發展及和平統一進程，並且可以向世人展現兩岸中國人不受政治分歧影響，仍能攜手共為國際社會奉獻的氣度，創造中華民族揚眉吐氣的新時代。

5. 兩岸均應堅持以和平方式解決一切爭端：炎黃子孫須先互示真誠，不再骨肉相殘。我們不願看到中國人再受內戰之苦，希望化干戈為玉帛。因此，於1991年宣布終止動員戡亂，確認兩岸分治的事實，不再對大陸使用武力。遺憾的是，四年來，中共當局一直未能宣布放棄對台澎金馬使用武力，致使敵對狀態持續至今。我們認為，大陸當局應表現善意，聲明放棄對台、澎、金、馬使用武力，不再做出任何引人疑慮的軍事行動，從而為兩岸正式談判結束敵對狀態奠定基礎。本人必須強調，以所謂「台獨勢力」或「外國干預」作為拒不承諾放棄對台用武的理由，是對中華民國立國精神與政策的漠視和歪曲，只會加深兩岸猜忌，阻撓互信；兩岸正式談判結束敵對狀態的成熟度，需要雙方共同用真心誠意來培養醞釀。目前，我們將由政府有關部門，針對結束敵對狀態的相關議題進行研究規劃，當中共正式宣布放棄對台、澎、金、馬使用武力後，即在最適當的時機，就雙方如何舉行結束敵對狀態的談判，進行預備性協商。

6. 兩岸共同維護港、澳繁榮，促進港、澳民主：香港和澳門是中國固有領土，港、澳居民是我們的骨肉兄弟，1997年後的香港和1999年後的澳門情勢，是我們密切關心的問題。中華民國政府一再聲明，將繼續維持與港、澳的正常聯繫，進一步參與港、澳事務，積極服務港、澳同胞。維持經濟的繁榮與自由民主的生活方式，是港澳居民的願望，也受到海外華人和世界各國的關注，更是海峽兩岸無可旁貸的責任。我們希望大陸當局積極回應港、澳居民的要求，集合兩岸之力，與港、澳人士共同規劃維護港、澳繁榮與安定。

近百年來，中國歷經重重苦難，始終未能建立自由富裕的現代化社會。50年前抗戰勝利，雖然結束了外力入侵，重現希望的曙光，然而兩岸又告分離。四十餘年來，中華民國秉承孫中山先生遺志，致力推動民生建設，在經濟上創造了全球肯定的「台灣經驗」；近年又積極從事憲政改革，實踐主權在民的民主理念。這一切作為，都在為中華民族的未來奠定基礎。儘管兩岸長期分隔，但我們向來珍惜與大陸同胞的手足之情，時時以全中國人民的福祉為念。而未來，我們也將繼續發揮相互扶持的同胞愛，協助大陸地區在穩定的局勢中，謀求進一步的發展。我們希望大陸的經濟日益繁榮，政治走向民主，讓12億同胞享有自由富裕的生活。本人堅定地相信，在國際局勢日趨緩和的今天，兩岸分別展開民權及民生建設，進行和平競賽，是對全中華民族最直接、最有效的貢獻，不但能謀求中國統一問題的真正解決，並能使炎黃子孫在世界舞台昂首屹立。這才是民族主義的真誠，也是面對21世紀，兩岸執政者不容推卸的責任。（1995年4月8日）

資料來源：《行政院大陸委員會公報》4卷2期，1995年6月16日。

【附錄3】
李登輝在康乃爾大學的演講：「民之所欲，長在我心」

羅茲（Frank Rhodes）校長、各位老師、各位學長、各位校友、各位女士、各位先生：

謝謝羅茲校長的介紹，溢美之辭，愧不敢當！

今天登輝能在母校的歐林講座上發表演說，深感榮幸！這一趟返校之行，可以說是一段漫長而艱難的旅程。不過，內子與本人得以重回康大美麗校園，心中確是頗為愉快。

回到母校，使我們有重溫舊日時光的機會。猶憶當年圖書館中熬夜苦讀，教堂內清心自省，課室間匆忙往返，黃昏時攜手漫步。往事如昨，歷歷在目，讓我們深覺喜悅與感激。

首先登輝要衷心感謝羅茲校長對本人返校的堅定立場及盛情接待。其次，要謝謝各位康大校友對登輝此次意義重大且富有懷舊情意的返校之行，所給予了解與支持。

同時要感謝美國許多友人的鼎力協助，使登輝得以重訪貴國。此次，更要謝謝諸位師長和同學，為我的人生，帶來深遠的影響。

各位對本人之情誼與支持，登輝將永銘心中。

此次來美參加康乃爾大學校友返校盛會，不僅是登輝個人的殊榮，更重要的，這也是中華民國在台灣2,100萬同胞共同的榮幸。事實上，此次康大邀請本人來訪，就是對我國人民過去數十年來，致力國家建設所獲成就的一項肯定。本人今日所要談到的主題，也就是我國的人民。

傾聽人民的心聲

1965至1968年在康大的求學生涯，是我一生中甚為難忘的時光，那段時期正是美國社會經歷民權運動與反越戰風潮的不安年代，雖然歷經動盪，但美國的民主制度仍然屹立不搖。

也就是在那幾年間，登輝深刻體認到，充分的民主是促進社會和平轉變的動力，只有以更民主的方式去推動民主，只有以更自由的理念去推動自由，才能促成民主自由的早日到來。這也是登輝回國之後，決心為加速台灣社會全面民主化，貢獻心力的信念泉源。

自從本人在1988年就任中華民國總統以來，本人最重要的目標，就是要了解民眾的意願，以期由民意主導政府施政。早在兩千多年以前，中國的古書《尚書》，就有「民之所欲，天地從之」的說法，我本人服務公職的準則，也就是：「民之所欲，長在我心！」

事實上，大家都可以明顯地看出，我國民眾最關切的，就是民主與發展。民主必須包含對個人自由及社會公義的尊重，以及個人能夠直接影響國事的參與感。經濟發展則不僅是為了追求財富與繁榮，還必須包括均富理念的實踐。

後冷戰時代已然來臨，世局卻仍充滿了許多難測的情勢。面對共產主義的衰敗，不同國家的民眾也亟於嘗試追求新的制度，來滿足人類的基本需求。在各種嘗試之中，人類更必須用最高的智慧與勤奮，作出正確的選擇，以免墜入陷阱。

捷克總統哈維爾（Vaclav Havel）先生曾言：「解救人類世界的唯一之途，就在人類的心中」。確實如此，至少在本人心中，我一直相信「台灣經驗」有其獨到之處，可以幫助吾人在這個世界之中，尋找一個新方向。這當然並不表示台灣經驗以一成不變地移植至其他國家應用。但是本人確信，台灣經驗中的若干部分，對我們所面臨的新時代，必能帶來新希望。

台灣經驗

本人所說的「台灣經驗」，就是台灣地區的人民，近年來經由政治改革與經濟發展所累積而成的智慧結晶。此一經驗已得到國際社會充分的肯定，也是許多發展中國家可以借鏡的典範。基本上，「台灣經驗」代表了中華民國近數十年間經濟、政治與社會的轉型過程——此一轉型過程所帶來的意義，將會對亞太地區的未來發展與世界和平，均具有深遠的影響。

我們也許應該看看中華民國究竟是在何種條件下，締造了今日的成就：台灣的土地面積只有36,126平方公里（比紐約州的三分之一還稍小），人口2,100萬，自然資源貧乏，而人口密度極高。但是去年貿易總額高達1,800億美元；國民平均所得為12,000美元，外匯存底達970億美元，僅次於日本，高居全球第二位。

台灣之所以能夠在和平中完成政治改革，主要是以穩定的經濟發展為基礎。首先，在先總統　蔣公及蔣故總統經國先生領導之下，台灣經歷了經濟起飛，成就非凡。目前，除了經濟發展之外，台灣更已經由寧靜、不流血與非暴力的過程，大步邁向政治民主化。

在其他開發中國家，走向民主體制的政治改革過程中，常出現軍事政變或杭廷頓（S. P. Huntington）教授所稱的「政治倒退」。簡單的說，在一般政治轉變的過程中，暴力和動亂是很普遍的現象。然而，在台灣的中華民國，可說是一個明顯的例外。因為我們並未出現開發中國家經歷的惡性循環——自政治參與擴張至階級對立、軍事政變和政治壓迫。台灣改革過程的和平，展現了卓著的獨特性，可以說是在「經濟奇蹟」之外，塑造了成功的「政治奇蹟」。

其次，我要談一下「台灣經濟」的地區性和國際性義涵。1994年，台灣和中國大陸的轉口貿易額高達98億美元。據估計，台灣通過香港對中國大陸南部沿海地區之投資接近40億美元，此類經濟活動也擴及東協國家、越南、俄羅斯、中美洲及非洲國家。雖然在台灣的中華民國並非聯合國的會員國，但卻已經迅速建構起一個以經濟關係為中心的國際網路。最近我們更推動建立亞太營運中心的計畫，以促使我們的經濟更進一步的自由化及國際化。

本人所一刻不能忘懷的是，台灣的成就絕對是經過其人民艱苦的耕耘和無比的智慧，所凝聚而成的傲人成果。然而，正因為其過程備極艱辛，成功來之不易，更使今日「台灣經驗」的果實甜美無比。

主權在民

生存在今天的中華民國，我們深知和平的變革必須要採取漸進的方式，以及審慎的規劃。記得五年以前，登輝在就職演說中，曾矢志在最短時間內展開憲政改革，俾為中華民族建立合乎時代潮流的法律架構，為民主政治奠定不朽之宏規。值得欣慰的是，這項目標，在全民支持下，已經實現。

我們的憲政改革分兩階段進行。首先，解決資深民意代表退職問題。接著，分別在1991及1992年全面改選國民大會代表及立法委員，使我們的中央民意代表機構，更能充分反映民意。

去年，我們完成了台灣省省長和台北、高雄兩院轄市市長的直接選舉。而明年春天，中華民國的選民更將首次直接選舉總統、副總統。

由於現階段憲政改革的完成，我們已確立了政黨政治的制度，落實了主權在民的理想，使個人的自由意志獲得充分尊重，開創中國歷史上最自由開放的時代。本人必須再度強調，此一非凡的成就，乃是台灣

2,100萬同胞共同努力的成果。

今天，中華民國的民主制度已具宏規，人權受到最高度的保障與尊重，民主政治蓬勃發展。在合法的範圍之內，任何言論和行為，都不受限制或干預。我們每天都可在新聞媒體上看到或聽到各種不同意見和不同的聲音，包括對總統的激烈批評。我國人民享有的言論自由已與美國人民毫無二致。

我認為，世界各國應有一致的民主與人權標準，不因種族或宗教而有不同。事實上，儒家的民本精神與現代民主理念毫不衝突。這也是我一再強調，尊重個人自由意志及主權在民的基本精神。

也正因為如此，本人從政以來，始終以民眾的需要及意願，作為施政的明燈。本人也很誠意地希望，大陸的領導人士，未來也會接受如此的指引，因為我們在台灣的成就很顯然的能夠幫助中國大陸經濟自由化和政治民主化。

我曾一度呼籲北平領導當局放棄意識形態的對立，為兩岸中國人開啟和平競爭與統一的新時代。只有「雙贏」的策略，才能維護中華民族的最佳利益，也只有互相尊重，才能逐漸達成中國統一在民主、自由和均富制度下的目標。為了具體表示我們的誠意與善意，本人願意重申本人樂於見到兩岸領導人在國際場合中自然會面，甚至本人自己與江澤民先生在此類場合見面之可能性，亦不排除。

期待扮演積極的角色

當一位總統仔細傾聽民眾心聲之時，最令他耿耿於懷的，莫過於民眾對尚未達成的心願，期待殷切。

台灣已在和平的過程中，轉化為民主政治，同時也積極參與國際經濟活動，並在亞太地區的國際社會中，形成一股不容忽視的影響力。

但是，由於中華民國未能獲得國際社會應有的外交承認，台灣經驗在國際上的重大意義，也因此而被低估。

坦白而言，我們的民眾，並不滿意我們今天所處的國際地位。我們認為，現今的國際關係不能只限於傳統國際法和國際組織的正式運作。因為事實上，國家之間也有許多活動，仍然受到「半官方」與「非官方」規範的制約。所以，一個國家對國際社會的實質貢獻，即使是在非官方活動範疇中的表現，也應受到重視。

羅茲校長在去年的畢業典禮中提到，「一個人應該要另求務實，向不可能的事物挑戰！」過去四十多年來，我們一直極端務實，盱衡未來而不眷戀過去，辛勤工作而不怨天尤人，因此也創造了我們生存與發展的現實。我們很誠懇地希望世界各界以公平合理的態度對我們，不要忽視我們所代表的意義、價值與功能。有人說我們不可能打破外交上的孤立，但是我們會盡全力向「不可能的事物挑戰」，本人確信，這個世界終將了解，在台灣的中華民國是一個友善且具實力的發展夥伴。

只有從上述角度觀察中華民國在台灣近年來經濟、政治與社會之發展，才能在後冷戰和後共產主義的世界潮流中給予我國定位，也才能為邁向21世紀的亞太及世局發展，提出新的方向。

緊密的傳統情誼

我要再次對返回母校之行表達感謝之意，我不但感激母校的培育，也要感謝美國。回顧歷史，我們不難體會中美兩國關係的緊密相連，而對人類尊嚴與正義和平的共同信念，更使雙方人民緊密結合在一起。

中華民國政府遷台初期，美國對我們的經濟發展多方援助，極具貢獻，我們不會忘記這一份「雪中送炭」的溫暖，也因此對美國有一分特別的感情。

今天，我們是美國第六大貿易夥伴，與美國的雙邊貿易達424億美元，同時也是美國政府公債的第二購買國。目前大約有三萬八千名來自台灣的留學生在美深造。在留美回國的學生對我們的國家建設，確有重大的貢獻。

中華民國的發展，也多少受惠於其社會人才的國外留學經驗，我在留美的研習過程中，學得促進國家成長與發展的知識，也觀察到美國民主政治的優點與缺點。在台灣的我們認為，美國的民主制度有許多值得學習之處，不過，我們也認為應當發展自己的模式。

我們民主發展的成就歷程，帶給開發中國家無限的希望，未來更期盼與他們分享經驗，而我們對其他國家進行的農業援助，廣受歡迎，將來也願盡力擴大技術合作計畫，對更多開發中地區的友好國家，一盡棉薄。

台灣現在已從農業（產品）出口的經濟型態，成長為製造電子產品、電腦及其他工業產品的經濟型態。我們出口的各種產品及零件已為「資訊高速公路」鋪上了磁碟機、電腦銀幕、數據機及手提型電腦。此外，我們刻正規劃台灣成為亞太區域營運中心，準備購買更多的美國產品，並引進各項美國的服務業，以改善基礎建設。

我們已為強化兩國關係作好準備，因此殷切期盼此次訪問再為兩國的合作，開創新機。

基於此一理由，我特別要對柯林頓總統睿智的決定表示感佩。同時，我們也要對美國全體人民、國會的兩黨領袖與議員和美國政治的其他官員申致同樣的謝意。

長在我心

民之所欲，長在我心。因此本人經常深思，民眾真正希望從政府得到什麼？我現在相信，其實全世界的人們最基本的要求，應該都是一樣的，那就是民主與發展，這也一定會繼續成為世界潮流今後的主要取向。

民之所欲，長在我心。因此本人也相信中華民國的民眾此刻會願意用這幾句話，來表達他們的心聲：

中華民國人民決心在國際社會中，扮演和平且具建設性的角色。

因此，我們也要讓美國及全世界的友人知道：

中華民國屹立不搖！

我們隨時準備伸出援手！

我們亟盼與各國分享民主的勝利果實！

民之所欲，長在我心。因此本人謹代表台灣地區的2,100萬中國人，誠摯的感謝諸位在精神、知識和物質等各方面，所給予我們的援助，使我們能為自己的國家及我們共同的世界，創造更美好的明天。

最後，願主保佑各位，保佑康乃爾大學、保佑美國、保佑中華民國。

謝謝各位！

資料來源：總統府發言人室新聞稿，1995年6月9日23時58分。按：李總統是在6月10日凌晨3時開始演講，（　）號為筆者的補註。

【附錄4】

評李登輝在美國康乃爾大學的演說

鼓吹分裂的自白

李登輝在其題為「民之所欲，長在我心」的演講中，一次不提中國，卻多次使用「中華民國在台灣」和「在台灣的中華民國」的說法。李登輝近年來撕去「主張一個中國」的偽裝，露出分裂祖國的真面目。他始而提出「一國兩府」、「一國兩區」，隨後又標榜「務實外交」，製造「一個中華人民共和國在大陸，一個中華民國在台灣」的論調，這些實質上都是「台獨」的變種。李登輝曾私下對「台獨」分子表態：「統一只是說說的，其實我心裡想的跟你們一樣。」近兩年他又提出「兩個對等政治實體」、「兩岸分裂分治」，雖然有時他也說過「在兩岸分治的現實上追求統一」，但那只不過是為了遮人耳目而已，李登輝在康乃爾大學的演講中一而再、再而三地強調「中華民國在台灣」或「在台灣的中華民國」，就是為「兩個中國」或「一中一台」製造輿論。

李登輝在其演講中，對於他這一套「台獨」主張在國際社會遭到冷落很不滿意，急切要在國際社會中「扮演積極的角色」，他抱怨至今「中華民國未能得國際社會應有的承認」，「不滿意我們今天所處的國際地位」。他對國際法和聯合國也表示不滿。他說，「現今的國際關係不能只限於傳統國際法和國際組織的正式運作」，希求國際組織也按他的意旨辦事，這就把他急於實現「兩個中國」或「一中一台」的意圖表達得十分充分。李登輝早年加入過中國共產黨，後來背叛了，他曾多年追隨主張不搞「台獨」的蔣經國，如今他背叛了，李登輝現在已走上「台獨」之路，背叛了包括台灣同胞在內的中國人民的統一大業。

國際社會絕無台灣獨立的生存空間

李登輝在康乃爾大學演講時，用不少篇幅談了拓展台灣的「國際生存空間」問題。他稱，台灣因為「未獲國際社會應有的外交承認」而要「盡全力向不可能的事物挑戰」，即打破「傳統國際法和國際社會的正式運作」。也就是說，他決心要在國際上為「台獨」爭空間。

如果說，台灣今天沒有國際生存空間，這顯然不符合事實，李登輝自己在一次講話中就表示，台灣今天與許多國家維持著極為密切的經濟貿易與文化交流關係，並列舉了一些數字。李登輝的話儘管有些誇大，但反過來也證明，作為中國一部分的台灣並非沒有「國際生存空間」。中共中央總書記，國家主席江澤民今年春節前夕發表的講話更明確地指出，對於台灣同外國發展民間性經濟文化關係，我們不持異議。江澤民主席在同一講話中，還要求我駐外機構加強與台灣同胞的聯繫，傾聽他們的意見和要求，關心、照顧他們的利益，盡可能幫助他們解決困難。

但是，李登輝要的並不是這種國際生存空間，他要的是到國際上去「凸顯中華民國在台灣的存在」，即製造「兩個中國」、「一中一台」，為「台獨」尋求國際承認。李登輝為此親自到一些國家宣揚「中華民國在台灣」、「兩岸是分裂國家」，謀求台灣「獨立的主權國家地位」。此次李登輝訪美，就是企圖把台灣作為一個「主權國家」推向國際社會，日前台灣當局居然公開宣稱，要以10億美元購買「聯合國會員資格」。總之，只要能在國際上製造「兩個中國」、「一中一台」，能為「台獨」鳴鑼開道，就不惜代價，不擇手段地運作。

李登輝稱，為「拓展國際生存空間」，他將「盡全力向不可能的事物挑戰」。於是，他就向遏止他搞「兩個中國」的國際法挑戰，向全世界所公認的國際關係準則挑戰，向國家主權和領土完整挑戰。必須明明白白地告訴李登輝，你所要的分裂祖國的「生存空間」，製造「兩個中國」的「生存空間」，走向「台灣獨立」的「生存空間」，都是絕對辦不到的。

推行「台灣獨立」的政治迷藥

李登輝在美國康乃爾大學發表的自由，不乏染著悅目色彩的政治迷藥，其中之一便是「主權在民」。

「主權在民」這四個字，過去也被李登輝當作口號講過，但他把「主權在民」落實到島內「走向民主體制的政治改革」上。人所共知，李登輝在島內施行的並不是什麼民主制度。他在島內一步步「落實」的，不過是如何把權力集中到自己手裡，以及為實現「台獨」鋪平道路。

他當上島內頭號人物六年，就為抓權而在國民黨高層發動激烈內鬥五年。從而逐步建立、鞏固他的獨裁體制，今天，他似乎已控制了台灣的政、經、法、軍、警、特和新聞輿論。這個過程，風雲變幻，充滿了陰謀暗算，他甚至逼迫國民黨員不得用無記名投票方式，而只能用當著他的面起立的方式，來推選他為「總統」候選人。

李登輝在「民主」的名義下，大肆縱容、扶植「台獨」勢力，放任海外的一些「台獨」骨幹分子回到台灣，讓「台獨」「土、洋」合流。他讓「台獨」分子在島內的活動公開化、合法化，可以說，近年來他採取的各種政治措施，無一不有利於「台獨」勢力的發展，以至台灣輿論不止一次地指出，島內的「台獨」是李登輝「用奶水養大」的。

李登輝的「主權在民」之所以是推行「台獨」的政治迷藥，還在於他故意混淆主權概念，曲解政治學中的「人民主權」學說，宣稱要重新理解國際法中，世界各國廣為接受的國家主權概念，為「台獨」制訂理論根據。李登輝講的「中華民國在台灣是一個主權國家」，是要讓台灣決定關係到12億中國人的大事，他在這裡玩弄了一個把戲，即把他自己搞「台獨」的願望推給台灣民意。

李登輝是破壞兩岸關係的罪人

近年來，由於海峽兩岸人民的共同努力，雙方的經濟、文化、體育交流日漸增多，勢頭良好，但是，不久前李登輝跑到美國從事製造「兩個中國」或「一中一台」的活動，使日趨緩和的兩岸關係出現了嚴重倒退，給祖國統一大業蒙上了一層陰影。大量事實表明，李登輝是阻撓破壞兩岸關係的罪人。

李登輝破壞兩岸關係並非自今日始。去年三月，他與日本作家司馬遼太郎談話時就說：「中國一詞是含糊不清的」、「主權這二個字是危險的單詞」，台灣是中華人民共和國的一個省是「奇怪的夢」，還說什麼他要帶領台灣人建立「台灣人的國家」。他不止一次地宣稱：「現在的兩岸，一個是水，一個是油，水和油是合不起來的」，「我們應盡量忘記一個中國，兩個中國這種字眼」，這是在向國家主權挑戰。

近年來，李登輝置兩岸人民要求盡快結束敵對狀態、保持和平與穩定的強烈願望於不顧，蓄意製造敵對意識，惡化兩岸的和平氣氛。在國家主席江澤民提出「在一個中國的前提下，兩岸可先就正式結束敵對狀態進行談判」的建議後，李登輝竟公開予以拒絕，台灣軍方還屢屢製造打死、打傷沿海漁民的事件，使兩岸敵對氣氛不斷升高，兩岸關係的正常發展受到嚴重損害。

兩岸關係現已處於非常關鍵的時刻。事實表明，指望李登輝這樣一個「不知道中國為何物」的人，來改善和發展兩岸關係，無異於緣木求魚，全體中國人對李登輝切不可抱任何不切實際的幻想。

按：《人民日報》、新華社自1995年7月24日～27日連續發表四篇由評論員撰寫的文章，對李登輝總統6月以「個人身分」訪美時，在康乃爾大學所進行的演說進行評論。以上為其摘要。

【附錄5】
李登輝：「特殊國與國關係」的發言

李總統登輝先生今天〔1999年7月9日〕接受「德國之聲」錄影專訪。總統分別就兩岸關係、港澳問題、我國對外關係及未來發展等，作深入而明確的答覆。

「德國之聲」總裁魏里希（Dieter Weirich）偕該台亞洲部主任克納伯（Gunter Knabe）及記者西蒙嫚索（Simone de Manso Cabral）下午由行政院新聞局局長程建人陪同，到總統府專訪總統。

「德國之聲」是世界第三大廣播公司，下午的訪問內容將於德國當地時間今年7月25日晚間9時在該台的英語衛星頻道向全球播放，隨後將陸續以其他語言，在該台的廣播頻道向全球播送。此外，專訪內容也將在德國《週日世界報》（Welt am Sonntag）刊登。）

總統答問內容為：

問：台灣的經濟成就為舉世所欽羨，另一項印象深刻的成就則是近年來台灣成功的民主化。然而北京政府卻視台灣為「叛離的一省」，這也正是兩岸關係長期緊張以及中共對台造成嚴重威脅的主因。您如何因應這項危機？

答：我要就歷史及法律兩方面來答覆。中共當局不顧兩岸分權、分治的事實，持續對我們進行武力恫嚇，的確是兩岸關係無法獲得根本改善的主要原因。歷史的事實是，1949年中共成立以後，從未統治過中華民國所轄的台、澎、金、馬。我國並在1991年的修憲，增修條文第十條（現在為第十一條）將憲法的地域效力限縮在台灣，並承認中華人民共和國在大陸統治權的合法性；增修條文第一、四條明定立法院與國民大會民意機關成員僅從台灣人民中選出，1992年的憲改更進一步於增修條文第二條規定總統、副總統由台灣人民直接選舉，使所建構出來的國家機關只代表台灣人民，國家權力統治的正當性也只來自台灣人民的授權，與中國大陸人民完全無關。1991年修憲以來，已將兩岸關係定位在國家與國家，至少是特殊的國與國的關係，係非一合法政府，一叛亂團體，或一中央政府，一地方政府的「一個中國」的內部關係。所以，您提到北京政府將台灣視為「叛離的一省」，這完全昧於歷史與法律上的事實。對台海兩岸的情勢發展，我們將持續慎重推動兩岸間的交流，積極促成彼此對話與協商；並繼續促進我們民主制度的完善，追求穩定的經濟成長；同時積極加強與國際社會的接觸，以保障我們的生存發展。

我們相信從交流中凝聚互信，從互信中營造穩定的關係，是化解危機的最有效途徑。台灣與大陸應當發展出互惠與互利的雙贏關係。

問：宣布台灣獨立似乎並非實際可行，而北京「一國兩制」模式則不為台灣大多數人民所接受。在以上兩種路線間，是否有折中的方案？如果有，其內涵為何？

答：剛才已經說得很清楚，中華民國從1912年建立以來，一直都是主權獨立的國家，又在1991年的修憲後，兩岸關係定位在特殊的國與國關係，所以並沒有再宣布台灣獨立的必要。解決兩岸問題不能僅從統一或獨立的觀點探討，這個問題的關鍵是在於「制度」的不同。從制度上的統合，逐步推演到政治上的統合，才是最自然、也是最符合中國人福祉的選擇。現在，中華民國可說是華人社會中首先實現民主化的國家，我們正努力在中國邁向現代化的過程中，扮演更積極的角色。因此，我們也希望中共當局能早日進行民主改革，為統一創造更有利條件，這是我們努力的方向，我們要維持現狀，在現狀的基礎上與中共維持和平的情況。

問：香港在回歸中國大陸後，成為一「特別行政區」的處理模式，以及今年12月澳門由葡萄牙交還中國大陸，都可能被中共視為是和平接收台灣問題的預演。就世界其他國家觀點看來，這似乎不失為一個可解決中國問題，以避免區域危機的可行方案。您認為如何？

答：中國問題影響區域安全的根本原因，不在於港、澳的回歸，也不在於台灣是否回到中國，中華民國在台灣並不是任何一個國家的殖民地，這是與港、澳不一樣的地方，關鍵的問題是，大陸過分強調民族主義，在制度上沒有施行民主。大陸不僅曾對我文攻武嚇，且從未放棄以武力犯台，並在國際上處處打壓我方，此種蠻橫霸道的作風，無助於推動和諧的兩岸關係，也不利於保持亞太地區的穩定。一個強調民族主義的大陸又軍事上不斷擴張，很自然的引起其他鄰近國家的疑慮。長久的解決之道應該是民主取代極權，這樣才能化解地區的緊張。

大陸對港、澳所承諾的「一國兩制」模式，對台灣並無絲毫的吸引力。主要原因是「一國兩制」互相矛盾，違反民主的基本原則，又否定中華民國的存在。大陸雖想將「一國兩制」的港、澳模式套用於我方，但台灣不是港、澳，港、澳原為殖民地，中華民國是主權獨立的國家，兩者有根本的不同。未來兩岸只有分別施行自由、民主，才能真正確保亞洲的安全與和平。

問：海峽兩岸的緊張關係倘不慎導致雙方採取軍事行動，您將以何種方式，以及依靠台灣本身之外之何國，以為防禦？

答：兩岸之間的問題，我們強調應當用和平的方式解決，不要用武力。這是我們一直努力的目標與堅持的立場，也是國際社會的期望，中華民國在1991年已宣布終止動員戡亂時期，不再以武力方式來達成國家統一的目標，我們要以和平的方式解決問題。但大陸當局始終不願放棄以武力解決的企圖及準備，這是造成兩岸緊張，區域安全受到威脅的關鍵所在。國際社會應當督促中共放棄對台使用武力，以和平方式解決爭端，共同維護這個地區的穩定。

台海情勢與亞太地區安全及和平是密不可分的，因此，本人於今年4月8日在國家統一委員會中提出「建構兩岸和平穩定機制」的理念，希望兩岸透過協商及交流方式，達到良性互動，並推展雙方關係，進而確保兩岸及區域間的和平與安全。

除了強調台海安定與亞太和平不可分的關係外，我國也非常重視與美國的合作。這些年來，美國一直提供台灣防衛所需要的軍事裝備，兩國在經濟、文化和科技方面的交流也不斷成長。在可見將來，台灣與美國的安全合作關係仍然是維持台海安定的重要因素之一。

問：美國及其他西方國家都十分垂涎於中國大陸的廣大市場，也因此無可避免的降低他們對台灣的支持。這是否代表台灣的未來將因此而更加黯淡？

答：近年來世界各國基於本身的利益考量，而與中共加強建立經貿往來的關係，我們可以理解。但台灣與美國及其他西方國家的經貿關係，也十分密切，不容忽視。如以美國為例，台灣是美國第七大貿易夥伴，也是美國第七大出口市場。截至目前為止，台灣向美國購買的商品總額，是大陸向美國進口總額的1.3到1.6倍。此外，從大陸內部的發展來看，也有很多問題存在，內部結構性的經濟問題接連發生，因此，其未來整體發展仍具有相當的不確定性，值得注意。

相對於大陸的不確定性，台灣的發展相當穩健。台灣的重要性在於兩方面：一是對民主與人權的維護；二是西太平洋的重要戰略地位。現在大家普遍重視民主與人權，對大陸的期望也是如此。而「民主」、「人權」是世界各國所追求的目標，也是國際社會對大陸的普遍期望。

近年來我們推動民主政治、積極參與國際社會、努力改善兩岸關係，贏得國際的肯定。因此，台灣經驗在催化大陸現代化、民主化過程中可以發揮積極的功能。此外，台灣的地理位置正好控制西太平洋的海線交通，對於美國、日本及東南亞國家非常重要。所以，台灣不論在兩岸關係或區域穩定上都扮演重要的角色。

問：雖然台北和北京雙方在政治上存在巨大鴻溝，但台灣在中國大陸的投資卻有數十億美元之譜。如此多的投資將使台灣有被北京在經濟上勒索的可能。您如何避免北京領導階層採取此種行動？

答：我國企業在大陸的投資正逐漸形成上、中、下游的體系，對我國經濟確已造成若干競爭壓力。因此，如何在發展兩岸經貿的過程中，維持台灣經濟的優勢與自主性是一個值得重視的問題。一個根本的問題是，台灣與大陸的經濟不是競爭性的，而是互補的。本人曾經提出兩岸關係應「戒急用忍、行穩致遠」的政策方向，主要以理性且溫和的態度，針對大陸投資做合理的規範，包括限制高科技、基礎建設等項目的投資，以及對五千萬美元以上的大型投資做更謹慎的評估審查。另一方面，我們也加強科學園區的硬體建設，促進台灣內部產業的升級。目前，我國出口品中，高科技產品已占40%以上。同時，政府更進行國營事業民營化，及鼓勵民間參與公共建設，為企業創造更多的投資機會。希望能使企業「根留台灣」，以壯大台灣的經濟發展。

問：中共正為大量失業人口所導致的經濟及社會問題所苦，因此北京政府可能被迫必須將人民幣貶值，以解決其經濟困難及社會問題。人民幣貶值是否會嚴重影響台灣經濟？

答：在中共對外匯仍有各種管制的情況下，即使人民幣貶值，也不致出現失控的現象。因為兩岸的經濟關係，處在互補關係並不是競爭關係，雖然人民幣貶值可能會使大陸某些產品與台灣低價競爭，但整體而言，由於大陸出口增加後，對台灣中間產品的需求會增加，因此，對我出口的影響並不會很顯著。

此外，人民幣貶值可能引起台幣將跟著貶值的預期心理，直接或間接影響我國匯市及股市的安定。對於這一點，我們將積極加強宣導，使民眾了解，人民幣的貶值與否，對台灣的經濟不會有太大的影響，台幣與人民幣的走勢並無必然的關聯性。不過有一點值得擔心的問題是，人民幣的貶值是否影響大陸台商的財務問題，連帶的影響到台灣，對此我們也有充分的準備。

問：貴國是否仍有意願購買德國的潛艇？

答：這個問題已經和貴國政府討論很久，不過，貴國政府考慮到中共的態度始終不敢批准售予我國潛艇。中共在東海部署了一百多艘新舊潛艇，在這廣大的海域中，我們如果採取潛艇對潛艇的方式來防禦台灣，所購買的潛艇數量是否足夠是一個問題；同時，潛艇對潛艇的防衛策略是相當辛苦的，是否能夠充分發揮效用，需要再作檢討。

1999年7月9日

按：（　）號為筆者的補註，資料來源：行政院大陸委員會（1999年8月）發行《李總統登輝——特殊國與國關係：中華民國政策說明文件》，頁1～9。

【附錄6】
一個中國的原則與台灣問題

前言

1949年10月1日，中國人民取得了新民主主義革命的偉大勝利，建立了中華人民共和國。國民黨統治集團退踞中國的台灣省，在外國勢力的支持下，與中央政府對峙，由此產生了台灣問題。

解決台灣問題，實現中國完全統一，是中華民族的根本利益。50年來，中國政府為此進行了不懈的奮鬥。1979年後，中國政府以極大的誠意、盡最大的努力，爭取以「一國兩制」的方式實現和平統一。自1987年底以來，兩岸經濟、文化交流和人員往來有了長足的發展。但是，90年代以來，台灣當局領導人李登輝逐步背棄一個中國原則，極力推行以製造「兩個中國」為核心的分裂政策，一直發展到公然主張兩岸關係是「國家與國家，至少是特殊的國與國的關係」，嚴重損害了兩岸和平統一的基礎，危害了包括台灣同胞在內的整個兩岸和平統一的基礎，危害了包括台灣同胞在內的整個中華民族的根本利益，也危害了亞洲太平洋地區的和平與穩定。中國政府始終如一地堅持一個中國原則，堅決反對任何把台灣從中國分割出去的圖謀。中國政府與以李登輝為首的分裂勢力的鬥爭，集中表現在是堅持一個中國原則還是製造「兩個中國」、「一中一台」的問題上。

我們於1993年8月發表了《台灣問題與中國的統一》白皮書，系統地論述了台灣是中國不可分割的一部分、台灣問題的由來、中國政府解決台灣問題的基本方針和有關政策。現在，有必要進一步向國際社會闡述中國政府堅持一個中國原則的立場和政策。

一、一個中國的事實和法理基礎

一個中國原則是在中國人民捍衛中國主權和領土完整的正義鬥爭中形成，具有不可動搖的事實和法理基礎。

台灣是中國不可分割的一部分。有關台灣的全部事實和法律證明，台灣是中國領土不可分割的一部分。1895年4月，日本通過侵華戰爭，強迫清朝政府簽訂不平等的《馬關條約》，霸占了台灣。1937年7月，日本發動全面侵華戰爭。1941年12月，中國政府在《中國對日宣戰布告》中昭告各國，中國廢止包括《馬關條約》在內的一切涉及中日關係的條約、協定、合同，並將收復台灣。1943年12月，中美英三國政府的《開羅宣言》規定，日本應將所竊取於中國的包括東北、台灣、澎湖列島等在內的土地，歸還中國。1945年，中美英三國共同簽署、後來又有蘇聯參加的《波茨坦公告》規定：「開羅宣言之條件必將實施。」同年8月，日本宣布投降，並在《日本投降條款》中承諾「忠誠履行波茨坦公告各項規定之義務」。10月25日，中國政府收復台灣、澎湖列島，重新恢復對台灣行使主權。

1949年10月1日，中華人民共和國中央人民政府宣告成立，取代中華民國政府成為全中國唯一合法政府和在國際上的唯一合法代表，中華民國從此結束了它的歷史地位。這是在同一國際法主體沒有發生變化的情況下新政權取代舊政權，中國的主權和固有領土疆域並未由此而改變，中華人民共和國政府理所當然地完全享有和行使中國的主權，其中包括對台灣的主權。

國民黨統治集團退踞台灣以來，雖然其政權繼續使用「中華民國」和「中華民國政府」的名稱，但它早已完全無權代表中國行使國家主權，實際上始終只是中國領土上的一個地方當局。

一個中國原則的產生和基本義涵。中華人民共和國中央人民政府成立當天即向各國政府宣布：「本政府為代表中華人民共和國全國人民的唯一合法政府。凡願遵守平等、互利及互相尊重領土主權等項原則的任何外國政府，本政府均願與之建立外交關係。」隨後又致電聯合國，聲明：國民黨當局「已喪失了代表中國人民的任何法律的與事實的根據」，完全無權代表中國。外國承認中華人民共和國政府是代表全中國的唯一合法政府，與台灣當局斷絕或不建立外交關係，是新中國與外國建交的原則。

中國政府的上述主張受到當時美國政府的阻撓，儘管1950年1月5日美國總統杜魯門發表聲明，表示美國及其他盟國承認1945年以來的四年中國對台灣島行使主權，但是同年6月朝鮮戰爭爆發後，美國政府為了孤立、遏制中國，不僅派軍隊侵占台灣，而且拋出「台灣地位未定」等謬論，以後又逐步在國際社會策動「雙重承認」，企圖製造「兩國中國」。對此，中國政府理所當然地予以堅決反對，主張和堅持世界上只有一個中國，台灣是中國的一部分，中華人民共和國政府是代表全中國的唯一合法政府。正是在中國與外國發展正常的外交關係中，在維護中國的主權和領土完整的鬥爭中，產生了一個中國原則。上述主張構成了一個中國原則的基本涵義，核心是維護中國的主權和領土完整。

在1949年後的三、四十年間，台灣當局雖然不承認中華人民共和國政府代表全中國的合法地位，但也堅持台灣是中國的一部分、只有一個中國的立場，反對製造「兩個中國」和「台灣獨立」。這說明，在一個相當長的時間裡，兩岸的中國人在只有一個中國、台灣是中國領土的一部分這一根本問題上具有共識。早在1958年10月，中國人民解放軍在進行砲擊金門的戰鬥時，毛澤東主席就向台灣當局公開指出：「世界上只有一個中國，沒有兩個中國。這一點，也是你們同意的，見之於你們領導人的文告。」1979年1月，全國人大常委會發表《告台灣同胞書》，指出「台灣當局一貫堅持一個中國的立場，反對台灣獨立。這就是我們共同的立場，合作的基礎。」

中國政府堅持一個中國原則的嚴正立場和合理主張，贏得了愈來愈多國家和國際組織的理解和支持，一個中國原則逐步為國際社會所普遍接受。1971年10月，第26屆聯合國大會通過2758號決議，驅逐了台灣當局的代表，恢復了中華人民共和國政府在聯合國的席位和一切合法權利。1972年9月，中日兩國簽署聯合聲明，宣布建立外交關係，日本承認中華人民共和國政府是中國的唯一合法政府，充分理解和尊重中國政府關於台灣是中華人民共和國領土不可分割的一部分的立場，並且堅持遵循《波茨坦公告》第八條規定的立場。1978年12月，中美發表建交公報，美國「承認中華人民共和國政府是中國唯一合法的政府」；「承認中國的立場，即只有一個中國，台灣是中國的一部分」。目前，161個國家與中華人民共和國建立了外交關係，它們都承認一個中國原則，並且承認在一個中國的框架內處理與台灣的關係。

二、一個中國原則是實現和平統一的基礎和前提

一個中國原則是中國政府對台政策的基石。經由鄧小平同志的倡導，中國政府自1979年開始實行和平統一的方針，並逐步形成了「一國兩制」的科學構想，在此基礎上，確立了「和平統一、一國兩制」的基本方針。這一基本方針和有關政策的要點是：爭取和平統一，但是不承諾放棄使用武力；積極推動兩岸人員往來和經濟、文化等各項交流，早日實現兩岸直接通郵、通航、通商；通過和平談判實現統一，在一個中國原則下什麼都可以談；統一後實行「一國兩制」，中國的主體（中國

大陸）堅持社會主義制度，台灣保持原有的資本主義制度長期不變；統一後台灣實行高度自治，中央政府不派軍隊和行政人員駐台；解決台灣問題是中國的內政，應由中國人自己解決，不需借助外國力量。上述方針和政策，貫徹了堅持一個中國原則的基本立場和精神，也充分尊重了台灣同胞當家作主、管理台灣的願望。江澤民主席在1995年1月發表發展兩岸關係、推進祖國和平統一進程的八項主張時，明確指出：「堅持一個中國的原則，是實現和平統一的基礎和前提。」

只有堅持一個中國原則才能實現和平統一。台灣問題是中國內戰遺留下來的問題。迄今，兩岸敵對狀態並未正式結束。為了維護中國的主權和領土完整，為了實現兩岸統一，中國政府有權採用任何必要的手段。採用和平的方式，有利於兩岸社會的共同發展，有利於兩岸同胞感情的融合和團結，是最好的方式。中國政府於1979年宣布實行和平統一的方針時，是基於一個前提，即當時的台灣當局堅持世界上只有一個中國、台灣是中國的一部分。同時，中國政府考慮到長期支持台灣當局的美國政府承認了世界上只有一個中國、台灣是中國的一部分、中華人民共和國政府是中國的唯一合法政府，這也有利於用和平方式解決台灣問題。中國政府在實行和平統一方針的同時始終表明，以何種方式解決台灣問題是中國的內政，並無義務承諾放棄使用武力。不承諾放棄使用武力，絕不是針對台灣同胞的，而是針對製造「台灣獨立」的圖謀和干涉中國統一的外國勢力，是為爭取實現和平統一提供必要的保障。採用武力的方式，將是最後不得已而被迫作出的選擇。

對台灣而言，堅持一個中國原則，標誌著承認中國的主權和領土不可分割，這就使兩岸雙方有了共同的基礎和前提，可以通過平等協商，找到解決雙方政治分歧的辦法，實現和平統一。如果否認一個中國原則，圖謀將台灣從中國領土中分割出去，那就使和平統一的前提和基礎不復存在。

對美國而言，承諾奉行一個中國政策，就要切實執行中美兩國政府之間的三個公報和美方的一系列承諾，就應當只與台灣保持文化、商務和其他非官方的關係，反對所謂「台灣獨立」、「兩個中國」、「一中一台」，不阻撓中國的統一。反之，就破壞了中國政府爭取和平統一的外部條件。

對於亞太地區和世界其他地區的國家而言，台灣海峽局勢一直與亞太地區的安定密切相關。有關各國堅持一個中國政策，有利於維護亞太地區的和平與穩定，也有利於中國同各國發展友好關係，符合亞太地區乃至世界各國的利益。

中國政府積極地真誠地努力爭取實現和平統一。為了爭取和平統一，中國政府一再呼籲一個中國原則基礎上舉行兩岸平等談判。充分考慮到台灣的政治現實，為了照顧台灣當局關於平等談判地位的要求，我們先後提出了舉行中國共產黨和中國國民黨兩黨對等談判、兩黨談判可以吸收台灣各黨派團體有代表性的人士參加等主張，而始終不提「中央與地方談判」。中國政府還提出，可先從進行包括政治對話在內的對話開始，逐步過渡到政治談判的程序性商談，解決正式談判的名義、議題、方式等問題，進而展開政治談判。政治談判可以分步驟進行，第一步，先就在一個中國原則下正式結束兩岸敵對狀態進行談判，並達成協議，共同維護中國的主權和領土完整，並對今後兩岸關係發展進行規劃。1998年1月，為尋求和擴大兩岸關係的政治基礎，中國政府向台灣方面明確提出，在統一之前，在處理兩岸關係事務中，特別是在兩岸談判中，堅持一個中國原則，也就是堅持世界上只有一個中國，台灣是中國的一部分，中國的主權和領土完整不容分割。中國政府希望，在一個中國原則基礎上雙方平等協商，共議統一。

為爭取和平統一，中國政府採取了一系列積極的政策和措施，全面推動兩岸關係發展。自1987年底兩岸隔絕狀態被打破後至1999年底，到中國大陸從事探親、旅遊、交流的台灣同胞已達1,600萬人次；兩岸間接貿易總額超過1,600億美元，台商在中國大陸投資的協議金額及實際到位金額分別超過了440億美元與240億美元；兩岸互通郵政、電信取得了很大進展；兩岸海上、空中通航也取得了局部發展。全國人民代表大會及其常務委員會、國務院、地方政府制定了一系列法律、法規，依法保障台灣同胞的正當權益。為了通過商談，妥善解決兩岸同胞交往中所衍生的具體問題，1992年11月，海峽兩岸關係協會與台灣的海峽交流基金會達成在事務性商談中各自以口頭方式表述「海峽兩岸均堅持一個中國原則」的共識，在此基礎上，兩會領導人於1993年4月成功舉行了「汪辜會談」，並簽署了幾項涉及保護兩岸同胞正當權益的協議。1998年10月，兩會領導人在上海會晤，開啟了兩岸政治對話。兩會商談是在平等的地位上進行的。實踐證明，在一個中國原則的基礎上，完全可以找到兩岸平等談判的適當方式。香港、澳門回歸中國以來，港台之間、澳台之間原有的各種民間往來與交流，在一個中國原則的基礎上繼續保持和發展。

三、中國政府堅決捍衛一個中國原則

台灣分裂勢力蓄意破壞一個中國原則。1988年，李登輝繼任為台灣當局的領導人。當時他多次公開表示，台灣當局的基本政策就是「只有一個中國而沒有兩個中國的政策」；「我們一貫主張中國應該統一，並堅持『一個中國』的原則」。

但是，從1990年代初開始，李登輝逐步背離一個中國原則，相繼鼓吹「兩個政府」、「兩個對等政治實體」、「台灣已經是個主權獨立的國家」、「現階段是『中華民國在台灣』與『中華人民共和國在大陸』」，而且自食其言，說他「始終沒有講過一個中國」。李登輝還縱容、扶持主張所謂「台灣獨立」的分裂勢力及其活動，使「台獨」勢力迅速發展、「台獨」思潮蔓延。在李登輝主導下，台灣當局採取了一系列實際的分裂步驟。台灣政權體制方面，力圖通過所謂的將台灣改造成一個「獨立的政治實體」，以適應製造「兩個中國」的需要。在對外關係方面，不遺餘力地進行以製造「兩個中國」為目的的「拓展國際生存空間」活動。1993年以來，連續七年推動所謂「參與聯合國」的活動。在軍事方面，大量向外國購買先進武器，謀求加入戰區飛彈防禦系統，企圖變相地與美、日建立某種形式的軍事同盟。在思想文化方面，圖謀抹殺台灣同胞、特別是年輕一代的中國人意識和對祖國的認同，挑起台灣同胞對祖國的誤解和疏離感，割斷兩岸同胞的思想和文化紐帶。

1999年以來，李登輝的分裂活動進一步發展。5月他出版《台灣的主張》一書，鼓吹要把中國分成七塊各自享有「充分自主權」的區域。7月9日，他公然將兩岸關係歪曲為「國家與國家」，至少是「特殊的國與國的關係」，企圖從根本上改變台灣是中國一部分的地位，破壞兩岸關係、特別是兩岸政治對話與談判的基礎，破壞兩岸和平統一的基礎。李登輝已經成為台灣分裂勢力的總代表，是台灣海峽安定局面的破壞者，是中美關係發展的絆腳石，也是亞太地區和平與穩定的麻煩製造者。

中國政府堅決捍衛一個中國原則。對於以李登輝為代表的台灣分裂勢力的種種分裂活動。中國政府和人民一直保持著高度的警惕，並進行了堅決的鬥爭。

1995年6月李登輝以所謂「私人」名義訪問美國後，中國政府果斷地開展了反分裂、反「台獨」的鬥爭，並對美國政府公然允許李登輝訪美、違背美國在中美三個聯合公報中所作的承諾、嚴重損害中國主權的行為，提出了強烈的抗議，進行了嚴正的交涉。這場鬥爭顯示中國政府和人民捍衛國家主權和領土完整的堅強決心和能力，產生了重大和深遠的影響。台灣同胞進一步認識到「台獨」的嚴重危害。李登輝在國際上進行了分裂活動受到沉重打擊。部分「台獨」勢力被迫放棄了某種極端的分裂主張。國際社會進一步注意到堅持一個中國政策的必要性，美國政府還明確承認不支持「台灣獨立」、不支持「兩個中國」或「一中一台」、不支持台灣加入任何必須由主權國家參加的國際組織。

李登輝拋出「兩國論」後，中國政府和人民進行了更加堅決的鬥爭。針對台灣分裂勢力企圖通過所謂「法律」形式落實「兩國論」的活動，中國政府有關部門明確指出，這是一個更加嚴重和危險的分裂步驟，是對和平統一的極大挑釁。如果這一個圖謀得逞，中國和平統一將變得不可能。這場鬥爭形成了海內外中國人同聲譴責「兩國論」的強大聲勢。世界上大多數國家重申堅持一個中國政策。美國政府也重申堅持一個中國政策和對台灣「三不支持」的承諾。台灣當局被迫表示不會依照「兩國論」修改所謂「憲法」、「法律」。

但是，台灣分裂勢力仍在企圖以所謂「制憲」、「修憲」、「解釋憲法」或「立法」等多種形式，用所謂「法律」形式實現在「中華民國」名義下把台灣從中國分割出去的圖謀。特別值得警惕的是，台灣分裂勢力一貫圖謀破壞中、美關係，挑起中、美衝突和對抗，以便實現他們的分裂圖謀。

事實證明，台灣海峽局勢仍然存在著嚴重的危機。為了維護包括台灣同胞在內的全中國人民的利益，也為了維護亞太地區的和平與發展，中國政府仍然堅持「和平統一、一國兩制」方針不變，仍然堅持江澤民主席提出的發展兩岸關係、推進祖國和平統一進程的八項主張不變，仍然盡一切可能爭取和平統一。但是，如果出現台灣被以任何名義從中國分割出去的重大事變，如果出現外國侵占台灣，如果台灣當局無限期地拒絕通過談判和平解決兩岸統一問題，中國政府只能被迫採取一切可能的斷然措施、包括使用武力，來維護中國的主權和領土完整，完成中國的統一大業。中國政府和人民完全有決心、有能力維護國家主權和領土完整，絕不容忍、絕不姑息、絕不坐視任何分裂中國的圖謀得逞，任何分裂圖謀都是注定要失敗的。

四、兩岸關係中涉及一個中國原則的若干問題

中國領土和主權沒有分裂，海峽兩岸並非兩個國家。台灣當局支撐其製造「兩個中國」的主張，包括李登輝提出的「兩國論」的所謂理由無非是：1949年以後海峽兩岸已經分裂分治且互不隸屬，中華人民共和國政府從未統治過台灣，1991年以後台灣也已產生了與中國大陸沒有關係的政權體制。這些理由是根本不能成立的，也絕對不能得出台灣可以「中華民國」的名義，自立為一個國家和海峽兩岸已經分裂為兩個國家的結論。第一，國家主權不可分割。領土是國家行使主權的空間。在一個國家的領土上，只能有一個代表國家行使主權的中央政府。如前所述，台灣是中國領土不可分割的一部分，1949年中華人民共和國政府取代中華民國政府成為全中國的唯一合法政府，已經享有和行使包括台灣在內的全中國的主權。雖然海峽兩岸尚未統一，但是台灣是中國領土一部分的地位從未改變，由此，中國擁有對台灣的主權也從未改變。第二，國際社會承認只有一個中國、台灣是中國的一部分、中華人民共和國政府是中國的唯一合法政府。第三，台灣問題長期得不到解決，主要是外國勢力干涉和台灣分裂勢力阻撓的結果。海峽兩岸尚未統一，這種不正常狀態的長期存在，並沒有賦予台灣在國際法上的地位和權利，也

不能改變台灣是中國一部分的法律地位。目前的問題是台灣分裂勢力和某些外國反華勢力要改變這種狀況，而這正是中國政府和人民堅決反對的。

堅決反對以公民投票方式改變台灣是中國一部分的地位。台灣分裂勢力以「主權在民」為藉口，企圖以公民投票方式改變台灣是中國一部分的地位，這是徒勞的。首先，台灣是中國領土一部分的法律地位，無論在國內法還是在國際法上，都已經是明確的，不存在用公民投票方式決定是否應自決的前提。其次，「主權在民」是指主權屬於一個國家的全體人民，而不是指屬於某一部分或某一地區的人民。對台灣的主權，屬於包括台灣同胞在內的全中國人民，而不屬於台灣一部分人。第三，歷史上台灣從未曾成為一個國家；1945年以後，台灣既不是外國的殖民地，又不處於外國占領之下，不存在行使民族自決權的問題。總之，自1945年中國收復台灣之後，就根本不存在就改變台灣是中國一部分的地位舉行公民投票的問題。台灣的前途只有一條，就是走向與祖國大陸的統一，而絕不能走向分裂。任何人以所謂公民投票的方式把台灣從中國分割出去，其結果必將把台灣人民引向災難。

「兩德模式」不能用於解決台灣問題。台灣有些人主張用第二次世界大戰後德國被分裂為兩個國家後，又重新統一的所謂「兩德模式」來處理兩岸關係。這是對歷史和現實的誤解。戰後德國的分裂和兩岸暫時分離是兩個不同性質的問題。主要有三點不同：第一，兩者形成的原因、性質不同。1945年德國在二戰中戰敗，被美、英、法、蘇四個戰勝國依據「鑑於德國失敗和接管最高政府權力的聲明」及其後的波茨坦協議，分區占領。冷戰開始後，德國統一問題成為美蘇兩國在歐洲對抗的一個焦點，在美英法占領區和蘇聯占領區分別相繼成立了德意志聯邦共和國和德意志民主共和國，德國被分裂為兩個國家。顯然，德國問題完全是由外部因素造成的。而台灣問題則是中國內戰遺留的問題，是內政問題。第二，兩者在國際法上的地位不同。德國的分裂，為二戰期間和戰後一系列國際條約所規定。而台灣問題，則有《開羅宣言》、《波茨坦公告》等國際條約關於日本必須將竊取於中國的台灣歸還中國的規定。第三，兩者存在的實際狀況不同。在美蘇兩個對抗的背景下，兩個德國都分別駐有外國軍隊，被迫相互承認和在國際社會並存。而中國政府始終堅持一個中國原則，李登輝上台前的台灣當局和李登輝上台初期也承認一個中國，反對「兩個中國」；一個中國原則也被社會所普遍接受。因而，德國問題與台灣問題不能相提並論，更不能照搬「兩德模式」解決台灣問題。

在一個中國原則下，什麼問題都可以談。中國政府主張兩岸談判最終目的是實現和平統一；主張以一個中國原則為談判基礎，是為了保證實現談判的目的。而「台灣獨立」、「兩個中國」、「兩國論」違背了一個中國原則，不是談統一，而是談分裂，當然不可能被中國政府接受。只要在一個中國的框架內，什麼問題都可以談，包括台灣方面關心的各種問題。中國政府相信，台灣在國際上與其身分相適應的經濟的、文化的、社會的對外活動空間，台灣當局的政治地位等等，都可以在這個框架內，通過政治談判，最終在和平統一的過程中得到解決。

所謂「民主和制度之爭」是阻撓中國統一的藉口。近些年來，台灣當局一再聲稱，「大陸的民主化是中國再統一的關鍵」、「兩岸問題的真正本質是制度競賽」。這是拖延和抗拒統一的藉口，是欺騙台灣同胞和國際輿論的伎倆。中國共產黨和中國政府不斷為實現社會主義民主的理想而奮鬥。按照「一個兩制」的方式實現和平統一，允許海峽兩岸兩種社會制度同時存在，互不強加於對方，最能體現兩岸同胞的意願，這本身就是民主的。兩岸不同的社會制度，不應構成和平統一的障礙。

而且，中國政府注意到台灣與香港、澳門的不同特點，實現兩岸和平統一之後，在台灣實行「一國兩制」的內容，可以比香港、澳門更為寬鬆。台灣當局企圖以「民主和制度之爭」阻撓統一，妄想居住在中國大陸的十二億多人實行台灣的政治、經濟制度，是毫無道理的，也是不民主的。「要民主」不應成為「不要統一」的理由。兩岸雙方在這個問題上分歧的實質，絕不是要不要民主之爭、實行哪種制度之爭，而是要統一還是要分裂之爭。

五、在國際社會中堅持一個中國原則的若干問題

中國政府對於國際社會普遍奉行一個中國政策表示讚賞。我們於1993年8月發表的《台灣問題與中國的統一》白皮書，在第五部分「國際事務中涉及台灣的幾個問題」中，闡述了在有關與中國建交國同台灣的關係、國際組織與台灣的關係、與中國建交國同台灣通航、與中國建交國向台灣出售武器等問題上的立場和政策。在此，僅重申有關立場和政策。

台灣無權參加聯合國及其他只有主權國家參加的國際組織。聯合國是由主權國家組成的政府間國際組織。中華人民共和國政府在聯合國的合法權利恢復後，聯合國組織中的中國代表問題已經獲得徹底解決，根本不存在台灣當局加入聯合國的問題。台灣當局聲稱聯合國2758號決議只解決了「中國代表權問題」，沒有解決「台灣的代表權問題」，要求「參與聯合國」。這是製造「兩個中國」、「一中一台」的分裂行徑，是絕對不能允許的。聯合國的所有成員國，都應遵守《聯合國憲章》的宗旨、原則及有關聯合國決議，遵循相互尊重主權和領土完整、互不干涉內政等國際關係準則，不以任何方式支持台灣加入聯合國及只能由主權國家參加的其他國際組織。

對於某些允許地區參加的政府間國際組織，中國政府已經基於一個中國原則，根據有關國際組織的性質、章程和實際情況，以所能同意和接受的方式對台灣的加入問題作出了安排。台灣已作為中國的一個地區，以「中國台北」的名義，分別參加了亞洲開發銀行（英文名稱為Taipei, China）和亞太經合組織（英文名稱為Chinese Taipei）等組織。1992年9月，世界貿易組織的前身關稅及貿易總協定理事會主席聲明指出，在中華人民共和國加入關貿總協定後，台灣可以「台灣、澎湖、金門、馬祖單獨關稅區」（簡稱「中國台北」）的名義參加。世貿組織在審議接納台灣加入該組織時，應堅持上述聲明確定的原則。上述特殊安排，並不構成其他政府間國際組織及國際活動仿效的模式。

與中國建交的國家不能向台灣出售武器，或與台灣進行任何形式的軍事結盟。凡是與中國建交的國家，都應本著互相尊重主權和領土完整、互不干涉內政的原則，不以任何形式或藉口向台灣出售武器，或幫助台灣生產武器。

台灣問題是中美關係中最核心、最敏感的問題。中、美三個聯合公報是兩國關係健康、穩定發展的基礎。二十多年來，美國承諾堅持一個中國政策，為自己帶來了美、中建交、兩國關係發展和台灣局勢相對穩定的利益。令人遺憾的是，美國一再違反自己在《八一七公報》中對中國作出的莊嚴承諾，不斷向台灣出售先進的武器和軍事裝備。現在，美國國會又有人炮製所謂「加強台灣安全法」，還企圖將台灣納入戰區飛彈防禦系統。這是對中國內政的粗暴干涉和對中國安全的嚴重威脅，阻礙了中國的和平統一進程，同時也危害了亞太地區乃至世界的和平與穩定。對此，中國政府堅決反對。

中國政府以一個中國原則對待台灣的對外交往活動。台灣當局極力在國際上推行所謂「務實外交」，擴大所謂「國際生存空間」，其實質是製造「兩個中國」、「一中一台」。中國政府理所當然地要堅決反對。同時，考慮到台灣經濟社會發展的需要和台灣同胞的實際利益，中國政府對台灣同外國進行民間性質的經濟、文化往來不持異議；並在一個中國前提下，採取了許多靈活措施，為台灣同外國的經貿、文化往來提供方便。例如，台灣可以「中國台北」的名義繼續留在國際奧委會中。事實上，台灣與世界上許多國家和地區保持著廣泛的經貿和文化聯繫，台灣同胞每年到國外旅遊、經商、求學和進行學術、文化、體育交流活動的人員多達百萬人次，年進出口貿易額高達二千多億美元。這表明，堅持一個中國原則並不影響台灣同胞從事民間的對外交流活動，並未影響台灣正常的經貿、文化活動的需要。

中國政府保障台灣同胞在國外的一切正當、合法權益。台灣人民是我們的骨肉同胞。中國政府一貫致力於維護台灣同胞在國外的正當的、合法的權益。中國駐外國使領館一向把加強與台灣同胞的聯繫、傾聽台灣同胞的意見和要求、保障台灣同胞的利益作為自己的責任，盡可能幫助他們解決困難。在海灣戰爭中，中國使館幫助滯留在科威特的台灣勞務人員安全撤離險境。日本阪神大地震發生後，中國使領館及時撫慰受災的台灣同胞。柬埔寨爆發內戰後，中國使館積極幫助生命財產受到嚴重威脅的台灣商人和旅遊者安全轉移和撤離。上述事例體現了中國政府對台灣同胞的關心和照顧。在海峽兩岸實現統一後，台灣同胞更能夠與全國各族人民一道充分共享中華人民共和國在國際上的尊嚴與榮譽。

結束語

中國具有五千年悠久歷史。中華民族繁衍生息在中國這塊土地上，各民族相互融合，具有強大的凝聚力，形成了崇尚統一、維護統一的價值觀念。在漫長的歷史過程中，中國雖然經歷過改朝換代、政權更迭，出現過地方割據，遭遇過外敵入侵，特別是近代史上曾飽受外國列強的侵略和瓜分，但統一始終是中國歷史發展的主流，每一次分裂之後復歸統一，並且都贏來了國家政治、經濟、文化、科技的快速發展。台灣同胞具有光榮的愛國主義傳統，在反抗外國侵略台灣的鬥爭中建立了卓越的功勳。中華人民共和國誕生後，中國人民倍加珍視得來不易的民族獨立，堅決捍衛國家主權和領土的完整，並為實現祖國的完全統一而努力奮鬥。中國五千年的歷史和文化深深地在中國人的心中根植了一種強烈的民族意識，這就是中國必須統一。

中國政府希望國際社會始終如一奉行一個中國政策，希望美國政府切實履行中美三個聯合公報關於台灣問題的各項原則和自己作出的堅持一個中國政策的莊嚴承諾。

隨著中國政府相繼對香港、澳門恢復行使主權，全中國人民迫切期望早日解決台灣問題，實現國家的完全統一，不能允許台灣問題再無限期地拖下去了。我們堅信，在包括兩岸同胞和海外僑胞在內的全中國人民的共同努力下，中國的完全統一一定能夠實現。

資料來源：中華人民共和國國務院台灣事務辦公室、國務院新聞辦公室，2000年2月發表。北京：新星出版社，2000年第1版第1次印刷。

【附錄7】
陳水扁：「台灣站起來！迎接向上提升的新時代」

各位友邦元首、各位貴賓、各位親愛的海內外同胞：

這是一個光榮的時刻，也是一個莊嚴而充滿希望的時刻！

感謝遠道而來的各位嘉賓，以及全世界熱愛民主、關心台灣的朋友，與我們一起分享此刻的榮耀。

我們今天在這裡，不只是為了慶祝一個就職典禮，而是為了見證得來不易的民主價值，見證一個新時代的開始。

在21世紀來臨的前夕，台灣人民用民主的選票完成了歷史性的政黨輪替。這不僅是中華民國歷史上的第一次，更是全球華人社會劃時代的里程碑。台灣不只為亞洲的民主經驗樹立了新典範，也為全世界第三波的民主潮流增添了一個感人的例證。

中華民國第十任總統選舉的過程讓全世界清楚的看到，自由民主的果實如此得來不易。2,300萬人民以無比堅定的意志，用愛弭平敵意、以希望克服威脅、用信心戰勝了恐懼。

我們用神聖的選票向全世界證明，自由民主是顛撲不滅的普世價值，追求和平更是人類理性的最高目標。

公元2000年台灣總統大選的結果，不是個人的勝利或政黨的勝利，而是人民的勝利、民主的勝利。因為，我們在舉世注目的焦點中，一起超越了恐懼、威脅和壓迫，勇敢的站起來！

台灣站起來，展現著理性的堅持和民主的信仰。

台灣站起來，代表著人民的自信和國家的尊嚴。

台灣站起來，象徵著希望的追求和夢想的實現。

親愛的同胞，讓我們永遠記得這一刻，永遠記得珍惜和感恩，因為民主的成果並非憑空而來，而走艱難險阻，歷經千辛萬苦才得以實現。如果沒有民主前輩們前仆後繼的無畏犧牲、沒有千萬人民對於自由民主的堅定信仰，我們今天就不可能站在自己親愛的土地上，慶祝這一個屬於全民的光榮盛典。

今天我們彷彿站在一座嶄新的歷史門前。台灣人民透過民主錘煉的過程，為我們共同的命運打造了一把全新的鑰匙。新世紀的希望之門即將開啟。我們如此謙卑，但絕不退縮。我們充滿自信，但沒有絲毫自滿。

從3月18日選舉結果揭曉的那一刻開始，阿扁以最嚴肅而謙卑的心情接受全民的付託，誓言必將竭盡個人的心力、智慧和勇氣，來承擔國家未來的重責大任。

個人深切的了解，政黨輪替、政權和平轉移的意義絕對不只是「換人換黨」的人事更替，更不是「改朝換代」的權力轉移，而是透過民主的程序，把國家和政府的權力交還給人民。人民才是國家真正的主人，不是任何個人或政黨所能占有；政府是為人民而存在的，從國家元首到基層公務員都是全民的公僕。

政黨輪替並不代表對於過去的全盤否定。歷來的執政者為國家人民的付出，我們都應該給予公正的評價。李登輝先生過去12年主政期間所推動的民主改革與卓越政績，也應該獲得國人最高的推崇與衷心的感念。

在選舉的過程中，台灣社會高度動員、積極參與，儘管有不同的主張和立場，但是每一個人為了政治理念和國家前途挺身而出的初衷是一樣的。我們相信，選舉的結束是和解的開始，激情的落幕之後應該是理性的抬頭。在國家利益與人民福祉的最高原則之下，未來不論是執政者或在野者，都應該能不負人民的付託、善盡本身的職責，實現政黨政治公平競爭、民主政治監督制衡的理想。

一個公平競爭、包容信任的民主社會，是國家進步的最大動能。在國家利益高於政黨利益的基礎之上，我們應該凝聚全民的意志與朝野的共識，著手推動國家的進步改革。

「全民政府、清流共治」是阿扁在選舉期間對人民的承諾，也是台灣社會未來要跨越斷層、向上提升的重要關鍵。

「全民政府」的精神在於「政府是為人民而存在的」，「人民是國家的主人和股東」，政府的施政必須以多數的民意為依歸。人民的利益絕對高於政黨的利益和個人的利益。

阿扁永遠以身為民主進步黨的黨員為榮，但是從宣誓就職的這一刻開始，個人將以全部的心力做好「全民總統」的角色。正如同全民新政府的組成，我們用人唯才、不分族群、不分性別、不分黨派，未來的各項施政也都必須以全民的福祉為目標。

「清流共治」的首要目標是要掃除黑金、杜絕賄選。長期以來，台灣社會黑白不分、黑道金權介入政治的情況已經遭致台灣人民的深惡痛絕。基層選舉買票賄選的文化，不僅剝奪了人民「選賢與能、當家作主」的權利，更讓台灣的民主發展蒙上污名。

今天，阿扁願意在此承諾，新政府將以最大的決心來消除賄選、打擊黑金，讓台灣社會徹底擺脫向下沉淪的力量，讓清流共治向上提升，還給人民一個清明的政治環境。

在活力政府的改造方面，面對日益激烈的全球化競爭，為了確保台灣的競爭力，我們必須建立一個廉潔、效能、有遠見、有活力、有高度彈性和應變力的新政府。「大有為」政府的時代已經過去，取而代之的應該與民間建立夥伴關係的「小而能」政府。我們應該加速精簡政府的職能與組織，積極擴大民間扮演的角色。如此不僅可以讓民間的活力盡情發揮，也能大幅減輕政府的負擔。

同樣的夥伴關係也應該建立在中央與地方政府之間。我們要打破過去中央集權又集錢的威權心態，落實「地方能做、中央不做」的地方自治精神，讓地方與中央政府一起共享資源、一起承擔責任。無論東西南北、不分本島離島，都能夠獲得均衡多元的發展，拉近城鄉之間的距離。

當然，我們也應該了解，政府不是一切問題的答案，人民才是經濟發展與社會進步的原動力。過去半個世紀以來，台灣人民靠著胼手胝足的努力創造了舉世稱羨的經濟奇蹟，也奠定了中華民國生存發展的命脈。如今，面對資訊科技日新月異以及貿易自由化的衝擊，台灣的產業發展必然要走向知識經濟的時代，高科技的產業必須不斷創新，傳統的產業也必然要轉型升級。

未來的政府並不一定要繼續扮演過去「領導者」和「管理者」的角色，反而應該像民間企業所期待的，政府是「支援者」和「服務者」。現代政府的責任於提高行政的效能、改善國內的投資環境、維持金融秩序與股市的穩定，讓經濟的發展透過公平的競爭走向完全的自由化和國際化。循此原則，民間的活力自然能夠蓬勃興盛，再創下一個階段的經濟奇蹟。

除了鞏固民主的成果、推動政府的改造、提升經濟的競爭力之間的共識，持續推動教改的希望工程，建立健康、積極、活潑、創新的教育體制，使台灣在激烈的國際競爭力之下，源源不斷地培育一流、優秀的人才。讓台灣社會逐漸走向「學習型組織」和「知識型社會」，鼓舞人民終身學習、求新求變，充分發揮個人的潛力與創造力。

目前在全國各地普遍發展的草根性社區組織，包括對地方歷史、人文、地理、生態的探索和維護，展現了人文台灣由下而上的民間活力。不管是地方文化、庶民文化或者精緻文化，都是台灣文化整體一部分。台灣因為特殊的歷史與地理緣故，蘊含了最豐美多樣的文化元素，但是文化建設無法一蹴可幾，而是要靠一點一滴的累積。我們必須敞開心胸、包容尊重，讓多元族群與不同地域的文化相互感通，讓立足台灣的本土文化與華人文化、世界文化自然接軌，創造「文化台灣、世紀維新」的新格局。

去年發生的921大地震，讓我們心愛的土地和同胞歷經前所未有的浩劫，傷痛之深至今未能癒合。新政府對於災區的重建工作刻不容緩，包括產業的復甦和心靈的重建，必須做到最後一人的照顧、最後一處的重建完成為止。在此，我們也要對於災後救援與重建過程中，充滿大愛、無私奉獻的所有個人與民間團體，再次表達最高的敬意。在大自然的惡力中，我們看到了台灣最美的慈悲、最強的信念、最大的信任。921震災讓同胞受傷跌倒，但是在「志工台灣」的精神中，台灣新家庭一定會重新堅強的站起來！

親愛的同胞，四百年前，台灣因為璀麗的山川風貌被世人稱為「福爾摩沙——美麗之島」。今天，因為這一塊土地上的人民所締造的歷史新頁，台灣重新展現了「民主之島」的風采，再次吸引了全世界的目光。

我們相信，以今日的民主成就加上科技經貿的實力，中華民國一定可以繼續在國際社會中扮演不可或缺的角色。除了持續加強與友邦的實質外交關係之外，我們更要積極參與各種非政府的國際組織。透過人道關懷、經貿合作與文化交流等各種方式，積極參與國際事務，擴大台灣在國際的生存空間，並且回饋國際社會。

除此之外，我們也願意承諾對於國際人權的維護做出更積極的貢獻。中華民國不能也不會自外於世界人權的潮流，我們將遵守包括《世界人權宣言》、《公民與政治權利國際公約》以及維也納世界人權會議的宣言和行動綱領，將中華民國重新納入國際人權體系。

新政府將敦請立法院通過批准「國際人權法典」，使其國內法化，成為正式的「台灣人權法典」。我們希望實現聯合國長期所推動的主張，在台灣設立獨立運作的國家人權委員會，並且邀請國際法律人權委員會和國際特赦組織這兩個卓越的非政府人權組織，協助我們落實各項人權保護的措施，讓中華民國成為21世紀人權的新指標。

我們堅信，不管在任何一個時代、在地球的任何一個角落，自由、民主、人權的意義和價值都不能被漠視或改變。

20世紀的歷史留給人類一個最大的教訓，那就是——戰爭，是人類的失敗。不論目的何在、理由多麼冠冕堂皇，戰爭都是對自由、民主、人權最大的傷害。

過去一百多年來。中國曾經遭受帝國主義的侵略，留下難以抹滅的歷史傷痕。台灣的命運更加坎坷，曾經先後受到強權的欺凌和殖民政權的統治。如此相同的歷史遭遇，理應為兩岸人民之間的相互諒解，為共同追求自由、民主、人權的決心，奠下厚實的基礎。然而，因為長期的隔離，使得雙方發展出截然不同的政治制度和生活方式。從此阻斷了兩岸人民以同理心互相對待的情誼，甚至因為隔離而造成了對立的圍牆。

如今，冷戰已經結束，該是兩岸拋棄舊時代所遺留下來的敵意與對立的時候了。我們無須再等待，因為此刻就是兩岸共創和解時代的新契機。

海峽兩岸人民源自於相同的血緣、文化和歷史背景，我們相信雙方的領導人一定有足夠的智慧與創意，秉持民主對等的原則，在既有的基礎上，以善意營造合作的條件，共同來處理未來「一個中國」的問題。

本人深切了解，身為民選的中華民國第十任總統，自當恪遵憲法，維護國家的主權、尊嚴與安全，確保全體國民的福祉。因此，只要中共無意對台動武，本人保證在任期之內，不會宣布獨立，不會更改國號，不會推動兩國論入憲，不會推動改變現狀的統獨公投，也沒有廢除國統綱領與國統會的問題。

歷史證明，戰爭只會引來更多的仇恨與敵意，絲毫無助於彼此關係的發展。中國人強調王霸之分，相信行仁政必能使「近者悅、遠者來」、「遠人不服，則修文德以來之」的道理。這些中國人的智慧，即使到了下一個世紀，仍然是放諸四海皆準的至理名言。

大陸在鄧小平先生與江澤民先生的領導下，創造了經濟開放的奇蹟；而台灣在半個世紀以來，不僅創造了經濟奇蹟，也締造了民主的政治奇蹟。在此基礎上，兩岸的政府與人民若能多多交流，秉持「善意和解、積極合作、永久和平」的原則，尊重人民自由意志的選擇，排除不必要的種種障礙，海峽兩岸必能為亞太地區的繁榮與穩定做出重大的貢獻，也必將為全體人類創造更輝煌的東方文明。

親愛的同胞，我們多麼希望海內外的華人都能親身體驗、共同分享這一刻的動人情景。眼前開闊的凱達格蘭大道，數年之前仍然戒備森嚴；在我身後的這棟建築，曾經是殖民時代的總督府。今天，我們齊聚在這裡，用土地的樂章和人民的聲音來歌頌民主的光榮喜悅。如果用心體會，海內外同胞應該都能領悟這一刻所代表的深遠意義——

威權和武力只能讓人一時屈服，民主自由才是永垂不朽的價值。唯有服膺人民的意志，才能開拓歷史的道路、打造不朽的建築。

今天，阿扁以一個佃農之子、貧寒的出身，能夠在這一塊土地上奮鬥成長，歷經挫折與考驗，終於贏得人民的信賴，承擔起領導國家的重責大任。個人的成就如此卑微，但其中隱含的寓意卻彌足可貴。因為，每一位福爾摩沙的子民都和阿扁一樣，都是「台灣之子」。不論在多麼艱困的環境中，台灣都像至愛無私的母親，從不間斷的賜予我們機會，帶領我們實現美好的夢想。

台灣之子的精神啟示著我們：儘管台澎金馬只是太平洋邊的蕞爾小島，只要2,300萬同胞不畏艱難、攜手向前，我們夢想的地圖將會無限遠大，一直延伸到地平線的盡頭。

親愛的同胞，這一刻的光榮屬於全體人民，所有的恩典都要歸於台灣——我們永遠的母親。讓我們一起對土地感恩、向人民致敬。

自由民主萬歲！
台灣人民萬歲！

敬祝中華民國國運昌隆！全國同胞和各位嘉賓健康愉快！

〈中華民國第十任總統陳水扁宣誓就職演說全文〉。資料來源：行政院新聞局

代跋：對阿扁新政的期待

扁（李）體制？在發酵中的問題

總統大選「變天」之後，關於李登輝總統主政12年的評價，還在繼續發酵。此一現象殊堪玩味。但就大選結果而言，阿扁當選，作為「李一連體制」延續者的連戰卻敗退，這又代表什麼意義？

1996年首次總統民選後初步形成的「李一連體制」，李登輝是準備要延續下去的；表面上是「連一蕭體制」，實際掌控者仍然是李登輝。這樣的構想原要藉由第二次總統民選實現，但人算不如天算。

不過，就「李一連體制」而言，李、連的背景，其實正是近80年來台灣史的縮影。

李登輝的成長背景，歷經日本帝國主義殖民與光復後國府統治，還背著「二二八事件」、「四六事件」與白色恐怖等的陰影。李非出身富豪，但卻是接受日、美教育，並受到蔣經國提拔的台灣菁英。連戰的家庭背景較複雜。連震東在日本求學，到大陸參與抗戰，甚至和瀋陽人結婚；連戰則在台灣受教育，在美國拿博士學位。連戰的家庭與教育背景可說同樣有著日、美與國府的影子，且是少數能接近權力中樞後代的台灣菁英。

李與連都是解嚴後推行台灣民主憲政過程中的重要人物；但這次選舉，卻是李、連為代表的上層菁英，與陳水扁為代表的草根階層的對抗。阿扁以一個佃農之子的奮鬥過程，率直地訴諸選民；他不僅草根，而且年輕。因此，大選競爭主軸之一，就是「菁英vs.草根」、「老一代vs.新世代」、「丟開個性暨等待安排」vs.「主張自我暨積極爭取」的多重對抗。而變天，則意味著台灣民主發展深層結構一定程度的改變。

然而，「李—連體制」的時代，或者說李登輝路線是否就此終結？畢竟，我們看到從選前的國政顧問團到選後的新內閣以及阿扁的資政、國策顧問等名單，尚有著李的部分影子。

變天後，台灣政壇重新洗牌，但背後還隱藏著若干目前尚不夠明朗的部分：

——阿扁是否仍想吸收李登輝路線的剩餘價值，從而逐步建立自己的路線？

——或者阿扁只能在「李—連體制」崩解後，接收李登輝人馬，從而形成「扁（李）體制」？

外界常批判李登輝有關「外來政權」的說法。李原不喜歡國民黨，但國民黨是可以利用來推動其理念、達成其使命的工具。李又繼蔣經國更進一層地強調「本土化」。但李所謂的本土化政策已與蔣經國所主張者，在內涵及遠景上似乎產生了一定程度之差異。據筆者之淺見，蔣為了深一層鞏固政權所設計的目標在逐漸緩和及克服省籍矛盾。為此，蔣的確用了心並嘗試全盤性的規劃，李所推進者卻是「速食式」的，或許為了先鞏固其權力基礎之所需，他匆匆忙忙地釋放了台籍為核心之民間能量。尤其他所重視者，為被禁錮多年的舊日帝期台籍菁英層之鬱結怨氣，此舉難免踏入肯定日帝殖民期所不得不留下來的所有遺緒，誤認為正面性的「殖民地遺產」。此種欠缺自我主體性的論調，及過度親近日方新興右翼民族主義分子等一些貌似「外交」的交流，後來有日益浮上檯面成為主流意識之趨勢。這些舉措，不但讓日方右派上述人士「吃定」了台灣，還鼓勵了本來便是「親日」派的一些台籍人士，快速地趕搭「媚日」巴士上路。此類既「自我迷失」又「自棄主體性」並拜「日本人為阿公」的一種社會行為，豈然無人著墨批判？真教有識者痛心！摩西帶領族人脫離埃及企圖擺脫奴隸地位，並克服被囿良久的奴隸劣根性該是一個整套自求解脫＝解放的革命實踐行為。自西奈曠野到達迦南山＝「可以指望之地」，在地理上的距離只需騎驢四到五天之路程，但摩西卻需花上四十多年之時間。究其原因，除了遭遇曠野的困境外，主要在於如何等待已自囿於奴隸劣根性根深柢固卻不知的族人、老一世代之凋零，或是年輕一代的自我醒悟，這都需要花費時間。

摩西的史鑑，尚可在20世紀末台灣來加以印證，怎麼不叫我等有良心且有識台人們痛心及懊惱！不管如何，李登輝的本土化政策在原住民與客家人眼裡，常被認為帶有濃厚的福佬人色彩。因此，準確地說，本土化之真正內涵應該是「草根性化」。換言之，國民黨政權其實並不是「外來政權」，而是欠缺充分草根性民意基礎，無法釋放民間全面性能量的政權。

李登輝還將總統直選視為個人重要的民主成就。但他可能沒想到，在台灣住民不分族群與身分，可以不受白色恐怖或金錢暴力干預，而行使一人一票的機制出現後，菁英統治的社會基礎也將被草根的力量搖動。李強調「民之所欲，長在我心」，人民可能被動員作為民粹的支持力量，但選民也會要求民主參與的權利。當台灣逐漸步向成熟公民社會時，這種社會結構的深層變化，不該被忽視。

12年來，台灣社會還經歷了激烈的統／獨辯論；而李的外交政策與兩岸政策則在兩岸之間擺盪。

最近，班乃迪特・安德森（Benedict Anderson）關於民族作為想像共同體的說法，在台灣常被部分學者援引比附；然而，台灣的多數論者或許是忽視，更可能的是——短缺班乃迪特所尊敬的瓦爾特・班（或作本）雅明（Walter Benjamin，一譯班傑明，1892～1940）自盡於瑞士山中悲劇的認知。這個悲劇的背景確是來自於希特勒國家社會主義（Nazism＝納粹所崇信的國粹主義）之民族主義（參照希特勒所著《我的鬥爭》（*Mein Kampf*）第一卷的「民族主義的世界觀」）。因此之故，西歐的知識分子自30年代以來，普遍地具有反民族主義的強烈主張。我們不能不分皂白地評比鄰國日本的民族主義之變遷史實、明治維新前後期的日本民族主義，與他們打勝了甲午戰爭和日俄戰爭後，開始在東北亞稱霸型塑的日本國粹主義式右派民族主義是有差異的。至於當今所重新興起來的新右翼民族主義，雖然在中文上是同一字詞，但其內容是不同的。第三世界在第二次世界大戰中及戰後，為自己國家之獨立暨民族的自我解放所揭竿的民族主義，是有其正當性及崇高的倫理道德內涵的。民族主義的義涵複雜，台灣的援引更需謹慎才是。

當今的台灣並不存在安德森所述這一想像的載體，也不可能以此想像的共同體成為獨立的台灣民族。這次大選中，不分省籍、閩客，因為反對黑金而支持阿扁，並認為「投給阿扁不等於投給台獨」的眾多年輕選民，加上沒有投給阿扁的60%選民，充分顯示多數民眾立基於他們的「生活者意識」並不苟同台獨；而阿扁當選後，建國黨的分裂，也說明了前述比附的局限性。

同樣的，李登輝的自我認知也常與事實有相當差距。尤其，在對美、日關係的處理上，更為明顯。李任內最後二年與日本的關係，讓美國主流政論家及正派學界人士頗不以為然。最近訪台引起爭議及多次對「亞洲人」發出歧視性言論的石原慎太郎、「日本為天皇作中心的神之國」的時代錯誤發言的森喜朗首相等，就是頗為明顯的例子（美國主流大報：《紐約時報》、《華盛頓郵報》、《洛杉磯時報》都相繼刊載了相關批判性社論或論評等，值得國人關注）。日本極右派新民族主義抬頭，美國已有警惕。李路線在兩國論後已經明顯碰壁，至於過度親日本極右派新民族主義路線，不難想像也將遭受反彈。可以預期，陳總統如不能脫離李路線，則在對美及東北亞關係，尤其南北韓高峰會談，順利地完成首次會談（2000年6月13～15日）之多面性衝擊下，將會很快觸礁，這還不包括來自中國大陸的壓力。

從當選以迄就職，阿扁一直以低調來因應中共的壓力。中共在看阿扁，阿扁也在看中共；雙方在這種互動中彼此「聽其言，觀其行」，而民眾則不希望兩岸關係繼續緊張。阿扁在就職演講中，凸顯了自由、民主與人權等普世價值，民間能量的釋放，也讓台灣對中國大陸有著和平演變（若不喜歡這個字詞，亦可改稱為寧靜革命）的期待；但是我們不能忽略，台灣本身亦同樣在和平演變抑或寧靜革命中，而大陸一旦也釋放了民間能量，台灣又將如何自處？

事實上，李登輝12年來，一直是在一種恐怖平衡下發揮其領航力（leadership）的。在內部，民眾的「生活者意識」，要求的是「出頭天」屬性的安定繁榮，但不願身陷台獨具體化帶來的立即衝突與災難，更重要的是，國民黨外省籍將領掌握下的三軍及情治機構也不容許台獨的實踐。在對外方面，美國雖不樂見兩岸的統一，卻也反對台獨的冒險，台灣一旦獨立，台灣不但將變為險棋抑或死棋一顆，對美方是不利的；日本當然也不可能陪著跳入火坑。即便部分來台打鑼敲鼓的極右派日本人士，他們只忙於給予「媚日」派之台人口惠，實質上他們短缺勇氣，既不負責更不具備國際關係上的政治、軍事發言力才是實況。至於中共，任何人都可以痛罵其鴨霸與專制，但是中國大陸上普遍存在著「台獨就打」的強烈氣氛，卻是無法漠視的事實。

另外，李登輝任內在推動改革遭遇阻礙時，反對者往往刻意被打成「反動派」。但是，何謂「改革」？若仔細下個定義，改革可以說是以未來的價值作為現在價值之裁判基準，並且認為未來的價值是對的，而當下的價值是錯的，因此須要改革。問題是此一價值的正確與否，不應任領導者個人獨斷。領導者需要智囊團來幫他作正確的思考與判斷。毛澤東晚年不聽諫言，身邊人士機制無法制衡他而導致的毀滅性災難，良足殷鑑。相對的，美故總統甘迺迪組成高水平的智囊團提供決策諮詢，則值得參考。我們希望陳總統身邊也有這樣具備智慧的智囊團。

變天之後，李登輝神話，究竟能否維持？台灣人的李登輝情結，到底能否持續？這個還在發酵中的問題，正受到各界的關切。既年輕又精明的陳總統，該不至於走直線直接繼承李路線。李路線當然有值得參考的部分，但是陳總統還是必須在智囊團的協助下走出自己的道路，體現出以阿扁為中心、所建構具有能與世界主流接軌的時代精神，帶領台灣迎向光明的明天，並對大陸也產生正面刺激、發揮良性影響，否則阿扁的新政將會很快遭遇到來自內外的重大挑戰與壓力。

按：本文刊載《聯合報》（2000年5月25日）時，因篇幅所限刪減不少。此次加以補足並略加潤色，及把原來的主題改為副題，特此註記。

【附録1】

多尖銳評語，夠刺激

——評《台灣近百年史的曲折路》

◎ 齋藤敏康*著・林彩美譯

在我學生時期，還以為戴國煇是文學研究者。因為我在寫畢業論文的前後，曾經讀過他的幾篇有關1930年代文學的論文之故。然後過了一段時間之後，我才知道他是台灣人，一直在對近代史的台、中、日關係密集發言的歷史學者，而且更是在東京大學專攻農業經濟的農學博士。他多面向的才能、尖銳且有時辛辣的文筆，對我而言，「戴國煇」這個名字具有著敬畏之情意。

兩年前，在立命館大學國際言語文化研究所舉辦以台灣現代化為主題的研究會，聽了他的演講後，我坦白地對他說出我的感覺。他說：「『初生之犢不畏虎』就是指像我這樣的人，因剛留學的時候對丸山真男所說的『捕章魚陶罐』式的研究有抗拒之故，我刻意廣泛做研究。結果未修得可去踢館的實力，卻只像是脫了一隻草靴進去半步試試口味而已，與竹內好師的相遇也是那個時候的事。」他回憶著。在我們的研究會，戴先生的題目是「台灣的戰後史與自我認同困境」。要是落到戴先生的話網中的話，就連他的自賣自誇都不令人感到不順耳。他說台灣研究、華僑研究，都是他第一個引進艾利克生的「自我認同論」做分析，台灣人對「台灣」的自我分析都過於情緒化，必須更精通於社會科學的方法才行。如何把竹內好師所說的大狀況、中狀況、小狀況參酌進去，

* 時任立命館大學教授。

如何摻和思想、理論與「生活者、生產者的感覺」是他經常做考量的等等。對他所提出的台灣的觀點、方法論的印象特別深刻。就是說，「台灣」這個多元的、複合的、動態地正開展著的對象，以個人的力量去做評論的話，必要立足於各自的個學問的方法並站在其成果之上，將之總合、融合的能力，我覺得戴先生是善於這樣做的一位吧。

《台灣近百年史的曲折路》這本書，戴先生自己說是有總結居住日本40年與立教大學教員研究生活20年的意思。但我認為這本書除了談歷史學、社會科學，同時也是文化的、人類學的台灣。其中充溢著出人意表的尖銳評語，令人讀來非常刺激。譬如，評論司馬遼太郎的《台灣紀行》是「不得了的書但不是好書」。將李登輝的「出埃及」的意思，沿著圍繞台灣狀況的背景做有趣的解說。對於叫喊台灣獨立的人們在1995年於下關舉辦的「告別中國」論壇，他一語道破逃避與中國的「對決」的「獨立」是不可能的。或談鄧麗君的人生與自我認同，幾達於她心田情理漾溢的問題，而做了一番整理。

本書把台灣的現在定位在近百年的歷史之中，然後論述1990年代的變化，特別是1995年的李登輝的訪美，在康乃爾大學的演講，到總統直選的情勢，是欲理解圍繞台灣的問題狀況時，很值得參考的一本書。

戴先生以此書的出版做為在日本的告一段落，搬回了台灣。現在聽說在擔任李登輝總統顧問〔譯註：國安會諮詢委員〕。但是據消息靈通的友人說，兩人之間不很融洽。那是理所當然的，我逕自想像著對於戴先生尖銳的評語，「寬容」的李登輝皺著眉頭的一幅圖像，不知如何。

本文原刊於《日中友好新聞》，1998年4月25日

【附錄2】

簡潔描述台灣的兩個面

——評《台灣近百年史的曲折路》

◎ 丹藤佳紀著* · 陳進盛譯

古羅馬之神・雙面神亞奴斯擁有前後兩個臉，是古羅馬人信仰中掌管一切事物開始的神祇。

台灣為何是雙面神亞奴斯？想必是因為它一面背負著一段連它自己不期望有過的歷史，另一面卻在艱辛曲折抵達的今日展望明天往何處去的問題吧！

這個雙面神亞奴斯後面所對的是在即使在東亞近代史中也稱得上是特殊又曲折的台灣歷史。這段歷史從坐船經過台灣海峽的葡萄牙人以驚歎之聲喊出「美麗島」開始，接著是因為近松門左衛門著名的人形淨琉璃劇本「國姓爺合戰」而廣為日本人所知的鄭成功攻打台灣與清朝的統治，以及長達半個世紀的日本殖民統治，最後還加上因為國共內戰失敗而逃到台灣的國民黨獨裁統治，稱得上是一段波瀾壯闊的變遷史。

去年〔1995〕是日本迎接第二次世界大戰結束的戰後50年，對台灣而言這卻是結束日本統治的「光復50年」。在總結日本40年經驗的這本書裡，作者也對這段歷史的基本架構做了簡潔地描述。

不過，本書的重點卻放在雙面神亞奴斯的前面，而作為這前、後兩面之間的境界則是台灣的民主化，以及稱得上是這個民主化過程顛峰的總統直接民選。書中並寫到了李登輝總統與司馬遼太郎對談中所提到

---

* 時任《讀賣新聞》論說委員。

的「生為台灣人的悲哀」以及舊約《聖經・出埃及記》中的摩西與人民的談話。

關於對談中所提到的舊約《聖經》「應許之地」指的是哪裡？所提到的摩西指的又是何人？似乎是為了避免讀者減低興趣，作者並沒有對這兩個謎題進行「解謎」，不過作者嘗試回答的對象已經不再局限於台灣，而是試圖從普遍化的角度來尋求解答。這種嘗試努力的結果雖然說還不是十分的充分，不過確實具有相當的說服力。

作者這種處理問題的態度，與他的祖先是源自中原的客家人，因此持有立足於超越本省人與外省人的省籍矛盾情結與抱持對台灣原住民「原罪意識」的開放性歷史意識有深厚的關係。

去年3月總統選舉時，中國曾經透過一系列的軍事演習來展示它反對台灣獨立的意思。這是一種基於亞奴斯後面意識的現實政治層次的行動。但是，對於即將從英國手上接收香港回歸的中國而言，今後所必須真正面對的，不正是已經開始具有普遍性的這個雙面神亞奴斯——台灣的前面嗎？

本文原刊於《讀賣新聞》，1996年6月16日

【附錄3】

從與大陸對話尋求活路

——評《台灣近百年史的曲折路》

◎ **陳進盛譯**

去年〔1995〕是甲午戰爭結束剛好屆滿百年的關鍵性一年。在甲午戰爭中戰敗的中國清王朝，將台灣割讓給日本作為結束戰爭的一個賠償條件。當我們讀這本書時，似乎可以隱約聽到在這一百年來，遭受壓抑並流血流汗的形形色色台灣人的呻吟聲。

去年去世的台灣歌星鄧麗君也不例外。在電視螢幕上出現的鄧麗君總是給人一個笑臉迎人、歌聲清純的印象。不過她的實際生活經歷卻是相當複雜，擁有各種煩惱。

鄧麗君的父母都是大陸出生者，這使得她在台灣被稱為外省人。雖說被稱作外省人，不過卻不是有錢或是政府高官的外省人，而是普通的基層軍人家庭成員而已。出身這樣的家庭，從小就有來自本省人（台灣出身者）的冷眼相對和冷語相向的經驗。

戴國煇先生說，現今的台灣已經變成了一個有如雙面神亞奴斯的地方。亞奴斯是廣為人知的古代羅馬人神祇，祂是在一個頭的前後都各有一個臉的雙面神。將這種雙面神亞奴斯的概念套用在現今的台灣狀況時，意指其中的一個臉向著「獨立」，另一個臉則對著「統一」。

雖是這樣說，並不表示戴國煇先生是在提倡台灣獨立。毋寧說，他對民進黨急躁的議論是保持批判性的態度，而且提出只是重複宣傳觀念性的議論，最終將使得與一般民眾間的鴻溝更為擴大而已等的各種逆耳忠言。

戴國煇先生的結論是：不論今後的台灣是要走要哪一條道路，如果不與大陸對話都不可能成功。對於在總統直選中得到壓倒性票數支持而成功連任的李登輝總統，則期待著他能挑起這樣的重任，早日找出與大陸共生共存的道路。這樣的期待是否能夠如願實現？

本文原刊於《日本経済新聞》，1996年6月16日，作者不詳

譯者簡介

林彩美

1933年生。中興大學農經系畢業，日本東京大學農經系博士課程修畢。旅日長達40年，中華料理研究家，曾主持梅苑中華料理研究室（日本）二十餘年。致力於梅苑書庫的保存與研究，長期投入《戴國煇全集》的編譯工作。

著有：《中菜健康瘦身法》（文經社）、《新灶腳的健康料理》（文經社）等；主編：《戴國煇文集》；策劃：《戴國煇全集》等。

陳進盛

1957年生。台灣大學政治學研究所碩士，日本東京大學研究，台灣大學政治研究所博士班肄業，專攻國際關係與政治。曾任報社記者、編譯與撰述委員。譯有：《人體大揭密》（時報）、《工作雞湯 I ——縱橫21世紀職場的成功祕訣》（天下雜誌）、《李登輝與台灣的國家認同》（共譯，前衛）等書。

（以上依姓氏筆畫序）

戴國煇全集 5

【史學與台灣研究卷五】

著　作　人　戴國煇
策劃／總校　林彩美

編輯製作　財團法人台灣文學發展基金會
10048台北市中山南路11號6樓
02-2343-3142
編輯委員　王曉波　吳文星　張錦郎　張隆志
陳淑美　劉序楓（依姓氏筆畫序）
主　　編　封德屏
執行編輯　江侑蓮　王為萱
美術設計　不倒翁視覺創意

出　　版　文訊雜誌社
發 行 人　王榮文
發 行 所　遠流出版事業股份有限公司
10084台北市中正區南昌路二段81號6樓
（02）2392-6899
http：//www.ylib.com

排　　版　浩瀚電腦排版股份有限公司
印　　刷　松霖彩色印刷事業有限公司
初　　版　民國100年（2011）4月
定　　價　全27冊（不分售）精裝新台幣16,000元整
ISBN　978-986-85850-9-6（全集5：精裝）
978-986-85850-4-1（全套：精裝）

◎版權所有，翻印必究

國家圖書館出版品預行編目（CIP）資料

戴國煇全集．1-9，史學與台灣研究卷／戴國煇著．
--初版．-- 台北市：文訊雜誌社出版；遠流
發行，2011.04
冊；　公分
ISBN　978-986-85850-5-8（第1冊：精裝）．--
ISBN　978-986-85850-6-5（第2冊：精裝）．--
ISBN　978-986-85850-7-2（第3冊：精裝）．--
ISBN　978-986-85850-8-9（第4冊：精裝）．--
ISBN　978-986-85850-9-6（第5冊：精裝）．--
ISBN　978-986-87023-0-1（第6冊：精裝）．--
ISBN　978-986-87023-1-8（第7冊：精裝）．--
ISBN　978-986-87023-2-5（第8冊：精裝）．--
ISBN　978-986-87023-3-2（第9冊：精裝）

1. 史學　2. 文集

607　　100001708